JOURNAL D'UN CURÉ DE VILLE

Père Gérard Bénéteau

Journal d'un curé de ville

Fayard

Ouvrage édité sous la direction d'Anthony Rowley

Couverture : conception graphique Cheeri ;
photographie © Richard Nowitz

Dépôt légal : 2011

ISBN : 978-2-213-66140-7

Pour Klaus,
l'un de ceux auxquels la vie n'a pas réservé que le meilleur,
et pour ceux qui lui ressemblent.

Pour Catherine,
qui vient d'où je viens,
nos joies, nos peurs, nos tristesses ont souvent été communes.

Pour Jérôme,
l'élève espiègle devenu le plus fidèle complice,
et pour tous ceux auxquels j'ai souhaité transmettre
ce que j'ai moi-même reçu.

Avant-propos

Les mémoires ne sont jamais qu'à demi sincères,
si grand que soit le souci de vérité ;
tout est toujours plus compliqué qu'on ne le dit.

André Gide,
Si le grain ne meurt.

Écrire ce « journal », raconter ces souvenirs en rendant compte des interrogations qu'ils suscitent, c'est prendre le risque d'en irriter certains ou, pis, d'en blesser d'autres.

Je pense en particulier à ceux qui, dans la hiérarchie de l'Église, m'ont confié des responsabilités. Même si, à vrai dire, je n'ai jamais très bien su ce qu'ils attendaient de moi : mettre en sourdine – au nom des fonctions confiées – des opinions trop personnelles, voire trop marginales ; ou au contraire favoriser leur expression, permettant ainsi à l'institution de donner quelques signes d'ouverture à ceux avec lesquels elle ne dialogue plus guère. Et, si j'ai bien perçu que ma liberté de parole comme quelques-uns de mes combats (en particulier lorsque j'ai été curé à Saint-Eustache) suscitaient les crispations de certains de mes responsables ou confrères, j'ai découvert avec étonnement que, pendant plusieurs mois, un film rendait compte de mes engagements sur KTO-TV.

Peut-être a-t-on compris que mes prises de position n'ont jamais voulu instruire le procès d'une communauté dont je suis membre et dont je ternis moi-même l'image par mes propres médiocrités. Et si prendre part au débat s'est imposé à moi comme une priorité, celle-ci s'inscrit dans le prolongement des missions reçues.

J'ai voulu raconter l'histoire d'une fidélité au service d'une Église qui, après m'avoir dans ma jeunesse enseigné – et convaincu – que je devais revoir mes certitudes sur moi-même, les autres… et Dieu, prêche maintenant un retour au catéchisme qui, avec toutes ses évidences sur le mystère de Dieu et son peu de nuances sur le mystère de chaque personne, me rappelle celui de mon enfance.

À un moment où beaucoup (la plupart de mes proches) quittent cette Église, parce que, selon certains parents des jeunes élèves parisiens des établissements où je suis maintenant aumônier, elle est devenue « infréquentable », et son dogme « incroyable ».

Il s'agit surtout de l'histoire d'une fidélité au message évangélique dont je crois qu'il appelle encore aujourd'hui au meilleur pour soi pour le meilleur des autres, et invite à espérer un destin qui ne s'arrête pas avec la mort.

J'ai osé cela en pensant, tout d'abord, à mes plus jeunes confrères de l'Oratoire de France. Ils ont fait le choix d'une congrégation qui aime à rappeler sa « sympathie pour le monde », mais ils ne sont pas étrangers pour autant à certains courants dominants dans l'Église du IIIe millénaire. Je n'ai pas la prétention de leur proposer des réponses simples aux questions complexes que l'Église se pose depuis la Pentecôte ; j'aimerais seulement les inviter à regarder les événements du temps présent avec un peu de recul et d'humour.

Ce serait, je crois, une assez heureuse manière d'être oratorien aujourd'hui. Et l'Église et le monde que nous souhaitons servir auraient quelque chose à y gagner. Peut-être aussi serions-nous ainsi plus optimistes sur l'avenir non pas de notre propre corps – car le monde et l'Église peuvent vivre sans l'Oratoire –, mais sur l'avenir d'une liberté dans la manière d'être, de penser et d'agir, que notre petite congrégation a tenté de vivre tout au long des quatre cents ans de son histoire.

J'ai osé cela en pensant à toutes celles et à tous ceux – combien divers – que j'ai croisés et qui m'ont dit leur désir d'accéder au message chrétien, en même temps qu'ils me faisaient part de leurs difficultés à surmonter bien des obstacles sur leur route.

J'ai osé cela en pensant à ceux qui, avant de mourir, m'ont donné une leçon de vie.

J'ai osé cela parce que je me souvenais des mots de Suzanne Pagé à propos du célèbre roman d'un autre chrétien à l'itinéraire tourmenté : « La grande leçon de Bernanos dans le *Journal d'un curé de campagne* est que l'on peut transmettre ce que l'on n'a pas. »

Paris, 2001-2010.

Je vis ma vie en cercles grandissants,
qui recouvrent les choses.
Je ne pourrai sans doute accomplir le dernier,
mais je veux le tenter.

Je tourne autour de Dieu, la tour immémoriale,
cercles que je décris depuis des millénaires
et je ne sais encore ce que je suis, faucon,
tempête, immense chant.

R. -M. Rilke, *Le Livre d'heures.*

Été 2009

C'est une parole qu'il faut permettre à des gens d'entendre.

Pierre Kneip,
directeur-fondateur
de Sida Info Service, 1944-1995.

Voilà bientôt quinze ans que me hante cet appel, qu'il stimule mon énergie, motive mes engagements, entretient en moi quelque chose comme une colère.

Nous sommes alors en décembre 1995. Le « plan Juppé » pour la réforme des retraites et de la Sécurité sociale a provoqué un mouvement social d'une ampleur exceptionnelle. Cela fait déjà une bonne semaine que nous marchons dans Paris et l'exaspération monte. Il nous faudra encore bien des kilomètres dans les jambes pour que – résignation ? débrouille ? solidarités nouvelles ? rencontres improbables ou providentielles ? – l'on se croise avec un sourire amical, un clin d'œil complice, et pour que chaque voiture, expression habituelle d'un individualisme forcené, devienne celle d'une fraternité que la France affiche sans complexe au fronton de ses édifices publics. Cette grève qui avait fini par façonner un état d'esprit inhabituel s'achève quelques jours avant Noël. Elle a duré le temps d'un avent, période où les chrétiens sont invités à faire route vers la fête de la Nativité, lors de laquelle – croyants ou non – ils échangent des signes tangibles d'estime et d'affection. Ce n'en fut donc pas, cette année-là, la pire des préparations, même si bien peu regrettèrent la reprise des métros, bus et trains, où chacun s'empressa de retrouver ses petits égoïsmes ordinaires.

Ce matin-là, je me hâte de Saint-Eustache à l'hôpital Saint-Antoine. Je vais à l'un de ces mystérieux rendez-vous qui ont marqué ma vie. Quelqu'un va mourir ; je ne le connais pas, mais ses proches m'ont appelé. Il est plus exact de dire que je ne le connais pas personnellement. Car Pierre Kneip, fondateur de Sida Info Service, après avoir été responsable bénévole de la permanence téléphonique de Aides /Île-de-France, est quelqu'un dont j'ai beaucoup entendu parler et qu'il m'est sans doute arrivé de croiser dans des rencontres associatives ou lors de funérailles. Peut-être un 1er décembre, comme aujourd'hui, journée internationale de lutte contre le sida, lors des veillées de souvenir et de prière qu'accueille Saint-Eustache depuis sept ans.

Quand j'arrive à Saint-Antoine, il est dans un coma profond.

Je passe un moment auprès de lui, lui adresse quelques paroles, lis un psaume et dis le Notre-Père : « Que ta volonté soit faite, sur la terre comme au ciel. »

Que doit ce face-à-face à une quelconque volonté de Dieu ? Avons-nous choisi d'être chacun à la place où nous sommes ? Qui oserait à cette minute parler de liberté individuelle ou invoquer la Providence ?

Il meurt le lendemain. Ses obsèques, qui ont lieu à Saint-Eustache, sont troublées par le grand foutoir du moment – la voiture funéraire prise dans les embarras de Paris arrive avec une heure et demie de retard – et des prises de parole agressives des représentants de plusieurs associations de lutte contre le sida qui songent davantage à régler leurs comptes internes qu'à se rassembler autour d'un des leurs.

Dans ce climat, les quelques mots que j'arrive à placer n'expriment sans doute pas grand-chose de ce que j'ai en tête depuis mon retour de l'hôpital. Un proche de Pierre Kneip m'a en effet remis une interview que celui-ci a donnée au journal *Chrétiens et sida*. Ces lignes m'ont profondément bouleversé :

« Il y a aussi cet article du Credo sur "la résurrection des corps". Une telle expression, quand le corps est épuisé, quand on se sent au bout du rouleau, permet de croire que cette dégradation, cet anéantissement, n'est pas la fin de tout. C'est une parole qu'il faut permettre à des gens d'entendre, sans en faire pour autant un "article de foi" et sans discours de conversion. »

Aux derniers mois de sa vie, Pierre Kneip – qui ne manque pas de griefs à l'égard d'une institution qui a manifesté bien peu de compréhension pour les réalités de sa vie et pas plus d'enthousiasme pour ses engagements solidaires – ne demande rien d'autre à l'Église que d'être fidèle à sa mission première : permettre d'entendre le message qui, au matin de Pâques, a mis en route Marie-Madeleine, Pierre, Jacques et Jean, et que Paul a proclamé aux Romains : « Celui qui a ressuscité le Christ Jésus d'entre les morts donnera aussi la vie à vos corps mortels. »

Or, force est de constater que bon nombre d'hommes et de femmes d'aujourd'hui, pourtant en quête spirituelle, n'ont plus idée de frapper à notre porte tant notre planète paraît étrangère à leurs interrogations et à leurs situations de vie.

Et je ne peux sans tristesse ni colère me résigner à l'idée qu'il ne leur est plus possible d'entendre cette « bonne nouvelle » ouvrant à chacun une possible lumière dans la nuit de son destin. Non pour les convaincre mais, comme aimait à le dire le pape Paul VI, pour « entrer en conversation avec eux ».

Car la proposition chrétienne n'est pas d'abord morale. Elle est de l'ordre du vital.

Et l'amour qu'elle offre – même s'il n'est pas sans conséquence – est sans condition préalable. C'est sans doute pourquoi cette surprenante « bonne nouvelle » connut un indéniable succès ; c'est aussi pourquoi elle en irrita rapidement plus d'un. Comme le Christ le prévoyait dans la parabole de l'Enfant prodigue, où le fils cadet revenant vers son père après avoir fait les quatre cents coups est surpris par sa mansuétude, tandis que le frère aîné en devient jaloux !

Nous qui aujourd'hui nous réclamons de l'Évangile ne devons pas oublier cette leçon venue de très haut. Elle nous invite à rejoindre d'abord ceux qui, dans les méandres et les désordres de leur existence, conservent ce « désir d'espérer », comme l'écrit Pierre Kneip. Il nous faut pour cela être un peu moins bavards – et tellement moins crispés – sur certains sujets de morale, acceptant modestement de reconnaître que, sur les questions de pouvoir, de sexe et d'argent, nous avons sans doute autant de leçons à recevoir qu'à donner.

Et admettre que dans nos propres rangs, et à tous degrés de fonctions, on retrouve plus ou moins maîtrisées les mêmes pulsions que chez le commun des mortels.

Mon propre cheminement, et bientôt trente-cinq années de ministère, m'ont appris que l'on ne saurait parler de Dieu sans tendresse pour le mystère de l'homme, « ce mortel que tu gardes en mémoire, ce fils d'Adam dont tu prends souci », comme dit le psaume 8. Un cheminement qui passait par le renoncement à l'univers d'évidences dans lequel j'avais grandi. Et ce n'est pas sans craintes ni risques que l'on quitte le rivage des certitudes reçues pour aborder celui des convictions éprouvées.

« Éprouvées » au sens strict du terme : il m'a fallu affronter les difficultés et les imprévus de ma propre vie, assumer mes vulnérabilités personnelles, traverser des terres arides sans savoir si elles menaient à une source, pour comprendre ce que Mgr Rouet, évêque de Poitiers – peu entendu par ses frères aujourd'hui – appelle la « chance d'un christianisme fragile ».

Et pourtant, j'en suis même venu à imaginer – quelle prétention ! – que Dieu ne pensait pas autre chose lorsqu'il a envoyé son fils partager les risques de l'aventure humaine.

> *Dieu est partout et voit tout :*
> *il connaît le passé, le présent et l'avenir.*
>
> Dans mon livre d'enseignement moral
> et civique en cours élémentaire (1952).

« J'ai six ans… je vais à l'école.

« Je reviens d'une fête folklorique bretonne où j'ai trouvé très beaux les costumes des danseurs.

« Alors je dis à mes parents : " Je veux être breton."

« Ceux-ci m'expliquent que ce n'est pas un métier. Me vient alors l'idée d'un autre métier à costume, et je leur déclare : "Je serai prêtre", en précisant même prêtre et maître d'école. »

Dans les studios de France Inter, quelques jours avant Noël 1993, Daniel Schick m'interroge sur l'origine de ma vocation. Prêtre depuis vingt-huit ans, dont quinze comme enseignant, je viens d'être nommé curé de Saint-Eustache à Paris. Il est alors d'usage, à Noël, d'inviter sur une radio publique un « catho de service » ayant un profil un peu atypique, et ma nomination était plutôt inattendue. Elle fait suite (ce qui est déjà une situation particulière) à neuf années comme vicaire sur place, années pendant lesquelles j'ai développé un certain nombre d'engagements – entre autres par rapport à l'épidémie de sida.

Mon histoire de costume ne satisfait pas mon interlocuteur, alors j'ajoute :

« C'était une possibilité présente dans la famille : il y avait une tante religieuse, des cousins curés... Il en fallait un par génération, alors aurais-je eu le sens du sacrifice très tôt ? Mais non, ça me plaisait, tout simplement. »

Daniel Schick n'en reste pas là :

« Vous voulez dire que c'est le hasard qui vous a conduit à être prêtre ?

– Non, je ne crois pas trop au hasard... Cela dépend de tas de choses qui m'échappent totalement et que je n'ai pas choisies.

– Vous auriez pu répondre : c'est Dieu qui a voulu que je le serve.

– Je ne crois pas non plus à une intervention de Dieu de ce genre ; je ne pense pas que Dieu intervienne comme ça à tout moment... Sinon, d'ailleurs, j'aurais beaucoup de reproches à lui faire.

« Je préfère penser qu'il est intervenu au départ en créant le monde ; qu'il est venu une fois parmi nous non pas, justement, intervenir mais vivre parmi les hommes la non-intervention de Dieu...

« Et maintenant, j'espère qu'il nous attend au bout.

« Mais, dans le quotidien, je ne suis pas très sûr que cela se passe comme vous semblez vouloir que je vous en parle. »

Les conditions de l'accueil me font succomber sans résistance au bien-être de parler de soi auquel, d'une manière ou d'une autre, doivent se laisser aller tous ceux qui font profession d'écouter.

L'émission comporte un certain nombre de rituels auxquels doit se soumettre chacun des invités. C'est sur fond d'*In paradisium* du *Requiem* de Gabriel Fauré que Daniel Schick a choisi de m'interroger sur l'éternité.

« Il est comment ce paradis ?

– On n'en finit pas d'être bien parce qu'on n'en finit pas d'aimer et d'être aimé.

« Quand il m'arrivait d'en parler avec mes élèves, je leur ai souvent dit que c'était comme une journée ensoleillée sur une belle plage avec leur petite amie.

« Une de ces journées dont on dit le soir : "On n'a pas vu le temps passer." »

Je ne sais combien il y eut d'auditeurs, mais en retour j'ai reçu une avalanche de courrier. Beaucoup de femmes me disent combien elles se sont senties rejointes par les paroles d'un prêtre qui avoue qu'il doute de sa liberté comme de la divine Providence, qui n'est pas même totalement certain que Dieu existe… mais qui a « plaisir à engager sa vie sur ce pari ». Mes propres confidences en ont entraîné d'autres : douleurs intimes, situations de naufragés errant hors d'une Église dans laquelle ils estiment ne plus avoir leur place. J'ai gardé toutes ces lettres, y compris un chèque que je n'ai pas touché.

Mes parents se sont mariés en 1936.

Sans aucune fortune l'un et l'autre, ils travaillent depuis leur adolescence.

Après leur rencontre et leur mariage en Vendée, ils sont « montés » à Nantes : mon père y sera mécanicien automobile. Pas question pour ma mère de continuer : elle sera, bien sûr, « femme au foyer ».

Il n'y a pas l'eau courante dans la maison où je suis né, et il faudra attendre la générosité de la « grand-tante de Paris » pour qu'arrive le service d'eau. Ce qui ne change pas grand-chose aux bains que nous prenons dans des bassines de fer-blanc.

Je ne sais si je dois à cette période difficile – qui est, entre autres, celle des tickets d'alimentation – d'avoir été long-temps un enfant chétif auquel, par mesure de prudence, on interdisait tous sports et bains de mer. De ce point de vue, les conditions dans lesquelles j'ai grandi n'étaient pas sans rappeler (on m'a souvent raconté cette histoire) la boîte à coton dans laquelle mon père, né prématurément, passa ses premiers jours.

Premier signe de leur ascension sociale, en 1952, six ans après ma naissance, mes parents font construire la maison où je passerai le reste de mon enfance.

L'un et l'autre sont très chrétiens. Je ne découvrirai que plus tard les différences existant entre leurs attitudes et sentiments religieux. Ils ne s'étonnent pas de mon idée de devenir prêtre. D'autant que l'on trouve dans leurs familles respectives un certain nombre de prêtres et de religieuses. Sans doute portaient-ils même profondément ce désir qu'un de leurs enfants fît ce choix-là, et tout fut rapidement mis en œuvre pour le conforter et permettre son aboutissement.

Ils sont d'ailleurs prêts à bien des sacrifices : de leurs trois enfants, je suis le seul inscrit dans l'établissement le plus huppé de la ville pour y préparer mon baccalauréat littéraire, avec option latin. Je retrouve là les fils des grandes familles bourgeoises qui viennent conquérir leurs diplômes avant de prendre la suite de leurs pères. Je me sens, pour ma part, un corps étranger, et le fait que le supérieur ne se souvienne jamais de mon nom contribue à l'une de mes premières interrogations sur de possibles et contestables inégalités.

À côté de ma formation théorique, il y a aussi ma formation pratique. Dans le centre de Nantes, un magasin dont j'ai oublié l'activité principale fabrique, en objets réduits, tout ce qu'il faut pour « jouer à dire la messe ». J'ai très vite la panoplie complète, et un coin de la buanderie devient cathédrale. Car je n'en doute pas : plus tard je serai évêque. Quant aux habits liturgiques, ils doivent beaucoup à la machine à coudre de ma mère, la pièce la plus éclatante – réservée aux « fêtes d'obligation » – étant une grande chape jaune d'or, issue de la reconversion d'un couvre-pieds.

Parmi les diverses cérémonies – qui font que la buanderie est plus souvent lieu de culte que de lessive –, je révèle des dons particuliers pour les enterrements. Il y eut d'ailleurs une victime de ces activités funéraires. Mes parents m'avaient offert une petite tortue dont j'ignorais (j'ai toujours été totalement nul dans les domaines scientifique et technique) qu'elle devait passer par une période d'hibernation. La voyant plusieurs jours immobile, je décrétai – sans doute un peu rapidement – qu'elle était décédée et déposai le pauvre animal dans une boîte en fer-blanc, hermétiquement fermée, puis je l'enterrai au fond du jardin après avoir procédé à une grandiose cérémonie d'obsèques.

Mes célébrations personnelles ne me font pas pour autant négliger celles qui rythment la vie des chrétiens d'alors. Je me rappelle tout particulièrement celles de la Fête-Dieu, qui s'étalent sur une semaine.

C'est encore l'époque des grandes processions.

Le premier dimanche, à la cathédrale, par je ne sais quel accord assez étranger à la séparation de l'Église et de l'État, des militaires jouent la sonnerie *Aux champs !* pendant que l'évêque bénit la foule ; le dimanche suivant, d'autres processions ont lieu dans chacune des paroisses.

Sur leur parcours, on fait de superbes tapis avec de la sciure de bois teintée. En ces circonstances, je porte, accrochée au cou, une corbeille remplie de pétales de roses que je dois jeter devant le dais – grand parasol rectangulaire – sous lequel M. le curé porte le saint sacrement dans un grand soleil d'or.

Autre élément décoratif de cette célébration, les draps piqués de fleurs qui pendent aux fenêtres des maisons.

Je n'ai pas encore lu l'intégrale du théâtre de Jean Anouilh, et il ne me vient pas à l'esprit que l'on puisse voir là l'évocation des suites d'ébats conjugaux. De même, je trouve tout à fait normal que mes parents et leurs trois enfants fassent la prière du soir agenouillés autour du lit conjugal.

En y repensant aujourd'hui, je trouve la scène un peu étrange.

Autre souvenir, olfactif celui-là, de mes activités religieuses, celui des fleurs de lys que je porte (la tige enveloppée dans du papier blanc comme on fait pour les manches de gigot) à l'occasion de certaines grandes fêtes. Celles de mai sont particulièrement nombreuses.

Ce mois, que l'on appelle aussi « mois de Marie », commence en fait par une journée consacrée à son époux.

En effet, le dimanche 1er mai 1955, Pie XII recevant sur la place Saint-Pierre le congrès des associations chrétiennes de travailleurs italiens a annoncé que serait désormais célébré, ce jour-là, saint Joseph artisan.

À la journée de revendications des travailleurs, créée en 1889 par le congrès international socialiste, dont il était peu question autour de moi, on superpose ainsi une fête religieuse de « première classe ».

Je ne peux alors me rendre compte que mettre en avant Joseph, représenté plus souvent avec un lys immaculé qu'avec son rabot, et dont le peu qu'on sait en général est la façon – certes, éminemment spirituelle – avec laquelle il se soumit au mystérieux destin de Dieu, creuse encore davantage le fossé entre l'Église et la classe ouvrière.

À partir du lendemain, je reprends pendant un mois *Chez nous soyez reine*, et aucun écho de l'*Internationale* ne parvient jamais jusque dans mon tranquille quartier.

Je ne manque aucun des chapelets récités dans les maisons du voisinage, où chacun ou presque décore une pièce de sa demeure à l'occasion de la soirée de prière.

Chez nous c'est le garage, et ce soir-là les Pater et les Ave s'élèvent vers une grande Vierge de Lourdes qui ne paraît nullement troublée par la senteur très particulière du lieu : mélange de pivoines, de lilas, de roses… et d'huile de moteur.

Depuis ma prime jeunesse, je suis enfant de chœur et je trouve là quelques motifs de satisfaction. Après être resté longtemps porteur de navette (un petit récipient en métal argenté dans lequel on met les grains d'encens) j'ai fini – non sans mal –

par devenir thuriféraire. Non sans mal, parce que manier l'encensoir comporte des aspects techniques pour lesquels je n'ai vraiment aucun don. Naissent là mes premières anxiétés liturgiques : j'ai alors très peur d'emmêler les chaînes et de subir les foudres de mon curé. Prélude au comprimé de Témesta qu'il m'arrivera souvent de prendre lorsque, curé de Saint-Eustache, j'accueillerai le cardinal Lustiger pour une célébration. (Une confidence qu'il me fit un jour me laisse d'ailleurs penser que sa façon, assez rude, d'exprimer ses exigences était le signe de sa propre anxiété.)

On retrouve dans le petit monde du service de l'autel certains aspects de la lutte des classes, encore très présente dans l'univers social de l'époque, et plus particulièrement à Nantes. Le thuriféraire est ainsi une sorte de cadre supérieur par rapport au porteur de navette, et celui qui parvient à ce niveau de responsabilité peut alors se venger sur les petites mains du mépris dont il a souffert.

En tous les cas, ces activités de service permettent de trouver moins ennuyeuses les longues heures dominicales passées à l'église : près d'une heure et demie pour la grand-messe le matin et autant pour les vêpres l'après-midi. Et si ces dernières sont particulièrement difficiles à supporter, ce n'est pas seulement parce qu'elles se déroulent à la même heure que les séances de cinéma, mais aussi parce qu'il faut attendre le salut du saint sacrement (clôture de la cérémonie) pour entrer en action avec l'encensoir !

Le chant des psaumes de cet office de vêpres se fait alors en latin et l'assemblée, partagée en deux, échange au son d'une mélodie répétitive (serait-ce cela l'éternité ?) des phrases extrêmement mystérieuses. Mais le latin a aussi du bon. Bien des années plus tard, j'entendrai un auditeur rétorquer vivement à l'abbé Pierre, qui s'élevait sur les ondes contre les paroles guerrières de *La Marseillaise* : « Apparemment, vous êtes moins gêné que, depuis des siècles, les moines chantent des psaumes où l'on rend grâce à Dieu d'avoir "fracassé sur un rocher le crâne des enfants de nos ennemis"… »

*

Le couple de mes parents correspond bien aux archétypes de l'époque.

Mon père est la figure du droit. D'un tempérament sévère, peu porté aux compromis et aux concessions… pour lui-même d'abord. Ma mère, soumise à son époux, obéissante à la sainte Église et dévouée à ses enfants, porte un regard infiniment plus compréhensif sur la complexité des personnes et de leurs itinéraires. Sans doute le doit-elle à ses origines parisiennes et à son parcours chaotique : après le décès prématuré de ses parents, ses tuteurs l'ont laissée adolescente à la garde d'une vieille fille qui tenait une petite mercerie à Croix-de-Vie, en Vendée. Elle a plus de mal que mon père à voir dans les épreuves de la vie (et elle n'en a pas manqué) un signe de l'amour de Dieu. Et elle émet ainsi prudemment l'idée que Dieu peut, par moments, s'absenter du grand théâtre du monde. Profitant alors qu'il a le dos tourné, les hommes, conduits par leurs mauvais penchants – tels Adam et Ève dans le premier jardin –, apportent désordres et catastrophes dans la belle harmonie originelle.

Préférant le mot « mystère » au mot « dessein », ma mère nous parle d'un Dieu qui n'a pas le visage sévère d'un procureur implacable au Jugement dernier, mais le sourire confiant d'un père miséricordieux. (C'est sans doute ce qui l'autorise à ajouter une très bonne sauce aux crevettes au plat de morue que mon père nous impose tous les vendredis de carême.)

Tout cela me revient en mémoire quand, trente ans plus tard, à Saint-Eustache, je reçois une femme en confession.

Nous prenons ensuite un moment pour bavarder un peu.

C'est une femme modeste, accrochée à sa foi. Elle est triste quand elle me parle de ses enfants, qui ne pratiquent plus depuis que leur fille, âgée de deux ans, a été écrasée par un camion alors qu'elle jouait devant leur maison. Confrontée, comme tant de chrétiens, au mystère du mal dans un monde où Dieu organise chacun de nos instants, elle a trouvé la parade et conclut ainsi sa confidence : « Je leur dis pourtant toujours que, si Dieu a permis cela, c'est sans doute parce que, si elle avait grandi, leur petite aurait mal tourné… et peut-être fini comme Mesrine. »

Ma mère se risque même parfois à tenter de comprendre les infidélités humaines aux « lois divines ». Sans que cela soit aussi clair dans sa tête, elle a profondément intégré l'apostrophe de Jésus aux pharisiens : « Le sabbat est fait pour l'homme et non pas l'homme pour le sabbat. »

Un épisode illustrant sa capacité de divergence avec les rigueurs de son époux est cependant resté fameux : celui de nos vacances à La Bourboule. C'était la première fois que nous allions pour quelques jours en pension de famille. Le clou du séjour devait être la spécialité maison : la potée auvergnate, que nous attendions avec d'autant plus d'impatience que nous passions la plupart du temps à regarder tomber la pluie – désagrément climatique qui rendait d'autant plus folles les dépenses engagées. La fameuse potée arriva un vendredi. La charcuterie y dominait fortement sur les légumes, et mon père ne manqua pas de nous rappeler l'obligation de faire maigre. Car, s'il nous recommandait souvent de « manger de tout », il nous fallait évidemment entendre « tout ce qui est permis ».

Devant notre désappointement, ma mère jugea nécessaire de prendre quelque distance avec la position de son époux – ce qui, en notre présence, constituait un événement exceptionnel – et elle osa nous dire que, lorsqu'on était en voyage, cette règle pouvait être adaptée. Elle crut bon d'appuyer son propos sur ceux de ses « cousins de Belgique » (ceux-là mêmes qui nous valaient déjà l'ajout d'une sauce aux crevettes dans le plat de morue du vendredi saint), qui comptaient un prêtre et une religieuse. Mon père contesta cette interprétation « laxiste » : qualificatif qu'il utilisait volontiers à propos de certaines attitudes libérales de cette partie suspecte de la famille qui vivait à Paris, voire à l'étranger. Soutenus par l'autorisation maternelle, ma sœur et moi fîmes honneur au lard et aux saucisses. Mon père marqua sa totale désapprobation en s'enfermant dans le silence.

La nuit dut être difficile pour ma mère. Le lendemain matin, elle se précipita à l'église, assista à la messe – bien sûr sans oser communier – puis alla au confessionnal. Elle revint à l'hôtel fort ragaillardie : le prêtre auquel elle avait confié sa faute lui avait expliqué que, comme il y avait peu de poisson dans la région, les fidèles étaient dégagés de l'obligation de faire maigre le vendredi. Mon père foudroya cette interprétation d'un « De toute façon, tu ne le savais pas, et donc ta faute reste entière ».

*

L'atmosphère politique et sociale de la ville où je suis né et où j'ai grandi n'est pas étrangère à ma lecture du monde. Nantes a une population contrastée, ce qui favorise les affrontements. L'une de ses places centrales honore le roi guillotiné et, à côté d'une bourgeoisie souvent voltairienne, se croisent une classe ouvrière dont la pointe du combat s'exprime dans les chantiers navals et une population plus modeste – et plus pieuse – venue, comme mon père, de la Vendée profonde. Montés vers la ville la plus proche pour y trouver un travail, les membres de cette dernière catégorie sont peu enclins à bouleverser leurs projets d'ascension sociale par des actions revendicatives. De ce mélange peuvent naître des confrontations violentes : lors de la grande grève de 1953, il y eut mort d'homme parmi les manifestants, et ici le mois de mai 1968 déborda largement sur celui de juin. De cette atmosphère j'ai gardé une profonde aversion pour les mouvements de force, préférant d'autres moyens pour défendre mes opinions et mes droits. Je n'ai que de rares fois participé à des manifestations de rue, et de la plupart d'entre elles je garde d'ailleurs un souvenir mêlé.

À l'époque, je me range spontanément du côté de ceux qui refusent toute contestation d'un ordre dont mon père m'a appris qu'il est « établi par Dieu ». Au départ, celui-ci a créé le monde et les hommes qui l'habitent. De cette relation très inégale découlent un certain nombre de principes. Pour l'essentiel, Dieu a tous les droits… et nous avons beaucoup d'obligations. Celles-ci nous sont rappelées par ses divers représentants sur terre. Le pape en premier, puis notre évêque, puis notre curé de paroisse, et les religieux qui fréquentent la maison. D'où une liste impressionnante d'interdits. À ses dix commandements, qui sont le cadre premier de ses exigences, s'ajoutent ceux de l'Église, complétés par divers encycliques, bulles et autres mandements pontificaux et épiscopaux...

Dieu, bien sûr, a toujours raison, et comme en principe aucun des événements qui affectent notre existence n'échappe au plan qu'il a pour chacun de nous, nous devons le remercier pour tous les moments – bons ou mauvais – qui constituent notre journée. À cet instant-là, d'ailleurs, les mauvais moments n'en sont plus vraiment. Car derrière chaque malheur il faut voir une attention particulière de Dieu réservée à quelques privilégiés : « Qui aime bien châtie bien » !

Pendant longtemps j'accepte cette stratégie mystérieuse (« la meilleure pour nous »), sur laquelle d'ailleurs il serait parfaitement insolent d'émettre le moindre questionnement. Il est aussi parfaitement normal que, au terme de ce parcours du combattant, Dieu nous attende à l'arrivée pour décider, en fonction de notre bonne ou mauvaise application du règlement, si nous devons passer le reste de notre existence dans les flammes de l'enfer ou dans le jardin du paradis. Bien sûr, nous n'arriverons à celui-ci qu'après un temps incontournable de purgatoire.

Le programme m'apparaît certains jours bien contraignant, mais en revanche très peu contestable. D'autant que je ne doute pas vraiment – fût-ce après un long séjour préalable de purification – de parvenir au paradis. Et j'éprouve un net sentiment de compassion, mêlé d'un peu de supériorité, à l'égard de ceux qui, ne partageant pas nos convictions, se préparent un avenir plus difficile.

Car, pas de doute, il y a des bons et des méchants. Dans ma famille, les méchants sont plutôt à gauche. Et, de ma première éducation à la politique, je retiens quelques assurances : il faut vraiment être de parti pris pour ne pas reconnaître le dévouement (reprenant ses propres mots, on dit d'ailleurs plutôt « don de soi ») du Maréchal à la France. Et il est clair que si de Gaulle n'avait pas eu la chance d'avoir, demeuré au pays, un tel « partenaire », il n'aurait jamais pu mener à bien ses propres projets. De même, il faut être vraiment peu lucide pour ne pas avoir idée des catastrophes auxquelles se préparent les Algériens qui, en réclamant leur indépendance, vont devoir se priver de l'intelligence et du savoir-faire français. Comment, enfin, nier l'évidence que les grèves sont d'odieuses prises d'otages (ce qu'il m'arrive toujours de penser, comme probablement beaucoup d'autres, quand je reste en rade sur un quai de gare) et que le « grand soir » promis par les communistes ne peut transformer la France qu'en un grand goulag stalinien ?

Tout cela est d'ailleurs plus ou moins écrit dans l'Évangile...

Ce qui ne veut pas dire que l'on n'a aucun souci d'un progrès social ; mais celui-ci relève plus du devoir des riches que du droit des pauvres.

*

C'est dans cet environnement d'évidences qu'a cheminé et s'est confirmé mon projet personnel, d'autant que mes parents ne cachaient pas leur souhait d'avoir un enfant prêtre, ou religieux.

Mon frère aîné fit sa promesse scoute mais, lors de soirées autour d'un feu de camp, il s'enflamma pour une cheftaine de jeannettes qui allait devenir sa première épouse.

C'est peut-être grâce à cela que je ne fus pas « toujours prêt » pour des randonnées boueuses et des décrassages de casseroles dont les valeurs éducatives ne sont pas toujours garanties.

Ma sœur, quant à elle, ne dut pas caresser bien longtemps l'idée de rejoindre sa tante et marraine dans son couvent de Fontenay-le-Comte.

Il faut dire qu'au moment de passer son brevet elle s'était sentie lâchée par le père Brottier (fondateur des Œuvres des orphelins apprentis d'Auteuil), auquel elle manifesta sa profonde déception en retournant sa photo sur son cosy.

C'est en effet sur ce meuble d'angle disposé autour du lit, aujourd'hui disparu, que nous alignions de part et d'autre de la glace centrale (encore qu'il me semble que le miroir était, pour les garçons, remplacé par un décor sculpté !) nos trésors essentiels : collections de voitures Dinky Toys ou poupées en coquillages des dernières vacances, à côté des images ou statues de saints alors en vogue et de tout autre objet important dont la présence favorisait un meilleur sommeil.

Ma sœur s'est depuis longtemps réconciliée avec le paradis, mais en attendant elle aussi a pris une autre voie.

Plus encore que leur désir que je reprenne le flambeau d'une tradition familiale, mes parents surent me transmettre l'un et l'autre – chacun à sa manière propre – l'essentiel du message chrétien. Comme le firent aussi ceux avec lesquels ils partagèrent mon éducation : des partenaires qu'ils choisirent soigneusement, et non sans consentir quelques sacrifices.

Car avoir pour principes le choix de l'école libre et la présence permanente à la maison de la mère de famille avait un coût qui retarda certainement l'achat de la première automobile et l'arrivée du poste de télévision. On ne lésina pas, en revanche, sur l'achat de livres susceptibles de soutenir mes bonnes pensées, notamment les albums de la collection « Belles histoires et belles vies », qui furent mes premières bandes dessinées. Leurs héros – comme ceux des BD d'aujourd'hui, mais d'une manière assez différente – avaient des relations « extra-terrestres » puisqu'ils entretenaient un lien intime avec la Sainte Vierge et le Sacré Cœur. Beaucoup quittaient famille et amis pour annoncer l'Évangile en des contrées lointaines et méconnues. Ils faisaient preuve d'un grand courage, allant pour la plupart jusqu'à en mourir, décapités en Asie ou brûlés sur un bûcher en Afrique. J'aimais beaucoup Jésus, mais je n'étais pas sûr de l'aimer assez pour être missionnaire et lui faire don de ma vie.

On me présenta aussi des modèles vivants propres à soutenir ma persévérance, et je fus rapidement l'objet d'attentions particulières d'un club de supporters. Certaines figures y eurent très vite des places de choix. Le « cousin Raphaël », curé d'une paroisse de Tournai, en Belgique, était la parfaite icône (je ne l'ai jamais rencontré) d'une vocation *in utero* portée par toute une famille.

Un père maître de chapelle de la cathédrale, chevalier de l'ordre pontifical de Saint-Grégoire-le-Grand ; une sœur, Flore, religieuse, très respectueuse de la supériorité presbytérale de son frère ; une autre, Marie, qui ne se marierait que tardivement avec le sacristain, après avoir été elle-même la gouvernante du presbytère ; la troisième, Marguerite, nettement plus émancipée et forte femme, faisait, à la suite de sa mère, tourner les affaires familiales, pouvant ainsi aider le « bon abbé » à reconstruire son église détruite par la Grande Guerre et à témoigner une large générosité aux plus pauvres. À la mort prématurée en 1954 du cousin Raphaël, j'héritai de quelques souvenirs m'invitant à prendre sa relève.

Une autre figure sacerdotale fut celle du chanoine Louis Larose, fondateur de la paroisse Sainte-Thérèse de Nantes, qui serait mienne de 1952 à 1964. Il était paré de trois vertus essentielles. Il était pieux, avec une inclination particulière pour la « petite sainte de Lisieux » au début d'une grande carrière populaire. C'était un prêtre bâtisseur, entreprenant et tenace, qui reprendrait, après les bombardements, la construction de l'importante église qu'il dressait au cœur d'un quartier nouveau. (La sculpture monumentale destinée à la façade ayant été épargnée par les bombes, il fut crédité d'une présomption de pouvoirs miraculeux malgré les huit victimes qui, travaillant sur le chantier, n'avaient pas eu la même chance que la statue de la sainte.) Enfin, il avait une vision très conquérante des rapports entre l'Église et la cité : à côté du sanctuaire, et avec les mêmes briques (« Quand je serai au ciel, je ferai tomber sur vous une pluie de pétales de roses »), il fit construire un presbytère imposant et deux écoles, l'une pour les garçons, l'autre pour les filles ; elles étaient classiquement séparées, mais par un très moderne cinéma paroissial.

Il y eut surtout sœur Denise, sœur de mon père, marraine de ma sœur et religieuse de l'Union chrétienne à Fontenay-le-Comte. On disait qu'un amour contrarié était à l'origine de sa vocation. Derrière un vœu d'obéissance, elle cachait mal un goût prononcé pour la prise en main de la vie des autres. Je fus très vite le sujet idéal. Nos relations furent souvent tumultueuses ; d'une certaine façon, elles prirent fin à la lecture des quatre pages de conseils qu'elle crut bon de m'adresser après la mort de ma mère, son « devoir d'ingérence » trouvant là une frontière infranchissable.

Si je porte aujourd'hui des sentiments mêlés à celles et ceux qui accompagnèrent et fortifièrent ma précoce vocation, force m'est de reconnaître que les notions premières transmises ainsi dans mon enfance sont toujours centrales dans ma foi d'adulte : une espérance pour demain ; une manière d'être avec les autres pour aujourd'hui. Manière d'être que j'exprime désormais en parlant de fraternité plutôt que de charité. Non par virage politique (les serviteurs de la République n'ont pas été plus fidèles à la fraternité que ceux de l'Église à la charité), mais au nom de la conviction d'un destin commun.

Depuis ma classe de maternelle, je demeure très marqué par de grandes gravures de la vie du Christ – au dessin si réaliste que je suis troublé par sa colère quand il chasse les marchands du temple – exposées sur un chevalet à l'entrée de la salle.

Il revenait chaque matin au meilleur élève du moment (c'était rarement moi) de découvrir la nouvelle image, comme on change la page d'un calendrier.

Deux grands repères rappelaient chaque année l'essentiel de nos convictions.

Noël, la grande fête familiale, nous rassemblait autour du « petit Jésus ». Une fête qui avait non seulement son décor, mais aussi ses odeurs : celles de la paille, de la mousse, des bougies, mêlées à celle du chocolat des bûches que ma mère avait préparées pour le réveillon et à celle du cirage dont étaient enduites les chaussures – impeccablement reluisantes –

que nous mettions devant la crèche avant de partir pour la messe de minuit.

Un méli-mélo « spécial Noël », où dominait l'arôme du partage.

En témoignait un personnage d'une taille tout à fait disproportionnée par rapport aux autres figurants de la crèche. C'était un « petit nègre » placé sur un socle en forme de boîte d'allumettes où tombait l'argent que nous mettions dans la corbeille qu'il portait. Sur celle-ci, on pouvait lire : « Un petit sou : Jésus vous le rendra. » Mélange d'altruisme, de projets missionnaires… et d'assez forts relents de colonialisme – celui-ci peut-être hérité du passé négrier de la bonne ville de Nantes. Mais à l'époque ces considérations m'étaient étrangères, et la morale qui prévalait autour de la crèche était que, même si nous n'étions pas bien riches, il y avait des gens plus pauvres avec lesquels nous devions partager.

Je n'ai jamais cru au Père Noël, et je regardais ceux qui y croyaient avec un certain dédain. Je savais bien que c'était le « petit Jésus » qui apportait les cadeaux ! C'était ce que je voulais croire, car mes parents, qui rangeaient le mensonge parmi les gros péchés, ne m'avaient jamais dit cela. En fait, c'était « en l'honneur de la naissance du petit Jésus » que se passaient ces merveilleux événements dont nous découvrions les fruits – comme ceux, bien réels, qu'étaient les énormes « oranges du paradis » – en rentrant de la messe de minuit. Lorsqu'un peu plus tard je comprendrais que ces « miracles » tenaient plus de la générosité interfamiliale que d'une quelconque intervention céleste, j'aurais grande joie à y prendre ma propre part.

Le second point essentiel de ma foi d'enfance est la résurrection. À mes yeux, la plus belle image de l'année sur le chevalet de la maternelle : en robe blanche, sa couronne devenue auréole de lumière, Jésus, étendard à la main, sort vivant du tombeau dont on a roulé la pierre.

Je ne devais rencontrer la mort de proches qu'à l'âge adulte. Mais, tout enfant, la mort m'était familière. À chaque fois que quelqu'un décédait dans le voisinage, mes parents m'emmenaient avec eux rendre visite à la famille du défunt, et l'on me montrait alors « le monsieur ou la dame qui dort », m'ancrant très tôt dans la conviction que la vie ne s'arrête pas avec ce que nous en voyons.

Quand, vers l'âge de six ans, un camarade de classe voulut m'affranchir sur l'histoire du petit Jésus de Noël, je lui répondis que je lui concédais que les parents étaient pour quelque chose dans les cadeaux que je trouvais alors dans mes chaussures. Mais j'ajoutai, très supérieur : « Par contre, pour Pâques, je suis sûr que ce sont les cloches qui apportent les œufs dans le jardin. » Car tout de même, un Dieu qui peut sauver de la mort se doit de marquer l'événement par un prodige annuel à la hauteur de l'horizon qu'il nous découvre. Et nous qui recevons cette « bonne nouvelle », qui bouleverse radicalement notre destin, devrions festoyer à la hauteur de l'événement !

Témoigner concrètement – en particulier auprès des plus meurtris – de l'amour infini que ce Dieu propose à chacun : mon projet de vie est ainsi inscrit clairement dès mon enfance.

*Les années 60, n'en déplaise à l'horloge atomique,
comptent plus de dix années...*

Stéphane Benhamou,
Les Années 60 pour les nuls.

Au cours de mon année de terminale (1963-1964), il est souvent question de ma prochaine entrée au grand séminaire.

Ma mère se réjouit déjà que celui-ci se trouve tout près de notre maison. Elle pense même que, si on m'affecte une chambre du bon côté du bâtiment, elle pourra me dire bonsoir depuis sa fenêtre.

L'évêque d'alors en décide autrement. Il me fait venir avec mon père en ses appartements. Il nous « mande » serait plus juste, car le décor du salon où il nous reçoit comme ses manières très onctueuses (ce trait s'est accentué chez lui en trente années de service) nous renvoient aux prélats d'Ancien Régime. Il nous explique que, certaines années, il envoie un candidat à la prêtrise étudier au séminaire sulpicien d'Issy-les-Moulineaux qui, après Rome, est alors le *nec plus ultra* de la formation.

Je ne sais pas bien à quoi je dois d'avoir été choisi cette année-là. En tout cas, rien dans le résultat de mes études n'a pu retenir son attention. Très handicapé par ma nullité scientifique, je traîne d'année en année une moyenne assez médiocre, et je ne dois mon passage en classe de seconde qu'à la grande indulgence de mon professeur principal... auquel je sers la messe plusieurs matins par semaine.

Mes deux parties de baccalauréat sont ensuite péniblement conquises.

Ce sont, au sens propre, deux « épreuves » (il m'arrive encore d'en rêver) dont je ne sors vainqueur que grâce à la compréhension du jury qui, devant mes bons résultats dans les matières littéraires, en déduit sans doute que je ne me risquerai jamais dans une carrière scientifique et que j'en sais donc assez en ce domaine.

Le mot « mathématiques », en face duquel, sur mon livret scolaire s'alignent mes notes de zéro à cinq, est d'ailleurs tout à fait impropre : j'en suis resté au « calcul » ; un minimum qui s'avérera fort utile lorsque, plus tard, je serai en charge d'un budget paroissial.

Est-ce à cause de cela que l'évêque commence l'audience qu'il nous accorde par quelques considérations sur l'origine latine de mon nom de famille, qui, pour lui, renvoie plus à « benêt » qu'à « béni » ? Monseigneur nous parle ensuite brièvement du lieu où il m'envoie, puis explique tout aussi rapidement à mon père que nos moyens financiers familiaux – j'ignore ce qu'il pouvait en savoir – lui paraissent suffisants pour que mes parents assument le coût de l'opération. Peut-être a-t-il simplement compris qu'ils sont prêts à beaucoup de privations pour honorer ma vocation et que, de toute façon, mon père n'est pas du genre à contester une parole d'évêque. En septembre 1964, j'arrive donc plein d'enthousiasme au séminaire d'Issy-les-Moulineaux.

Depuis plus de dix ans, j'attends ce moment où va enfin se concrétiser le projet qu'enfant j'ai confié à mes parents et dont j'ai, depuis, largement entretenu famille élargie et camarades de classe. Je ne doute pas, en effet, que la précocité de mon choix, l'endurance dont j'ai fait preuve et les sacrifices consentis par mes parents sont autant d'atouts aux yeux des responsables du séminaire, qui ne manqueront pas de porter un regard favorable sur mes intentions.

Enfin, n'étant pas particulièrement en avance dans certains domaines, je ne prévois aucune difficulté particulière concernant l'engagement de célibat que je devrai prendre bientôt. Dans un couple où, selon le *Manuel du père de famille* du vice-amiral de Penfentenyo, qui fait autorité à la maison, les fonctions de chacun sont parfaitement définies, l'éducation sexuelle des garçons revient tout naturellement au père. Celle que m'a donnée le mien était extrêmement sommaire : elle a duré moins d'une demi-heure, que nous avons passée assis l'un à côté de l'autre sur un coin de mon lit, nos regard perdus dans la contemplation d'un papier peint pourtant d'une parfaite neutralité décorative. Il est passé très vite sur l'introduction proposée par le contre-amiral : « le pollen qui, emporté par le vent ou les abeilles... » pour arriver à l'essentiel : avec de la volonté et de la prière, on maîtrise sans problème des pulsions dont je suis prêt à penser qu'elles ne me concernent pas vraiment, compte tenu du destin particulier auquel Dieu m'appelle. Dans ce domaine comme dans pas mal d'autres, l'avenir se révélera un peu plus complexe.

C'est précisément une expérience de la complexité des choses que je m'apprête à vivre sur le site privilégié du grand séminaire. Dans un premier temps, je profite béatement de mon nouveau décor. La chapelle – copie XIXe de celle de Versailles – m'enchante, et je n'ai aucune raison de voir une image prophétique dans le seul vitrail figuratif du bâtiment : Adam et Ève conduits par un ange à la porte du paradis.

Il y a aussi l'immense parc, qui recèle le summum de la modernité : une piscine. En fait, celle-ci ne me sert à rien : mes fragilités de santé ont – stupidement, j'en suis bien convaincu maintenant – amené le médecin de famille à m'interdire toute forme d'activité sportive et, à dix-huit ans comme aujourd'hui, je ne sais toujours pas nager.

Mais ce détail ne change pas grand-chose au regard émerveillé que je porte sur mon environnement.

Et puis il y a la proximité de Paris, et si, depuis ma chambre, dans le bâtiment de Lorette, je risque assez peu de dire bonsoir à ma mère, je peux apercevoir la tour Eiffel, qu'avaient dû voir s'élever ses grands-parents.

Sans que je m'en rende compte s'amorce ici ma coupure avec l'Ouest vendéen. Et, malgré le grand classicisme de mes positions, j'ai très vite à l'esprit qu'il n'y aura pas de retour en arrière vers ma région natale, dont j'ai souvent dit depuis qu'elle avait peu profité de son ouverture sur la mer.

Le caractère rigide de bon nombre de membres de ma famille paternelle est sans doute pour beaucoup dans cette appréciation.

Mais peut-être ce changement d'orientation était-il guidé par je ne sais quel gène ? Par cette boussole intérieure dont j'ai entendu parler sur France Culture au cours de mes nombreuses nuits d'insomnie ? La mienne, nettement orientée au nord-est, me permet facilement le passage de Nantes à Paris. Plus tard, elle me fera préférer les villages sévères de l'Alsace du Nord à ceux, plus fleuris, de la route des vins, les futaies de la forêt de Compiègne à celles de la forêt de Fontainebleau et les quartiers plus populaires du nord de Paris à ceux de la rive gauche de la Seine. C'est aussi elle qui guidera mes voyages en Europe centrale et le choix de mes études d'histoire contemporaine : des terres et des événements que j'avais grande envie d'explorer alors que les paradis touristiques ne m'ont jamais fait rêver une minute, ce qui confirme ma résistance à toute suggestion d'évasion.

Au moment où j'arrive au séminaire, on en est alors à Rome, sous la conduite de Paul VI, à la troisième session du concile Vatican II. La première image qu'en donne la couverture de *Paris-Match* n'est pas annonciatrice de bouleversements particuliers. Au contraire, sous les voûtes de Saint-Pierre, avec en toile de fond le somptueux baldaquin baroque de Bernin, les deux mille cinq cents évêques en « grande tenue » (la plupart venus d'Occident portant la mitre, tandis que ceux venus d'Orient portent une couronne encore plus fastueuse) composent un tableau rassurant pour ceux qu'inquiètent les appels de plus en plus pressants à davantage de simplicité romaine : ce qu'avaient pu symboliser un moment le visage rond et l'allure bonhomme de Jean XXIII, succédant aux traits émaciés et aux manières aristocratiques de Pie XII.

C'est pourtant en ce même automne 1964 que le pape Paul VI promulgue *Lumen gentium* (la constitution dogmatique sur l'Église), premier texte voté à la quasi-unanimité par les pères conciliaires et dans lequel l'Église parle d'elle-même sur un ton nouveau :

« Pas faite pour chercher une gloire terrestre mais pour répandre, par son exemple aussi, l'humilité et l'abnégation […].

« Elle enferme des pécheurs en son propre sein ; elle est donc à la fois sainte et appelée à se purifier, poursuivant constamment son effort de pénitence et de renouvellement. »

On y présente l'évêque (dont le prêtre est désormais le « collaborateur ») comme « pris parmi les hommes et enveloppé de faiblesse […] venu non pas pour se faire servir mais servir ».

Arrivé de Nantes avec toute une garde-robe que j'estime appropriée (elle décline un camaïeu de nuances passe-murailles prévoyant un glissement en douceur du loden gris à la soutane noire), j'affiche mes rigueurs doctrinales à travers mon austérité vestimentaire. Et je mets un certain temps à comprendre que, au vu de ces déclarations (bouffée d'air frais pour les uns, bouleversement d'un monde pour les autres), je ne suis plus le séminariste idéal. Tout ce que j'avais considéré comme d'heureuses prédispositions pourrait bien se révéler autant de handicaps.

Le fait d'être issu d'une famille si chrétienne n'est-il pas une entrave à l'épanouissement d'une foi personnelle, libre et adulte ? Cette vocation si précoce, portée par un milieu protégé, ne m'a-t-elle pas fait passer à côté de bien des réalités de la vie, comme de tous ceux que leurs origines et leur histoire rendent étrangers, voire hostiles, à l'institution catholique ?

Le peu de questions que je me pose sur les renoncements qu'impose le célibat, pour moi signe évident de vocation, n'est sans doute pas regardé comme tel par mes supérieurs. Même s'ils ne montrent pas beaucoup plus de psychologie et d'enthousiasme que mon père lorsqu'il s'agit d'aborder la question sexuelle.

Enfin, ma volonté d'être professeur en même temps que prêtre – ce qui me conduit presque automatiquement dans l'enseignement privé – n'est-elle pas un signe supplémentaire que mon projet est totalement décalé ? Je commence à avoir quelques raisons de le penser, car j'entends quotidiennement dire autour de moi que les prêtres ont autre chose à faire que d'aller passer leur temps dans des « écoles de petits-bourgeois » restées totalement à l'écart de l'évolution du monde ! Mes condisciples issus de milieux incroyants, et qui imaginent, aussitôt après leur ordination, aller retrouver le monde du travail où est née ce qu'on appelle leur « vocation tardive », répondent mieux que moi aux nouveaux critères en vigueur.

Je ne doute pas de la grande bonne volonté et du souci d'une fidélité profonde à l'Évangile qui habitent mes supérieurs sulpiciens. Reste qu'en regardant tout cela aujourd'hui il me semble qu'ils étaient, eux aussi, un peu dépassés par les événements et que leur désir de ne pas être en retard d'une réforme provoquait une assez formidable pagaille dans leur séculaire institution. Je les revois animant des séances de vote où nous déterminions les conditions dans lesquelles nous exercerions nos nouvelles coresponsabilités !

Des débats vigoureux qui me donnent l'occasion de me faire remarquer… très négativement ! Je suis épinglé sur la question du jour de sortie, qui m'amène à défendre (pour des raisons qui me semblent encore valables aujourd'hui) l'idée d'une certaine souplesse du système. Je comprends alors que revendiquer une liberté pas trop encadrée est en train – malgré les beaux discours en vogue à l'époque – d'aggraver mon cas.

Car derrière l'organisation de nos sorties a surgi celle de nos activités extérieures : les pratiques de terrain tiennent, en effet, de plus en plus de place dans notre formation.

J'attribue cette orientation au grand doute dont semblent saisis nos formateurs quant au réel intérêt de leur enseignement. Le professeur de philosophie n'oppose rien de bien convaincant à l'existentialisme sartrien. Celui de théodicée – l'étude des preuves de l'existence de Dieu – est âgé et fragile, et l'on ne sait pas très bien qui, de lui ou de son cours, va sombrer le premier. Le droit canon – dont je comprendrai plus tard qu'il comporte nombre d'aspects positifs pour la défense des personnes – apparaît totalement obsolète. Seul le professeur d'Écriture sainte échappe à la débâcle générale. Il trouve dans la parole de Dieu et sa propre indépendance d'esprit – il est en soutane, s'il vous plaît – deux raisons de résister. De tout cela émerge le sentiment que la formation intellectuelle est beaucoup moins à l'ordre du jour que notre apprentissage pratique.

Ai-je moi-même une pensée si divergente ? C'est sur la nature même de l'apprentissage que je me sens différent : ai-je vraiment envie d'apprendre autre chose que de célébrer dévotement la messe et de pouvoir y prononcer des sermons qui réjouiront les âmes pieuses et mettront au tapis les adversaires déclarés de la religion ? En tout cas, je ne suis pas entré au grand séminaire pour jouer au football dans le jardin des Tuileries avec les gamins du « patro » de la paroisse Saint-Merri.

Sans compter que l'on juge peu judicieuse mon idée de les conduire pour un moment de prière à l'église, avant de gagner la rue de Rivoli. Car je n'en suis pas encore – loin de là – à revendiquer l'absolue gratuité des gestes de générosité et de solidarité.

Bien sûr, je n'entends rien au football et mes gaillards, nettement plus délurés que moi, ne trouvent rien de mieux pour compliquer la situation que d'aller se cacher dans les couloirs d'entrée des immeubles, nombreux tout autour de l'église, qui sont voués à la prostitution. Il me faut aller les y rechercher sous les rires des péripatéticiennes.

Jeune puceau provincial, je suis choqué que l'on m'envoie ainsi mettre ma vertu en danger, et je réagis très maladroitement aux paroles complices et maternelles qu'ont ces femmes pour les adolescents du quartier. Et ce n'est pas le moment de venir me dire qu'elles pourraient nous « précéder dans le royaume des cieux ».

Les jeudis après-midi sont alors pour moi l'un des volets de la grande épreuve.

Choisi par Dieu et présentant autant de qualités adéquates, je me sens, de bien des manières, « réduit à l'état laïque » avant même d'être entré dans le clergé.

L'honnêteté m'amène à reconnaître aujourd'hui que, si je n'étais sans doute pas totalement dépourvu de dispositions pour le service de la communauté chrétienne, bien des opinions que je ne cachais guère pouvaient poser problème aux responsables du séminaire.

Mes tendances conservatrices débordaient largement le domaine religieux.

Il va de soi que j'étais clairement hostile au concept de lutte des classes énoncé par Karl Marx et mis en pratique par le Petit Père des peuples et ses successeurs.

Mais, n'ayant sans doute pas totalement rompu avec le pays chouan, j'allais jusqu'à afficher certaines sympathies monarchistes et j'ai apporté, de ma chambre nantaise, quelques photos découpées dans des magazines spécialisés représentant la plupart des souverains régnant encore en Europe. Par ailleurs, je suis abonné au *Bulletin* que publie alors le comte de Paris, même si j'en trouve l'ouverture politique assez audacieuse.

Bien des années plus tard – en 1998 –, un autre ancien de cette période agitée du séminaire d'Issy-les-Moulineaux a écrit un ouvrage dans lequel il donne son propre écho des choses. Et ce n'est pas un hasard – il est maintenant très engagé dans des mouvements traditionalistes – s'il a intitulé ses souvenirs *La Blessure*.

C'est manifestement de moi qu'il est question dans un dialogue avec l'un des directeurs du séminaire, qui lui reproche ses sympathies Action française.

En réponse, ce « confrère » d'alors n'hésite pas à désigner au père Ollivier une situation plus dramatique que la sienne.

« Mais, père, vous savez qu'un de nos condisciples passe son temps à étudier la généalogie des rois de France ; à prouver que les Bourbons d'Espagne doivent ou ne doivent pas revenir sur la terre de France ; entretient des correspondances avec les divers prétendants. Sa chambre est pleine de documents et de photos sur ce sujet.

– Oh ! lui, répond le père Ollivier, c'est un doux rêveur. Il est toujours malade. Il n'est pas dangereux. Son passage chez les Bénédictins, où il n'est pas resté, l'a passablement étrillé. Il raconte partout qu'il n'avait pas assez d'humour pour rester chez les Bénédictins. Gageons qu'il n'en aura pas assez pour rester au grand séminaire d'Issy. »

Trente ans plus tard, la lecture de ces lignes fait sourire le « doux rêveur ».

*

Il n'empêche que la deuxième année de séminaire commence sous de mauvais auspices. Épris d'un absolu que je n'imagine plus trouver dans l'atmosphère du séminaire, je me suis présenté l'été précédent pour un temps d'expérience chez les moines trappistes de l'abbaye cistercienne de Melleray, à une cinquantaine de kilomètres de Nantes. Un mois de levers à trois heures et quart du matin, d'une alimentation à base de fruits, légumes et laitages, et de travaux des champs tout à fait inhabituels pour moi – c'est le moment, particulièrement rude, du ramassage des foins – ont vite entamé mes faibles capacités de résistance. D'autant qu'aux efforts physiques je crois bon d'ajouter quelques suppléments de mise à l'épreuve. Par exemple, sortant assez souvent de table avec un petit creux à l'estomac, je choisis de traverser les vergers en partant travailler aux champs. Les prunes sont alors en pleine maturité, et je me trouve héroïque de passer sous les arbres sans manger aucun de leurs fruits. Du moins en est-il ainsi pendant trois ou quatre jours. Car j'ai vite fait de succomber à la tentation. Au moins ai-je tiré une leçon de cet épisode à l'usage de mes futurs pénitents – confessant généralement des fautes dans un autre registre que celui de la gourmandise : lorsqu'on ne veut pas manger de prunes, il vaut mieux ne pas passer sous les pruniers ! On me fait assez vite comprendre que je ne suis pas fait pour la vie monastique.

Le retour au séminaire est difficile. Je m'engage immédiatement dans un laborieux commentaire d'un passage de l'Évangile présentant deux sœurs, amies de Jésus : Marthe et Marie. Lors de l'une des visites de Jésus dans leur maison, Marthe (devenue depuis patronne des hôteliers) s'agite beaucoup pour préparer le repas. Pendant ce temps-là, sa sœur Marie écoute leur visiteur. Ce qui agace Marthe, qui se sent un peu seule pour assurer le service d'accueil. Se tournant vers elle, Jésus lui dit : « Marthe, tu t'agites et tu t'inquiètes pour des choses secondaires ; Marie, elle, a choisi la meilleure part. »

Propos qui, sortis de leur contexte, font à juste titre se dresser les cheveux sur la tête de toutes les maîtresses de maison. Mais tel n'est point mon état d'esprit du moment. Au contraire, je me lance dans une grande démonstration visant à prouver qu'il existe toute une hiérarchie d'engagements au service du Seigneur. En bas, les modestes fidèles, égarés dans les soucis du monde ; au-dessus, les prêtres (un peu bâtards dans leur choix) ; au sommet, les moines qui donnent toute leur vie à Dieu. Ce n'est que beaucoup plus tard que je découvrirai que le don de soi ne passe pas forcément par ces catégories-là.

En attendant, ayant retrouvé en septembre l'effervescence et les remises en question qui agitent le séminaire, je rumine mon échec de l'été. En résulte une sévère dépression qui m'oblige à un retour de plusieurs mois à Nantes. À l'époque, l'Église porte un regard fort suspicieux – est-ce bien fini d'ailleurs ? – sur ces fragilités.

Encore aujourd'hui, je m'interroge sur les possibles handicaps auxquels Jésus-Christ lui-même aurait pu être confronté s'il avait dû faire l'expérience du séminaire.

Certes, il n'eût pas manqué d'atouts – ainsi ses longues années de travail manuel dans la petite entreprise paternelle de Nazareth et sa contestation de l'ordre religieux établi –, mais peut-être sa carrière presbytérale eût-elle été entravée si l'on avait pu repérer chez lui de possibles découragements, qui tournèrent à une véritable angoisse dans le jardin des Oliviers. Une angoisse qui, quelques heures plus tard, sur la croix, lui fit reprocher à son père de l'abandonner en pareille circonstance. Et je me demande si les responsables religieux auxquels il dut faire face en son temps ne furent pas plus gênés par ses signes humains de faiblesse que par sa déclaration de filiation divine. Probablement sa mort fut-elle le résultat de l'un et de l'autre.

De retour en janvier au séminaire, j'y achève péniblement mon année. Au printemps, je demande ce que l'on appelle encore, plus pour très longtemps, la tonsure. Première étape sur la route de l'ordination, elle annonce le dépouillement total par la coupe d'un petit rond de cheveux. Commencé grossièrement par l'évêque au cours de la cérémonie, il est ensuite parachevé par un collègue séminariste plus au moins doué pour cela. La réponse du conseil du séminaire à ma demande est négative. Elle est assortie d'un envoi, pour une année, en stage extérieur. On me conseille d'aller voir le monde, en précisant d'ailleurs que celui-ci se trouve davantage dans l'entreprise que dans l'enseignement privé.

Toujours têtu, j'opte quand même pour ce dernier et passe une année passionnante dans une école de Courbevoie, où l'on m'a confié une responsabilité auprès d'élèves de sixième et cinquième. Je crois que je ne fis pas trop mal ce qui m'était demandé là-bas. À la fin de l'année, mes élèves se cotisèrent pour m'acheter un vélomoteur (précieux instrument de liberté pendant ma troisième année à Issy-les-Moulineaux), et les enseignants, qui apparemment avaient apprécié ma gestion des aspects disciplinaires de la fonction, m'offrirent une reproduction d'un tableau de Dürer qu'ils signèrent tous au dos, après que l'un d'entre eux eut écrit en guise d'éloge : « Le préfet Papon n'eût pas mieux fait. » En 1967, les différentes étapes de la carrière administrative de Maurice Papon étaient ignorées du grand public.

Je ne suis plus si ravi, aujourd'hui, de cette dédicace.

*

C'est au cours de cette même période que j'apprends certains « désordres » de famille dont on a oublié de me parler. La « grand-tante de Paris » – dont la générosité avait fait surgir l'eau courante dans la maison où j'étais né – a alors dépassé les quatre-vingts printemps. Avec ses tenues baroques et un maquillage qui s'épaissit avec l'âge, elle est pour moi l'image parfaite de la Parisienne. Cette excentricité, comme son fort tempérament – que d'autres dans son entourage préfèrent appeler mauvais caractère –, ne sont pas sans lien avec l'intérêt que je lui porte.

Elle est la seule famille de ma mère et de sa sœur aînée. La guerre de 1914 a en effet durement frappé du côté maternel : j'ai sous les yeux la photo de mariage de ma tante Suzanne en décembre 1913. Aucun des sept frères, beaux-frères et cousins présents sur le cliché n'est revenu du front. S'ils furent bien plus nombreux à partir du côté de mon père (mon grand-père paternel avait douze frères et sœurs et sa femme dix), tous revinrent… à une jambe près. Qu'elle ait été ainsi préservée rendait d'ailleurs cette branche un peu suspecte à mes yeux. Mon grand-père maternel est mort le 5 septembre 1914, le même jour que Charles Péguy ; le frère unique de ma grand-mère – Georges, le mari de la tante Suzanne – a été porté disparu après son premier combat, dès le 22 août, et il se disait toujours à la maison que ma grand-mère – décédée en 1920 – était morte « suite à tous ces événements ». Je ne m'étais jamais posé de questions particulières sur cette histoire.

Or, à la fin des années 1960, ma tante entre dans une maison de retraite et me lègue le mobilier de son minuscule appartement de la rue Saint-Dominique, où elle a vécu la majeure partie de son demi-siècle de veuvage (dont elle témoigne toujours, jusque dans ses bijoux de jais). J'en rapporte un soir une petite valise pleine de vieilles correspondances trouvées dans son secrétaire. Dans le lot, une lettre de mes « cousins de Belgique », dont ma mère avait évoqué le catholicisme libéral lors de l'affaire de la potée auvergnate. Une cousine Margot écrit en 1932 à Suzanne que ses parents viennent de déménager dans Tournai et qu'ils habitent maintenant « de l'autre côté de l'Escaut, près de l'endroit où l'on a retiré Charlotte ».

Il me semble que la Charlotte en question ne peut être que ma grand-mère, et je suis pris d'un grand doute sur les circonstances réelles de sa mort. Je téléphone alors aux cousins belges, qui me disent préférer m'entretenir de cela de vive voix.

Sur place, ils m'expliquent que ma grand-mère, fort déprimée, était venue se reposer chez eux après plusieurs tentatives de suicide. Un soir, après avoir chanté dans l'après-midi la complainte de Jocelyn *Je pense à toi quand je m'éveille*, elle a trompé leur surveillance et s'est jetée dans l'Escaut, d'où l'on a retiré son corps une dizaine de jours plus tard. Mon milieu familial devient soudain moins lisse.

Depuis le retour de la rue Saint-Dominique avec ma petite valise de courrier, je ne suis plus un « voyageur sans bagage ».

Ce qui m'étonne, c'est qu'il n'a jamais été question de ce drame à la maison. J'ignore même ce qu'en sait ma mère. Venu passer quelques jours à Nantes, j'entreprends d'interroger d'abord mon père.

Celui-ci me répond que ma mère ne l'a mis au courant qu'au bout d'une quinzaine d'années de mariage, au moment où il allait partir pour quelques semaines en déplacement professionnel en Belgique. À cette occasion il devait rencontrer les cousins, qu'il ne connaissait pas encore, et ma mère avait craint qu'ils le mettent au courant de cette affaire.

Quelques minutes après, j'en parle à ma mère. Elle explique son silence par sa crainte des réactions de son époux ; et je pense, comme elle, que la famille mon père n'aurait jamais accepté la fille d'une suicidée. Elle me raconte ensuite comment elle a appris le décès de sa mère. Elle a alors huit ans ; sa sœur aînée, dix. Elles sont à table chez sa marraine, dont l'époux est leur tuteur. « Maman Berthe » – maîtresse femme, bien connue dans sa paroisse de Fontenay-sous-Bois où elle préside plusieurs œuvres de charité – leur a dit au début du repas : « Mes enfants, je viens d'apprendre que votre mère a fait ce qu'une chrétienne ne doit pas faire. »

Ma mère est restée toute sa vie marquée par ce drame. Outre le jugement moral porté sur l'acte, elle n'a jamais compris que sa mère n'ait pas été retenue dans son geste par sa responsabilité, et surtout son affection, à l'égard de ses deux petites filles. Tout cela a fait naître en elle une angoisse qu'elle a portée très longtemps : celle de mourir avant d'avoir achevé l'éducation de ses enfants. Je me souviens qu'elle est ainsi sortie d'une pénible dépression le jour même où j'ai été ordonné diacre à Strasbourg : probablement avait-elle enfin le sentiment d'une mission accomplie, puisque mon frère et ma sœur aînés étaient alors mariés et parents.

Même si le drame vécu par ma grand-mère a été largement tenu secret pendant mon enfance, je suis sûr qu'il m'a profondément marqué, du moins si je me fie à la précision d'un souvenir de ma petite enfance. J'ai alors quatre ans. Ma mère est dans le jardin ; elle porte une de ces robes d'après-guerre, sans grande forme, qui utilisent un minimum de tissu. Elle se trouve près d'un parterre de fleurs que je n'ai pas revues souvent depuis, je crois qu'on les appelait « corbeille-d'argent ». Elle tient une lettre à la main et elle est manifestement bouleversée par ce qu'elle est en train de lire. Je l'interroge à ce sujet. Je me souviens encore de la réponse, qui n'a pourtant alors aucun sens pour moi : « La cousine Juliette est morte. » De très longues années plus tard, je saurai que cette cousine Juliette était la fille de « maman Berthe », la mère adoptive de ma mère. Juliette, âgée d'une cinquantaine d'années, venait de se jeter dans la Marne, faisant ainsi à son tour « ce qu'une chrétienne ne doit pas faire » !

*

En septembre 1967 (je viens d'être exempté de service militaire), j'accède au « grand bâtiment » du séminaire, sur la façade, dans le cycle de théologie. Je découvre aussi un nouveau supérieur qui, d'entrée de jeu, me fait comprendre qu'il porte un regard moins positif que le mien sur l'année que je viens de passer à l'école Montalembert.

Ici comme dans beaucoup d'autres communautés chrétiennes (je l'avais un peu oublié les mois précédents), on est toujours en pleine ébullition. On s'agite dans de nombreux forums qui engendrent d'innombrables commissions. Celles-ci travaillent sur une multitude de motions déterminant le moindre détail de notre vie : nécessité ou non de la messe quotidienne ; des trente minutes de prière silencieuse – oraison – qui, normalement la précédaient ; choix des programmes de télévision (celle-ci rassemble plus unanimement la communauté, le soir, que le moment de méditation du matin) ; choix des journaux auxquels s'abonner, dont *Témoignage chrétien* – signe manifeste à mes yeux d'une subversion marxiste – fait évidemment partie. Un préambule allégorique donne à chacun de ces choix une dimension prophétique.

Ces « temps nouveaux » ont bien sûr leurs héros. À l'échelle planétaire, ils sont plutôt dans les favellas d'Amérique latine que dans les geôles des pays de l'Est. Plus proche de nous, l'abbé Jean-Claude Barreau, récemment ordonné, vient témoigner de ses engagements auprès des jeunes de banlieue. Il arrive au séminaire à moto – l'un des signes de sa grande modernité –, et l'on devine le caractère non contestable de son propos à la façon qu'il a de poser son casque sur la tribune de l'amphithéâtre. Il m'arrive trop souvent de dire que « seuls les imbéciles ne changent pas d'avis » pour que je porte un quelconque jugement sur les évolutions personnelles de Jean-Claude Barreau. Mais il est vrai que j'aurais eu du mal à imaginer, au printemps 1968, que ce témoin de l'immersion au cœur des quartiers difficiles (mais ceci a peut-être un lien avec cela) écrirait, une vingtaine d'années plus tard, dans les colonnes du *Figaro*, un article retentissant sur la menace musulmane.

Quand arrive le mois de mai de cette année universitaire 1967-1968, il fait particulièrement beau dans le parc du séminaire.

Depuis quelques semaines nous parviennent, encore assez feutrés, certains échos de l'agitation qui règne à l'université de Nanterre. Une agitation qui, ce mois-là, va gagner la capitale.

Tous ceux qui ont vécu ces semaines se souviennent de l'ambiance si particulière des premiers jours de mai. Moi-même, qu'*a priori* tout éloigne alors d'un regard positif sur quelque forme de révolution que ce soit, j'en garde un souvenir ébloui. Fort de nos nouvelles libertés, je peux aller le soir avec quelques confrères muser boulevard Saint-Michel. Avec une extrême liberté de ton, des personnes qui quelques jours auparavant ne se seraient jamais adressé la parole échangent des propos sur les sujets les plus personnels et les plus intimes. Franchissant des barrières que je croyais définitivement établies, je me surprends à aborder avec une curiosité empreinte de sympathie des hommes et des femmes que j'aurais regardés la veille comme les indigènes d'un autre continent.

Sans que je m'en rende compte, une brèche est en train de s'ouvrir dans la muraille de mes certitudes. Ainsi, il y a des personnes qui n'ont pas mes convictions politiques, sociales, religieuses et qui peuvent être sympathiques : ces jours de mai 68 constituent l'une de mes premières expériences, inconscientes, de la bienveillance. Et je sais trop bien maintenant la valeur de cette vertu et des fruits qu'elle produit – comme ce que son contraire peut générer de blessures – pour ne pas refuser catégoriquement les jugements sans nuance que l'on entend si souvent ces derniers temps à propos d'un mois de mai qui, cette année-là, ne fut pas seulement le mois de Marie !

Il est vrai que le boulevard Saint-Michel ne ressembla que brièvement à l'Acropole d'Athènes. Car ceux qui s'étaient rapprochés dans l'agréable chaleur d'un soir de printemps reprennent bien vite la défense de leurs intérêts propres. Après m'être un soir amusé, au théâtre de l'Odéon, des propos enthousiastes d'un homme en nœud papillon défendant avec l'ardeur du nouveau converti les bienfaits du socialisme, je trouve beaucoup moins drôle la mise à sac, quelques jours plus tard, de la superbe collection des costumes du Théâtre national... Je ne trouve pas plus amusantes les barricades et les voitures incendiées. Ayant une « combine » personnelle pour obtenir de l'essence – ce qui agace beaucoup mon supérieur –, je peux circuler sur mon Solex. Je prends plusieurs fois, au matin, la route de la Sorbonne, et je peux ainsi constater sur place les dégâts de la nuit passée.

Au séminaire, on discute ferme. Nombreux sont ceux qui voient dans ces événements un aggiornamento de la société civile. Globalement, le cœur penche plutôt à gauche. On n'en ferme pas moins la grande porte de la rue du Général-Leclerc chaque fois qu'un cortège d'étudiants, partis rejoindre le monde du travail aux usines Renault d'Issy-les-Moulineaux, passe devant chez nous.

Cette fois encore, je me situe dans le camp des conservateurs et je suis d'accord avec le général de Gaulle : en France – comme au séminaire – « c'est la chienlit ! ». Le 30 mai, je suis sur les Champs-Élysées pour ma première grande « manif ». Même si j'y vis pour la première fois le sentiment fort d'être acteur de l'histoire, elle ne modifie pas profondément mon aversion pour les mouvements de rue, dont je crains toujours les débordements et les violences. De plus, on s'y retrouve forcément à un moment derrière une banderole qui ne vous plaît guère ou au milieu de slogans qu'on a du mal à partager. Et il faut des situations vraiment exceptionnelles pour me faire dépasser cette appréhension première.

Le 31, le séminaire ayant du mal à s'approvisionner en vivres, il est demandé à ceux d'entre nous qui le peuvent de rentrer chez eux. Ce que je fais immédiatement dans la voiture d'amis puisque l'essence vient de revenir à Paris.

À Nantes, les événements sont loin d'être terminés. Ici, ils ont commencé très tôt à l'usine Sud-Aviation et se prolongeront durant la première quinzaine de juin. Quand j'y arrive, la ville est entre les mains d'une sorte de soviet syndical qui occupe la mairie, contrôle la distribution d'essence et organise l'ouverture des magasins et marchés. Ce n'est certes pas la description de la situation qu'en fait alors mon père qui améliore mon opinion sur cet exercice local de démocratie participative.

*

Malgré le retour au calme et l'écrasement de la gauche par les gaullistes aux législatives, la fin de mon année scolaire au séminaire est particulièrement morose. Je sais depuis Pâques – et ce ne sont pas les tentatives de fraternisation des étudiants avec les ouvriers qui vont faire évoluer l'opinion de mon supérieur de séminaire – que je ne couperai pas à l'obligation d'aller faire l'expérience du « monde du travail ». En septembre, je me retrouve à l'URSSAF, au service du contentieux de Seine-et-Oise. Sans compétences particulières, je suis employé de bureau de la plus basse catégorie.

Je commence mes matinées en demandant à chacun de mes collègues ce qu'il souhaite comme boissons et pâtisseries pour soutenir son ardeur au travail et je reviens chargé de leurs commandes dans une corbeille en osier.

Dans les bureaux, la grande affaire du moment est la célébration, le 25 novembre prochain, de la Sainte-Catherine. En fin de journée, nous disposons d'une petite plage horaire pour préparer l'événement et tout le bureau travaille dare-dare à la confection de guirlandes en papier crépon. Le grand jour arrivé – comme, officiellement, ce service au caractère juridique ne peut pas être fermé –, je suis chargé de l'accueil au téléphone. À ceux qui, en raison de leurs retards de paiement, sont confrontés à une menace de saisie mobilière, je réponds que, débordés de travail, nous ne pouvons pas traiter immédiatement leur demande et qu'il vaut mieux rappeler la semaine prochaine… Tout cela sur fond musical puisque, dans l'après-midi, on guinche dans les bureaux.

Ne comprenant pas vraiment en quoi tout cela me prépare à être ministre du peuple chrétien et trouvant les journées particulièrement longues et fastidieuses (ce n'est pas tous les jours la Sainte-Catherine !), je démissionne quelques semaines plus tard et, grâce au réseau relationnel que j'ai tissé durant mon année à Courbevoie – ce dont je me garde bien d'entretenir mes supérieurs du séminaire –, je deviens « employé de bureau supérieur » à la Caisse interprofessionnelle de prévoyance des cadres. Socialement, le climat me semble plus supportable. Cet établissement a été fondé par un fervent catholique et a encore une messe de rentrée, certes facultative (Mai 68 est passé par là), mais à laquelle il est tout de même de bon ton d'assister. Les bureaux sont plus confortables, et l'aveu de ma situation de séminariste suscite plus de sympathie que de rejet. S'y ajoute même, chez certains, une vraie compassion pour l'expérience d'immersion qui m'est alors imposée.

Vers la fin de l'année scolaire, je viens en rendre compte à mon supérieur. J'ose lui dire que, n'étant pas condamné à rester employé de bureau (inférieur ou supérieur) jusqu'à la fin de mes jours, je ne suis pas très sûr d'avoir vraiment partagé les réalités et les difficultés du monde du travail. Je crois que, avant même que j'aie exposé cette opinion critique, ma cause est entendue.

Utilisant entre autres l'argument – pas très courageux – de mes difficultés de santé, mon supérieur me met « gentiment » à la porte du séminaire.

Quelques semaines plus tard, l'un des prêtres qui m'ont suivi depuis mon entrée m'écrit une lettre comportant des propos plus explicites : « Je crois que vous devriez vous demander avec une totale honnêteté pourquoi au juste vous tenez tant au sacerdoce. » Étayant son questionnement, il évoque « des goûts, des opinions, des manières de voir et de vivre assez tranchées, une pointe d'originalité et de non-conformisme, un penchant pour le paradoxe et parfois l'ironie, enfin l'aptitude à être stimulé par la difficulté et l'opposition ».

Tout n'est pas faux dans cette analyse, mais les consé-quences pour moi sont terribles. Non seulement le projet porté depuis l'enfance semble définitivement remis en question, mais je me retrouve à vingt-trois ans avec un certain nombre de connaissances bibliques, théologiques et canoniques qui ne m'ouvrent aucun avenir professionnel. Mes parents, qui se sont donné beaucoup de mal pour assurer mon avenir ecclésial, me proposent alors de revenir à la maison pour de nouvelles années d'études dans des domaines plus monnayables. Mais je n'imagine pas retourner sous leur dépendance directe. De ces lourdes conséquences matérielles mes chers supérieurs, qui pourtant affichent de grandes préoccupations sociales, ne m'ont pas manifesté le moindre souci.

Il est des mots qu'on peut penser
Mais à pas dire en société...

Michel Polnareff,
L'Amour avec toi, 1966.

Mon avenir sacerdotal semblant pour l'instant barré, me reste celui d'enseignant. Bien décidé à rester dans la capitale, je m'inscris à Paris-I avec enthousiasme pour des études d'histoire ; avec résignation pour celles de géographie.

Parallèlement, il me faut rechercher de quoi assurer ma subsistance matérielle, qu'il est hors de question de solliciter de mes parents. Quelques jours avant la nouvelle rentrée scolaire, je finis non sans difficulté par trouver une place de surveillant dans un grand établissement catholique du 6ᵉ arrondissement où – sans discours social, cette fois – je serai exploité pendant deux ans.

Comme mes heures de travail m'assurent uniquement logement et couvert, j'améliore l'ordinaire grâce à l'animation dominicale d'un groupe de jeunes handicapés mentaux du quartier. Et l'été je m'engage pour encadrer des « séjours linguistiques » outre-Manche. Une première évasion hors du territoire national qui m'excite beaucoup, mais qui s'avère ne pas être qu'une partie de plaisir. Le peu de cas que font les jeunes de mes mises °en garde n'est pas sans me rappeler le temps du patronage à Saint-Merri.

Après le dépaysement de la perfide Albion arrive celui de la Sorbonne d'après 68. Je les aborde l'une et l'autre comme des terres étrangères, plus ouvert à l'exotisme que je ne l'ai été au séminaire d'Issy-les-Moulineaux.

Et mes études – très vite je me spécialise en histoire contemporaine – participent grandement à mon ouverture d'esprit. J'y suis aidé par un groupe d'enseignants, disciples d'Irénée Marrou, René Rémond et Jean-Baptiste Duroselle. Grâce à leurs convictions, à leurs engagements, à la rigueur de leurs travaux universitaires, ces maîtres passés par l'épreuve de la guerre ont rassemblé autour d'eux de jeunes chercheurs qui sont des « passeurs » idéaux pour qui cherche à comprendre un monde en ébullition et souhaite y trouver sa place. Michel Launay, qui vient de publier une brillante thèse sur les origines et le développement de la CFTC, est mon guide sur ce difficile et parfois douloureux itinéraire.

Car les certitudes proclamées par mon père, comme les arguments d'autorité avec lesquels il les développe, commencent à être pour moi sources d'interrogations. Aux premières fêlures apparues boulevard Saint-Michel s'ajoutent non seulement celles que provoquent mes nouvelles études mais aussi, en lien avec elles, ma découverte de tout un univers littéraire inconnu. Il n'y avait pas de bibliothèque à la maison, et dans mon cosy on ne trouvait guère, à côté des lectures pieuses, que la Bibliothèque rose ou verte, la collection « Signes de piste » et, un peu plus tard, des numéros de la *Sélection du Reader's Digest*.

Un de mes camarades de Censier me prête (et j'accepte son offre avec les sentiments mêlés que l'on a devant un produit illicite) *Les Mots* de Jean-Paul Sartre. Je découvre alors avec enthousiasme cet auteur qui fait partie de l'ensemble d'interdits ayant encadré mon adolescence. Mon père nous a en effet souvent parlé du fils d'un de ses amis qui s'est suicidé en laissant dans sa chambre un livre du chantre de l'existentialisme.

Le lien de cause à effet était pour lui une évidence à laquelle j'avais alors adhéré sans broncher.

En fait, c'est avec délice que je déguste – surtout les cent premières pages – ce que l'on m'avait présenté comme un poison. Je ne pouvais pas imaginer que l'on puisse évoquer avec un tel franc-parler sa famille, ses parents, et même leurs relations intimes. Pourtant cette lecture ne me détourne point de ma quête d'absolu en matière de fidélité, et je n'en retire pas la conclusion que tout couple est une comédie ou que la société bourgeoise ne peut être que celle de Feydeau, où un amant entre par la fenêtre dès que le mari est sorti par la porte.

Mais je suis très admiratif du talent de l'écrivain et de son extrême liberté de parole sur des sujets pour moi totalement tabous : « La mort de Jean-Baptiste – ose-t-il écrire à propos du décès de son père – fut la grande affaire de ma vie : elle rendit ma mère à ses chaînes et me donna la liberté. » Le propos est terrible mais, après l'avoir lu, il me semble plus terrible encore de s'obliger au silence sur les blessures qui ont pu marquer nos vies. Les nombreux jeunes qui se confient à moi ces dernières années confirment cette impression du moment. Bien sûr, on peut plus facilement aujourd'hui (Dolto est passée par là) confier sa souffrance à son analyste, mais encore faut-il franchir le pas. Et je doute que les propos iréniques et absolus sur la famille largement développés dans nos milieux catholiques participent à libérer la parole de tous ceux qui y vivent des réalités infiniment plus complexes.

Avec la lecture de Sartre, c'est la première fois que je m'aventure dans les domaines interdits par l'index familial. Et comme il n'y a que le premier pas qui coûte, d'autres ne vont pas tarder. Parmi mes découvertes, *Bonjour tristesse* de Françoise Sagan. Je n'avais que huit ans lors de sa parution et personne autour de moi n'avait alors pour l'auteur à scandale la clémence de François Mauriac évoquant « ce charmant petit monstre ». On ne m'a parlé que d'une jeune fille capricieuse et amorale, trop riche et trop libre. Elle est bien sûr peu appréciée par ceux qui le sont moins. Mais, outre que je trouve cela fort bien écrit, je suis touché par l'extrême délicatesse avec laquelle Sagan parle des personnes les plus abîmées. Sans doute a-t-elle dans ce domaine sa propre expérience. Mais tous n'en modifient pas pour autant le regard qu'ils portent sur la faiblesse d'autrui.

Pour ce qui est du cinéma, de la musique, des arts plastiques, je passe totalement à côté des engouements des jeunes de ma génération. Mon éducation, ma vocation précoce (vécue, selon le même contresens que font les séminaristes d'aujourd'hui, comme un appel à être « mis à part pour annoncer l'Évangile ») et un penchant spontané pour le classicisme dans bien des domaines m'ont longtemps enfermé dans une bulle de préventions et de jugements hâtifs. Même si la salle de cinéma de mon enfance était paroissiale, elle demeurait une « salle obscure » qu'il fallait fréquenter avec prudence et après avoir vérifié la cote de l'Office catholique du cinéma… qui n'avait pas encore donné son grand prix à *Théorème* de Pasolini.

Y aller en avion, en train, en voiture.
Connaître l'ivresse du couloir, l'angoisse du contrôle.
Repérer les trous dans le mur. Et rentrer chez soi ; libre, libre.

Gérard Gabert,
Berlin, le ciel partagé.

Je manifeste très vite plus d'audace dans mes déplacements que dans mes lectures. Ma découverte de Berlin, notamment, est décisive. Mon environnement familial me rend solidaire de tous ceux qui, à l'Est, vivent sous le joug des régimes communistes. En 1956, j'ai été particulièrement troublé par les événements de Budapest et leurs conséquences parisiennes.

Paris-Match nous tient alors lieu de télévision. Je revois très bien le premier char russe franchissant le Danube entre Buda et Pest : c'est l'une des ultimes photos de Jean-Pierre Pedrazzini, reporter, qui fut tué tout au début de l'invasion soviétique. Je revois aussi celle des Parisiens jetant meubles et documents par les fenêtres de l'immeuble abritant le siège du PCF sur le carrefour de Châteaudun, renommé un peu plus tard place Kossuth.

Je n'ai plus ces numéros de *Paris-Match* aujourd'hui. J'en fis cadeau pour un nouvel an à des amis hongrois chez qui j'étais allé passer les fêtes de fin d'année. Il n'était d'ailleurs pas sans risques, à l'époque, de transporter ce genre de littérature (glissée par précaution entre mon T-shirt et ma chemise).

Parmi les images gravées dans ma mémoire, celle du jeune Lazlo Rajk a une place particulière. Son père, ministre dans l'après-guerre, a été exécuté sur l'ordre de Staline en 1949. Sept ans plus tard, dans le mouvement général de déstalinisation inauguré en février 1956 par le discours de Khrouchtchev au Comité central du parti, le pouvoir hongrois réhabilite les hommes politiques éliminés auparavant, les honorant d'une cérémonie officielle au cours de laquelle éclate l'émeute populaire. Au centre de la manifestation d'hommage à son père, le jeune Lazlo donne la main à sa mère : nous avons alors exactement le même âge et la même raie sur le côté.

Dans mon univers nantais, que je commence à trouver trop tranquille, je ne tarde pas à envier le jeune héros de Budapest. Sans imaginer un seul instant que, tout à fait par hasard, je le croiserai dans un bus une trentaine d'années plus tard.

En 1961, c'est avec la même fièvre que je vois l'édification du mur de Berlin. J'ai dans ma chambre une carte de la ville coupée en deux et je suis avec passion les événements quasi quotidiens qui s'y déroulent, notamment la visite historique qu'y fait, en 1963, John F. Kennedy. Ma propre envie de liberté, plus encore que ma sympathie pour les martyrs du régime communiste, fait de moi aussi un Berlinois. Je ne sais plus de quand date ma première visite à Berlin, probablement quatre ou cinq ans plus tard. Jusqu'à la chute du mur, j'y reviendrai presque chaque année, prenant attache dans le quartier de Schöneberg.

Quand on ne connaît que l'actuel Berlin, on a beaucoup de mal à imaginer celui d'avant 1989, dont il ne reste guère que l'entêtante odeur des tilleuls au début de l'été. C'est alors un univers fantastique dont j'explore les coins et recoins avec tout un arsenal de cartes... Un univers pour lequel je dois confesser une certaine nostalgie. Berlin est alors une « ville étrange, écrit un commentateur du moment, où il suffit de prendre le métro pour changer de mode de vie, de philosophie et d'espoir ». Je passe beaucoup de temps dans ce métro, lieu sensible d'observation et d'émotion. (Ma carte de transport est le signe tangible de ma citoyenneté berlinoise.) Sur certaines lignes – dont une partie du parcours passe sous Berlin-Est – on traverse des gares fantômes. À la station Alexander Platz, la complexité des règlements permet d'acheter tabac et alcool à des tarifs de faveur fixés par la zone soviétique, mais interdits à ses propres ressortissants. À Friedrich Strasse, le hall principal d'où repartent, dans une grande mise en scène policière (efficacité allemande instruite par la paranoïa soviétique), ceux de l'Ouest qui ont pu rendre visite à leur famille à l'Est a été dénommé Tränen Palast, « palais des larmes » !

Mais l'endroit de la ville que je trouve le plus fou est « Le Trésor », une boîte disco qui doit son nom à son installation dans les caves de l'ancien ministère des Finances du Reich. C'est alors le seul espace « habité » dans l'énorme triangle vide de la Potsdamer Platz, qu'une erreur dans le tracé du mur rendait inconstructible. Au milieu de quelques ruines, il y a une courette en surface ; des guirlandes multicolores lui donnent une allure de guinguette. Bien plus que la musique qu'on y entend, c'est le caractère surréaliste de l'endroit qui me fascine : on est à quelques mètres du mur, et lorsqu'on en émerge, la tête pleine des derniers succès britanniques, on voit sur le chemin de ronde, se découpant sous la lumière crue des miradors, la silhouette des vopos fusil en bandoulière. À quatre heures du matin, sous la neige en hiver, cette blessure imbécile au cœur même de la cité atteint là son sommet d'absurdité.

Mais l'atmosphère si particulière de la ville ne tient pas seulement à ces endroits exceptionnels. Ici, les saisons ont des caractéristiques propres. L'hiver, ce qui frappe, ce sont les différences de système d'éclairage (qui perdureront longtemps après la chute du mur) : à l'heure où l'Ouest brille de mille feux, l'Est s'enfonce dans une épaisse nuit laiteuse. L'été accentue les contrastes olfactifs : quand les Trabants dégagent, avec bruits et fumées, les vapeurs de leur carburant bon marché, l'autre moitié de la ville est envahie d'arômes d'huiles solaires dont font grand usage, dans les parcs ou au bord des lacs, celles et ceux auxquels sont interdites les plages les plus proches.

Ces contrastes s'accentuent d'année en année. Le souci de rajeunir la population a amené l'État fédéral à dispenser de service militaire les jeunes qui choisissent d'étudier dans les universités de Berlin-Ouest. Ils donnent le ton et le rythme dans le quartier à la mode de Kreuzberg, où ils ont transformé le mur en une grande fresque colorée. Et, pendant que ces « alternatifs » rêvent dans des vapeurs de chanvre d'un monde où régneraient la paix et l'amour, les architectes des années 1970 élèvent des constructions en demi-lune qui, tournant le dos à l'autre partie de la ville, semblent définitivement prendre acte de la séparation de modes de vie, de penser, d'espérer. Ce lieu emblématique contribue à me faire mieux percevoir les complexités de l'existence.

Avant mon premier séjour là-bas, je croyais – comme la plupart de mes contemporains, j'imagine – que c'étaient les Berlinois de l'Est qui étaient enfermés. Certes, ils n'avaient guère le choix de leurs éventuels déplacements : ils devaient aller toujours plus à l'Est, le seul lieu exotique possible étant pour eux la lointaine Cuba ! Mais, en fait, ceux qui étaient à l'intérieur du mur étaient bel et bien les Berlinois de l'Ouest. Et si ceux d'en face prenaient des risques inouïs, souvent au péril de leur vie, pour passer de l'autre côté du mur, ce n'était pas pour sortir de la cage mais pour y entrer. Mes séjours à Berlin sont pour beaucoup dans mon évolution vers des jugements moins simplistes et moins radicaux. Entre le noir et le blanc commence à poindre le gris : un monde où les bons sont parfois méchants et où les méchants ont eux aussi leur « semaine de bonté ». La géographie insolite des lieux m'amène à reconsidérer des repères que je croyais définitivement établis. Dans ce monde toujours « aux frontières », où toutes les formes de liberté constituent autant d'antidotes aux entraves du quotidien, je recherche volontiers les situations un peu périlleuses, développant mon goût du risque et de l'insolite.

Je n'en sors pas totalement indemne. Moi qui, enfant, dessinais des cités idéales où avenues et jardins s'ordonnaient autour de la cathédrale et du palais royal, je me sens bien dans cette cité totalement bouleversée par la guerre, dont aucun architecte ne semble pouvoir un jour maîtriser l'anarchie et où subsistent encore bon nombre de terrains vagues. Des terrains vagues comme ceux que je découvre alors dans ma propre vie.

Beaucoup de choses s'avèrent en effet moins faciles qu'on ne me l'avait dit. Par exemple, l'éducation sexuelle donnée par mon père m'apparaît comporter quelques lacunes : volonté et prière ne balisent pas parfaitement un chemin au terrain plus accidenté et aux perspectives plus floues qu'il ne me l'avait laissé entendre. Cette ville où l'on est facilement désorienté favorise des expériences inédites : je traverse là plus aisément des frontières que j'imaginais infranchissables.

Avec ses limites incertaines, ses blessures non cicatrisables, son passé que l'on a cru un peu vite à jamais enfoui, son présent précaire et ses projets chaotiques, Berlin devient pour moi le lieu symbole de chacune de nos existences.

L'homme, c'est un ange, c'est un animal, c'est un néant,
c'est un miracle, c'est un centre, c'est un monde,
c'est un dieu, indigent de Dieu,
capable de Dieu et rempli de Dieu, s'il le veut.

Pierre de Bérulle,
fondateur de l'Oratoire en France, 1575-1629.

Mes deux années d'études universitaires me permettent, elles aussi, un dépaysement précieux. Auprès d'enseignants passionnés mais sans esprit partisan, j'apprends le refus de l'approximation, le sens des nuances et l'importance du retour aux textes fondateurs. Autant d'atouts essentiels qui, assortis d'une période de tourisme dominical (je n'ai pas alors de paroisse fixe), me permettent de poser un regard plus large sur les évolutions qui suivent Vatican II.

Je découvre alors que, contrairement à ce qui se dit et est cru par beaucoup, le concile a initié peu de changements concrets. En particulier dans le domaine liturgique (le plus immédiatement perceptible pour de nombreux fidèles et qui provoque le plus de réactions), il n'a émis que quelques principes de bon sens : « L'Église se soucie d'obtenir que les fidèles n'assistent à ce mystère de la foi comme des spectateurs étrangers et muets, mais que, le comprenant bien dans ses rites et ses prières, ils participent consciemment, pieusement et activement » (*Sacrosanctum concilium*, art. 48).

Plutôt que de tout décider depuis Rome, les pères du concile ont préféré renvoyer les décisions concrètes aux commissions épiscopales nationales et régionales qui, en fonction des situations et besoins, peuvent autoriser ou encourager les initiatives qu'elles estiment localement nécessaires. Une volonté de décentralisation dont le bien-fondé s'est imposé au sein de cette extraordinaire assemblée multiculturelle et qui, de fait, rompt avec les déclarations unitaires du concile de Trente, qui se voulait une réponse aux éclatements ayant suivi les réformes protestantes.

Ainsi, pour la célébration de la messe, un certain nombre de nouveautés font suite aux déclarations des pères conciliaires et, dans une France encore largement pratiquante, ils ne passent pas inaperçus. Le numéro de *Paris-Match* de Noël 1962 consacre seize pages (en couleurs !) à l'événement. Elles sont conclues avec lyrisme par un éditorial de son directeur, Jean Farran : « Dans les siècles des siècles, sur tous les points de la terre depuis que Jésus est mort, des millions de prêtres ont célébré et célèbrent cette soirée que passa le Christ avec les apôtres. À l'heure où j'écris ces lignes comme à celle où vous les lisez, n'est-il pas poignant de penser que chaque seconde qui se passe sur terre, au moins l'un des 228 0000 prêtres vivants revit et fait revivre le drame inouï et exaltant qui se déroula sur les hauteurs de Jérusalem, il y a plus de dix-neuf siècles ? » Sur l'un des points de débat (mémoire de la Cène ou réactualisation du sacrifice ?), le journaliste a la rigueur d'un théologien : « La messe est – certes – le mémorial de la Passion. Mais elle n'est pas seulement rappel, elle est recommencement. Le sacrifice de la vie offert pour le salut des hommes est accompli par Jésus invisible mais sacramentellement présent. »

On n'a pas toujours été aussi clair dans l'atmosphère du séminaire, et mes crispations du moment tiennent, au moins en partie, au fait que l'on y parle davantage de bouleversements que de rééquilibrage, provoquant chez moi plus d'inquiétude que d'enthousiasme. Certes, je veux bien concéder – ce dont les tenants du retour à la « messe de toujours » (celle du concile de Trente, au XVIe siècle) conviennent le plus souvent aujourd'hui – qu'entendre la Parole de Dieu dans une langue qui permet de la comprendre n'est sans doute pas un mal. Mais je suis plus sensible aux conséquences que cela peut avoir sur le statut du prêtre, habituel « médiateur obligé » dans la tradition catholique. Car les réformes qui invitent les fidèles à participer activement avec le prêtre au sacrifice vont le conduire à descendre (au propre comme au figuré) quelques-unes des marches qui le mettaient à part du reste de la communauté. Ce qui ne m'enthousiasme pas vraiment.

D'autant que, dans beaucoup de lieux de culte, on va plus vite et plus fort. S'y multiplient des expériences liées à l'imagination pétrie de bonnes intentions dont l'enfer – également liturgique – est pavé. Et beaucoup de paroissiens ne savent pas que ce « maudit concile », et le missel du pape Paul VI qui en découlera, n'ont nullement demandé qu'aux grandes orgues on préfère désormais la guitare, ou que l'on abandonne tout un patrimoine grégorien pour des compositions envers lesquelles on peut se montrer d'autant plus sévère qu'on en comprend désormais les paroles.

Circulant d'église en église, je suis témoin de la manière faussement démocratique (malgré les propos tenus) dont sont menés les changements : bien des prêtres qui réclament haut et fort une meilleure place pour les laïques dans l'Église décident tout tout seuls, sans aucunement écouter leurs paroissiens. Ce qui ne les aide pas à percevoir ni à accepter les émois que suscitent tant de bouleversements, qui n'affectent pas seulement les plus conservateurs des fidèles, mais aussi les plus modestes et les plus fragiles, désorientés par tous ces changements qui font peu de cas de leurs croyances séculaires et de leurs dévotions populaires.

Mes parents sont de ceux-là. Ils s'inclinent devant la volonté de leur curé sans être bien convaincus de la nécessité de réformes qu'ils n'avaient pas souhaitées. Je comprends ainsi, au contact des uns et des autres, qu'une partie de l'incompréhension suscitée par les réformes conciliaires tient à la manière dont elles sont accompagnées. Ou plutôt ne le sont pas.

Il y a aussi le climat du moment, avec les remises en question et les libertés nouvelles du printemps 1968 et, même si tous les paroissiens ne savent sans doute pas que les carmels perdent leurs grilles, ils ne peuvent pas ne pas voir que leurs pasteurs jettent leur soutane aux orties. Prélude, pour un certain nombre, à leur prochain départ avec la plus dévouée de leurs collaboratrices. Mais là n'est pas la première raison du trouble des fidèles : beaucoup se montrent, et depuis longtemps, compréhensifs envers des situations intimes qui ne leur ont pas échappé. S'ils en viennent à perdre leur latin, ce n'est pas à cause de quelques cantiques nouveaux, mais parce qu'on n'a pas su leur expliquer que ce Dieu, maintenant si proche qu'on le tutoie, demeure tout de même le « Tout Autre » et que le message de son fils, barbu et proche des pauvres, ne se résume pas à celui de Che Guevara.

Avoir des idées moins assurées (et moins naïves, dans certains domaines) ne me fait pas pour autant renoncer au projet qui m'habite depuis l'enfance.

*

Un peu avant le terme de mes études à Censier, peut-être également « stimulé par la difficulté et l'opposition » qu'avaient relevées mes supérieurs sulpiciens, je prends l'annuaire catholique (l'Ordo) et me mets en quête des congrégations qui conservent une vocation éducative et auxquelles je peux m'adresser pour devenir « prêtre et maître d'école ». J'appelle chez les pères salésiens, c'est occupé. Je compose le numéro des prêtres de l'Oratoire, c'est libre et quelqu'un décroche immédiatement. À un moment où ils commencent à se faire moins nombreux, on ne fait guère attendre les possibles candidats. Quinze minutes après mon appel, je suis accueilli par le supérieur de la maison oratorienne de la rue de Vaugirard. Jovial et chaleureux, il m'écoute, attentif, compréhensif. L'homme est bienveillant, mais pas du genre à mettre ses convictions dans sa poche. Et en me présentant la tradition de la congrégation – que des assemblées générales tenues de janvier à juillet 1969 viennent de réactualiser –, il me fait vite comprendre que, s'il m'accueille comme je suis, il n'est pas question que j'en reste là. Et pour m'aider à commencer le travail sans tarder, il me remet une petite brochure, *L'Oratoire après Vatican II,* que je suis invité à méditer jusqu'à une prochaine rencontre.

Ce livret situe clairement la congrégation du côté de l'ouverture et non de la nostalgie. Ici, Vatican II est vécu comme une évidence évangélique et non comme la dernière idéologie du moment. Et si le message qu'il contient rejoint mes fondamentaux, il m'invite sans ambiguïté à remettre à leur place des accessoires auxquels il n'est pas très sain que je sois particulièrement attaché. « Certes il est des humanistes réducteurs de toute transcendance, mais il est aussi des reculs qui engendrent un scepticisme dilettante. Risque pour risque, autant prendre les plus féconds. Mieux vaut l'aventure de la clarté que l'impasse des yeux fermés » (René Bourreau, prêtre de l'Oratoire, 1970).

Je comprends vite que, si je veux rejoindre l'Oratoire, il me reste bien des progrès à faire pour modifier le regard pessimiste et volontiers manichéen que je porte sur l'humanité : et je vais devoir confronter mes certitudes, mes jugements moraux sans nuance, aux réalités de la vie des autres… et surtout, et c'est sans doute là le chemin le plus difficile, aux miennes propres. Si l'interpellation est claire, elle est aussi fraternelle.

Les personnalités très diverses qui composent le groupe, l'intérêt porté à l'itinéraire de chacun, le refus de jugement *a priori*, la nouvelle chance – j'en suis l'heureux bénéficiaire – donnée à celui qui a été refusé par une autre institution sont, par ailleurs, autant de sympathiques réalités que je découvre chez ceux qui m'accueillent.

« L'oratorien aime l'autonomie dans le jugement et dans les attitudes. Il veut assumer les motivations de ses conduites et même de ses obéissances qu'il préfère consentir à bon escient.

Il aime la liberté intellectuelle qui répugne aux systématisations et juge relatives les catégories culturelles et les conformismes d'époque, même quand ils sont anticonformistes », écrit encore René Bourreau.

Je lis tout cela avec grand enthousiasme et ne tarde pas à me porter candidat. L'Oratoire compte alors un peu plus de cent vingt membres, et quand je me présente il y a encore une demi-douzaine de séminaristes. J'en suis bientôt le seul rescapé et, comme chez beaucoup d'autres, les années vont passer sans que l'on frappe à la porte. Dieu merci, je suis arrivé à un moment où la congrégation, malgré les années agitées traversées et les débuts de disette en matière de recrutement, porte un message quasi unanime sur le service qu'elle souhaite apporter à l'Église et ose encore être ferme sur les exigences qu'elle a pour ceux qui veulent s'y associer.

Je lui suis encore redevable d'avoir courageusement prolongé mon éducation bien au-delà de l'âge habituel, faisant le pari qu'il était encore possible pour moi d'en tirer profit. Fidèle en cela à sa grande tradition éducative.

C'est à Antioche que, pour la première fois,
les disciples reçurent le nom de chrétiens.

Actes des Apôtres, XI, 26.

De 1972 à 1974, après une année probatoire passée au collège de Pontoise, l'Oratoire m'envoie à Strasbourg achever mes études de théologie et ma licence d'histoire. Là aussi, je retrouve la confrontation de deux mondes : la faculté de théologie est établie dans un grand monument wilhelminien qu'on appelle le palais universitaire ; celle d'histoire vient de s'installer dans de nouveaux bâtiments situés à la périphérie de la ville. Mais les différences ne sont pas qu'architecturales : les événements de 1968 ont connu ici des prolongations, en particulier à la faculté des lettres, et à mon arrivée l'heure est toujours aux grands débats idéologiques. Sur la base d'un malentendu électoral (j'en connaîtrai d'autres dans ma vie), je me lie d'amitié avec un membre du parti communiste français. Une liaison beaucoup moins dangereuse que je ne me l'étais imaginé !

En cette terre d'œcuménisme, je « pratique », plus souvent qu'à l'église catholique du quartier, au temple Saint-Pierre-le-Jeune, où j'aime l'orgue Silbermann et les homélies du pasteur.

72

À l'université, je demande à pouvoir valider mon diplôme de théologie avec certains certificats obtenus dans la faculté de théologie protestante – ce qui me vaut d'y suivre l'enseignement de Max Chevallier, pasteur de l'Église réformée d'Alger de 1955 à 1961 ! Pour compléter ce panorama théologique, je m'inscrirai l'année suivante à l'institut orthodoxe Saint-Serge à Paris.

S'il m'a fallu déployer un peu d'énergie pour dépasser certaines habitudes administratives, mes responsables religieux ont donné leur plein accord à ce parcours. Après les terribles drames qui ont blessé et entaché l'Europe, l'atmosphère est favorable aux réconciliations. De plus, c'est pendant les années de guerre que les jésuites Jean Daniélou, Henri de Lubac et Claude Mondésert ont fondé la collection « Sources chrétiennes ». Ces ouvrages, qui traduisent en français les grands textes des premiers siècles de l'Église, ouvrent enfin l'accès à des auteurs essentiels pour l'intelligence de la foi chrétienne (les Grecs Origène, Clément et Irénée ; les Cappadociens Basile le Grand et Grégoire de Nysse ; les Latins Tertullien et Cyprien). C'est aussi l'époque où sont publiés les premiers travaux effectués d'après les manuscrits de la communauté hébraïque des esséniens découverts à Qumrân. Ils sont de près de mille ans antérieurs aux plus anciens textes bibliques connus, et ils participent largement au renouveau du travail exégétique. Autant de motifs de revenir aux premiers siècles d'une Église plus diverse qu'aujourd'hui dans son expression liturgique mais qui – un peu aidée par Constantin – a affirmé son unité dogmatique au terme des conciles de Nicée (325) et Constantinople (381).

Pour toutes ces raisons, il ne me viendrait pas à l'esprit de dire que je suis catholique. Dans mon enfance, j'ai chanté *Je suis chrétien, voilà ma gloire* ; mon frère et moi avons été élèves chez les Frères des écoles chrétiennes avant de nous engager, lui à la Confédération française des travailleurs chrétiens, et moi dans la Jeunesse étudiante chrétienne. Sans mesurer à quel point, derrière ce vocabulaire, se trouvait mise en avant la primauté du lien des croyants à Jésus-Christ plutôt qu'à l'institution romaine.

Si, aujourd'hui, il peut arriver que les mots « chrétiens » et « catholiques » s'échangent sans signification particulière, la parution du Catéchisme de l'Église catholique en 1992 et bien d'autres signaux ont marqué un tournant, pas seulement sémantique, mettant fin au paysage de ma jeunesse.

Est-il si urgent et opportun de remettre sans cesse en avant notre identité catholique à un moment où se développent en France bien d'autres courants religieux nous imitant plutôt à hâter l'unité avec nos « frères séparés » protestants et orthodoxes, dont la même foi au Dieu fait homme nous rend si proches ?

Moi, Paul, je vous ai transmis ce que j'ai reçu
de la tradition qui vient du Seigneur :
la nuit même où il était livré,
le Seigneur Jésus prit du pain [...].
Après le repas, il fit de même avec la coupe [...].
En disant : chaque fois que vous mangez ce pain
et que vous buvez à cette coupe,
vous proclamez la mort du Seigneur,
jusqu'à ce qu'il vienne.

Première lettre de saint Paul aux Corinthiens.

Dix mois après avoir été ordonné diacre à Strasbourg en juin 1974, je suis ordonné prêtre dans la chapelle de l'école Saint-Martin. Sur le faire-part d'invitation, j'ai fait imprimer un verset des Actes des Apôtres qui rapporte la profession de foi de Pierre au jour de la Pentecôte : « Dieu l'a ressuscité, nous en sommes témoins » (III, 15). Trente ans plus tard, je me pose bien plus de questions qu'alors sur les modalités de cette résurrection. Mais je pense toujours première, dans la mission pastorale, l'annonce de l'événement pascal qui a métamorphosé Pierre (loin d'être le plus lucide, le plus courageux et le plus fidèle des apôtres) en martyr pour sa foi, le conduisant ainsi de sa bourgade de Galilée jusqu'à la Rome impériale.

J'ai alors le culot d'aller demander à l'évêque de Pontoise, qui vient m'ordonner, de prêcher à sa place, car il ne saurait être question pour moi d'attendre un jour de plus pour inaugurer le ministère qui m'est confié par ce successeur des apôtres ! D'autant que la chapelle est pleine d'élèves qui, depuis des semaines, ont préparé avec moi l'« événement ».

J'évoque dans l'homélie le passage d'un roman de Maurice Schumann où celui-ci raconte une vieille coutume du royaume de Danemark : quand un homme était condamné à mort, il était immédiatement gracié si le roi venait à passer par hasard sur le lieu de son exécution. Maurice Schumann voit là une analogie avec chacune de nos existences, où un mystérieux rendez-vous peut nous valoir la grâce de vie que chacun guette.

« C'est dans cet esprit que j'ai reçu le message de Pâques, reconnaissant en Jésus-Christ celui que je cherchais, celui qui me cherchait, m'appelant à ce face-à-face sans ombre que j'ai quelquefois perçu avec tel ou tel d'entre vous. Folie, penseront certains, de croire au XXe siècle qu'après la mort est une vie que la science n'appréhende pas. Peut-être, saint Paul disait déjà que c'était folie de croire. Mais est-ce bien aussi totalement raisonnable que toute cette puissance de vie et d'être qui est en nous ne débouche que sur la mort ? »

Nous sommes le 19 avril 1975. Trente ans plus tôt, jour pour jour, les troupes soviétiques franchissaient la Spree aux portes de Berlin. Et je ne peux alors imaginer que, trente ans plus tard, jour pour jour également, les cardinaux réunis en conclave éliront au premier tour le cardinal Joseph Ratzinger sous le nom de Benoît XVI.

Si vous avez une prédilection pour tel ou tel personnage,
telle ou telle période, ce n'est pas indépendamment
de votre histoire personnelle, L'historien
est toujours en filigrane derrière les sujets qu'il choisit.

Jean Delumeau, historien.

Depuis septembre 1974, je suis revenu comme professeur à Saint-Martin de Pontoise. Dans un cadre inspiré par les campus des « collèges » britanniques, l'école accueille, dans la meilleure tradition humaniste oratorienne, des jeunes gens « de bonne famille ». L'internat, en particulier, compte un certain nombre de fils de ministres de la République française… ou du shah d'Iran ! S'y ajoutent quelques grands noms de l'ancienne France, du show-biz, de dynasties békés ou de nouveaux empires financiers. Dans ce monde totalement nouveau pour moi, je découvre avec un étonnement particulier celui des grands agriculteurs d'Île-de-France. Pas grand-chose de commun entre les fermes fortifiées ou les coquets manoirs et les modestes demeures des oncles ou cousins paternels « restés au pays ». Ici, une pelouse bien tondue remplace le tas de purin dans la cour, on boit le whisky et on prend le café au salon et, bien sûr, on se sert des appareils ménagers qu'en Vendée on se contentait de montrer dans la pièce principale. S'éclaire ainsi un mystère lié à un fait divers dont on a beaucoup parlé quelques années plus tôt : l'énorme (et pour moi incompréhensible) rançon demandée à des cultivateurs du nord-est de la France après l'enlèvement de leur petite fille.

Mais s'il faut effectivement avoir des revenus assez solides pour assumer les frais de pension à Saint-Martin, sa population n'est pas pour autant homogène ni repliée sur ses privilèges. Il y a là nombre d'esprits curieux, attentifs à la complexité du monde, prompts à l'engagement et capables d'une grande générosité. Certes, le 11 mai 1981 quelques élèves demanderont, inquiets, à suivre les cours de la Bourse, mais on passe le plus souvent de longues soirées dans le vaste parc à refaire un monde plus solidaire, rejoignant là des valeurs affichées depuis longtemps dans les collèges de l'Oratoire.

Il suffit de se rappeler la part qu'ont prise ses anciens élèves dans le grand bouleversement des idées qui eut lieu au siècle des Lumières.

Des quinze années vécues là-bas me restent, outre une collection de caricatures où mes appendices auriculaires sont particulièrement honorés, des amitiés dont l'expression s'est espacée avec les années mais sur lesquelles je sais pouvoir définitivement compter. J'y entame mon métier d'enseignant très fier de tout ce que j'ai à transmettre. Au terme de l'expérience, j'aurai une plus juste idée de la mission comme des limites à apporter à mes ambitions.

L'enseignement de l'histoire entraîne obligatoirement celui de la géographie, et j'ai très peu de goût pour celle-ci. Ne comprenant vraiment pas pourquoi il faut se mettre dans la tête des chiffres de productions de coton, de pétrole et de charbon qui changent chaque année, j'en fais le minimum. Par chance pour mes élèves qui passent le baccalauréat, l'histoire est plus souvent tirée au sort que la géographie. J'ai d'ailleurs en mon temps bénéficié de cette heureuse providence.

Je perds définitivement mon peu de crédit dans le domaine géographique au cours de ma première année d'enseignement. Terminant un cours d'histoire sur le scandale financier lié au projet de creusement du canal de Panama, j'ai le malheur de conclure en disant : « Ce projet était malgré tout intéressant, et c'est bien dommage qu'il n'ait jamais été poursuivi. » Le lendemain matin, mes élèves ont préparé sur mon bureau une pile d'atlas ouverts à la page du Nouveau Monde où l'on voit que, depuis un siècle, les bateaux ne sont plus contraints de faire le tour des deux Amériques. Chaque fois que, dans les années suivantes, je me laisserai aller à des propos insuffisamment vérifiés, j'entendrai une rumeur monter dans la classe : « Panama, Panama, Panama. »

Malgré ce pénible incident, je suis heureux de mon métier. Et mes élèves ne se plaignent pas trop non plus. Car le « drame de Panama » n'a pas eu que des retombées négatives : il n'est pas forcément souhaitable que les paroles d'un enseignant soient, un peu trop vite, jugées incontestables. Il m'arrive ainsi régulièrement de rectifier ou de préciser mes propos de la veille. Dans un premier temps, mes élèves sont un peu déconcertés, jusqu'au jour où ils comprennent qu'il est au fond plus rassurant pour eux qu'un professeur n'hésite pas à confesser ses erreurs. J'apprends là un exercice de l'autorité qui ne sera pas sans conséquence sur ma pratique de l'homélie, comme sur mon opinion à propos d'une utilisation trop fréquente de l'infaillibilité.

Ce ne sont pas les seules leçons que je retiens de ces années d'enseignement. Mon intérêt pour l'histoire contemporaine répond à mon désir de comprendre mon temps : si j'ai beaucoup de mal à imaginer, à partir d'un pan de mur ou d'une assiette brisée, ce que pouvaient être les soucis et les joies de mes ancêtres les Gaulois, j'ai très vite une vraie passion pour la seconde partie du XIXe siècle, où s'établit clairement le lien entre l'Histoire et ma propre histoire. Le combat du petit père Combes comme celui de Lénine ont modelé l'univers dans lequel j'évolue. Et nul doute qu'il y a un lien étroit entre la mort d'un archiduc autrichien à Sarajevo et celle d'un de mes grands-pères à peine deux mois plus tard.

Ma volonté d'éclairer mon enseignement de connaissances pratiques et d'expériences personnelles oriente mes nombreux voyages d'été. Pas seulement Berlin (région par région, je parcours systématiquement les deux Allemagne) mais aussi Vienne, Saint-Pétersbourg (qui s'appelait alors Leningrad), Varsovie, Prague, Bucarest… presque toujours en train, ma nullité en sciences physiques m'amenant à considérer comme hautement improbable qu'un avion puisse rester longtemps en l'air.

De plus, je ne crains pas les longues heures de voyage. Elles permettent une approche progressive d'horizons nouveaux et des rencontres insolites avec les populations, en même temps qu'elles donnent une conscience nette des murs et rideaux qui, alors, partagent l'Europe. Ainsi ces éveils en pleine nuit à la frontière russo-polonaise où, éclairés par des miradors et sur fond d'aboiements de chiens, les militaires soviétiques procèdent à des fouilles tellement méthodiques (dans un hangar spécialisé, ils démontent cloisons et faux plafonds et vident vos paquets de lessive !) qu'elles font froid dans le dos aux plus irréprochables voyageurs. Ou bien, beaucoup plus sobres mais infiniment plus poignants, ces visages embués de larmes quand le train quitte lentement la gare de Vienne pour repartir vers Budapest, qu'un visa exceptionnel a permis de quitter un moment.

Entre Prague et Copenhague ou entre Irkoutsk et Kiev, je vis ainsi certaines aventures (pas toutes agréables, comme ma reconduite très encadrée à la frontière roumaine), qui ne font qu'accentuer une irrésistible envie de sortir des sentiers battus. Je connais très vite mieux l'Europe centrale et les Balkans que bien des provinces françaises. Et, dans cette partie du continent, il est peu de camps de concentration que je n'aie visités, conscient, comme l'a écrit récemment Simone Veil à propos d'Auschwitz, que la Shoah est la « marque indélébile du Mal absolu » et qu'« au cœur de l'intérêt général du vivre ensemble, il y a le rejet des idéologies de la haine ». D'où qu'elles viennent.

Je porte un intérêt particulier aux deux grandes guerres : l'une a décimé une bonne partie de ma famille ; l'autre l'a entachée. Mes anciens élèves n'ont sans doute pas oublié mes jugements sévères, et pas forcément justes, à l'égard de tous ceux que je tenais pour les « planqués » de l'histoire.

Avec une prime particulière à la Confédération helvétique, dont je ne comprenais pas que, au nom de je ne sais quelle neutralité, elle ait pu tranquillement continuer à remplir ses coffres et à faire son chocolat au milieu d'un continent à feu et à sang.

J'ai compris depuis longtemps que mon père a été profondément pétainiste. Ce ne fut pas chez lui un ralliement de circonstance : il adhérait pleinement à l'analyse des causes de la défaite (« l'esprit de jouissance l'a emporté sur l'esprit de sacrifice ») présentée par le Maréchal. Je suis resté un temps admiratif de la fidélité qu'il gardait à Pétain, trouvant plutôt sympathique cet attachement à une cause perdue ; d'autant que beaucoup de ses compatriotes, qui n'avaient pas été plus lucides en 1940, semblaient l'avoir oublié cinq ans plus tard. À la longue, ce loyalisme m'est de plus en plus apparu comme un entêtement ayant influencé bon nombre de principes dont nous faisons les frais au quotidien.

Après le détour par Auschwitz, l'admiration, déjà très émoussée, est devenue consternation devant des priorités de valeurs qui avaient conduit à des choix coupables.

J'aime laisser supposer par mon jeu
que nous sommes tous de pauvres êtres
capables de choses pas très belles.
Devenir héros ou salaud,
c'est parfois juste une affaire de courant d'air.

Michel Serrault, 1928-2007.

Je suis le premier élève de mon enseignement. Habité par l'appréhension de pouvoir être à mon tour – fût-ce de loin – complice de tragiques erreurs historiques, je suis tiraillé entre le souci de faire comprendre (et donc d'une certaine manière d'excuser) les faiblesses ou fourvoiements d'un grand nombre, et le devoir de rendre hommage à quelques-uns qui pour la plupart payèrent très cher leur lucidité et leur courage. Et je ne manque pas de reconnaître qu'il est des clairvoyances plus aisées dans le confort d'un pensionnat de luxe que sur les routes de l'exode !

L'une de mes préoccupations est de faire prendre conscience que la mise en place de l'horreur nazie tient moins à la folie criminelle d'Hitler et de ses compagnons qu'à l'assentiment (qu'il soit manque de vigilance ou recherche d'un confort personnel) de millions de personnes ordinaires. Ordinaires, comme nous.

Je prends souvent l'exemple de mes parents, mariés en 1936. Quand, trois ans plus tard, ma mère voit son époux partir pour le front – elle a alors un garçon de deux ans et est enceinte de ma sœur –, comment pourrait-elle, après avoir tant souffert du premier conflit mondial, ne pas préférer son bonheur familial à la défense de la Pologne ? Peu de risques pour l'un et l'autre d'adhérer à l'appel à la rébellion lancé depuis Londres par le général de Gaulle : comme beaucoup de Français, mes parents sont persuadés qu'il ne peut pas venir grand-chose de bon de l'autre côté de la Manche. En outre, il est impardonnable aux yeux de mon père qu'un général de brigade (qui plus est à titre temporaire) ose contester la décision d'un maréchal de France.

À côté de raisons (plus ou moins bonnes) qui ont pu conduire certains à se tromper, il y a tous ceux (et ce sont parfois les mêmes) qui, au quotidien, ont tout simplement cherché à s'adapter, pour le moindre mal, à la situation du moment. J'invente ainsi l'histoire du soldat allemand qui, à Nantes, demande la route de Bordeaux. Sans se poser de questions, beaucoup lui indiquent spontanément la bonne direction ; d'autres adoptent immédiatement un comportement indocile et l'envoient sur la route de Brest ; d'autres enfin lui proposent : « Montez donc dans ma voiture, je vais justement dans la même direction et ferai volontiers un petit détour pour vous rendre service. » Ces différentes réactions, le plus souvent irréfléchies, montrent comment naissent des attitudes de résistance et de collaboration.

Bien sûr, je passe aussi à mes élèves un certain nombre de films recommandés par les bulletins de l'Éducation nationale. Mais je m'aperçois vite que ces cartes du monde qui se noircissent à mesure qu'avancent les armées allemandes ou nippones ne sont pas sans les fasciner, voire éveiller chez certains d'entre eux le regard jaloux qu'ils portent sur les biens du voisin.

Quant aux visions d'horreur des dernières minutes de *Nuit et brouillard* d'Alain Resnais (où l'on voit, dans les camps qui viennent d'être délivrés, des tracteurs de l'armée américaine charriant des centaines de corps réduits à l'état de squelettes), combien peuvent imaginer que leurs proches aient pu – fût-ce indirectement – y avoir une part de responsabilité ? Aux images fortes de certains documentaires je préfère les productions plus subtiles, révélant davantage nos possibles fraternisations avec le diable.

Bien sûr, il y a *La mort est mon métier*, de Robert Merle, mais c'est un roman. Aussi, je préfère partager avec les plus âgés de mes élèves le récit décapant qu'Horst Krüger, dans *Un bon Allemand* fait de la montée du nazisme dans la tranquille banlieue berlinoise où vivent ses parents, dont il brosse le portrait en ces termes : « Sa vie durant, mon père rentra à la maison par le train de seize heures vingt et une, toujours le même train, le même coin fenêtre quand celui-ci était libre, toujours une serviette pleine de travail à la main droite et sa carte d'abonnement mensuel dans son étui de fer-blanc à la main gauche, et jamais il ne sauta du train en marche... Son univers, c'était sa fonction, et son paradis, sa femme. À l'époque elle lisait *Mein Kampf*, elle était "vaguement catholique" et également, mais pas pour longtemps, "politisée". »

La mère, en effet, n'a pas le tempérament de fonctionnaire de son conjoint. Lui sera vite conquis par les nouveaux règlements encadrant la vie quotidienne, elle apprécie davantage les initiatives artistiques du régime nazi. Car, s'il y eut des bourreaux hyperorganisés, il y eut aussi ces foules soulevées par la mise en scène d'immenses rassemblements sur fond de musique wagnérienne. Et je ne suis pas près d'oublier le frisson ambigu que j'ai moi-même ressenti lorsque, arrivant un soir à Bayreuth, je parvins à la mythique colline, nimbée d'un coucher de soleil pourpre, exactement au moment où, du balcon de l'opéra, on sonnait la fin de l'entracte au son des trompettes de l'ouverture de *Parsifal*.

Sans état d'âme particulier, Mme Krüger est ravie que l'on construise partout opéras et salles d'exposition ; elle devient même membre de la Communauté culturelle nationale-socialiste, ce qui lui permet d'obtenir une réduction pour aller voir *La Chauve-Souris* ! Chacun dans leur genre, M. et Mme Krüger ne sont donc que de braves gens, tout à fait comme il faut. Simplement, et horriblement, Horst Krüger raconte l'évidence : dans nos nations démocratiques et « civilisées », des courants extrêmes ne peuvent arriver au pouvoir par la volonté – ou la démence – d'un seul. Il leur faut la sympathie, voire la complicité, d'un bon nombre de « braves gens », qui feignent de ne pas s'étonner que leurs voisins Juifs ne reviennent pas de « longues vacances » d'où ils n'envoient jamais de cartes postales.

Pendant longtemps, lors de mes séjours allemands, je ne pourrai m'empêcher de me demander quelle part les charmants retraités que je croise dans les rues ont pu prendre à la mue barbare du pays de Bach et de Goethe. Avec au cœur le mot de la fin de Mme Stefan à son jeune voisin : « Comment, Horst, tu ne crois pas que c'est Dieu qui nous a envoyé le Führer ? »

Dans ma famille comme dans beaucoup d'autres, on est moins disert sur la Seconde Guerre mondiale que sur la première. Un coin du voile est cependant levé à la mort de ma grand-mère paternelle en 1982. Celle-ci n'a jamais eu de voiture, mais je pense que si tel avait été le cas elle aurait sans doute fait un petit détour pour mettre les Allemands sur la route de Bordeaux. Ce n'est pas si compliqué depuis le bocage vendéen. Évidemment, il parut normal que son petit-fils prêtre célébrât ses obsèques, et, même si j'imagine qu'une partie de ma famille (qui connaissait mes médiocres relations avec elle) s'inquiétait un peu de ce que j'allais dire à cette occasion, elle savait bien qu'au village on jaserait encore plus si l'on me demandait de ne pas parler.

J'ai des convictions, mais peu de rancunes ; surtout quand ceux qui pourraient en être victimes ne sont plus là pour se défendre. Aussi, j'explique dans mon homélie qu'au fond j'ai très peu connu ma grand-mère paternelle, ne l'ayant aperçue que durant le dernier tiers de sa vie, déjà très affectée par la maladie et le handicap. Puis j'enchaîne avec toute une série de questions : Pour quels jeux s'est-elle passionnée lorsqu'elle était enfant (elle fut jusqu'à la fin de sa vie une grande joueuse de cartes... qui détestait perdre) ? Quels ont été ses premières amours dans le marais poitevin ? Quelles confidences a-t-elle reçues, après plusieurs verres d'absinthe, dans le petit café qu'elle tenait au village ? Comment a-t-elle vécu l'annonce d'un cancer qui, vingt ans plus tôt, l'avait profondément mutilée ? Dans les années 1940, a-t-elle préféré de Gaulle ou Pétain ?

À vrai dire, je me force un peu pour cette dernière interrogation. Je ne suis donc pas surpris quand, marchant vers le cimetière, un vieux du pays s'approche de moi pour me glisser quelques mots à l'oreille : non pour me confier avoir été le premier amour de ma grand-mère, mais parce qu'il tient à me faire savoir qu'elle n'a pas hésité à vendre son beurre à l'occupant plutôt qu'à ses voisins, et qu'elle a même failli être tondue à la Libération !

On aime souvent mieux se reposer
dans ses anciennes opinions,
dans lesquelles on est entré par hasard,
que de se donner la peine de les examiner.

Bernard Lamy, prêtre de l'Oratoire,
mathématicien, philosophe et physicien, 1640-1715.

Étape après étape, mon horizon politique s'élargit, se nuance. Comme dans beaucoup d'autres domaines, la mue se fait en douceur. Je ne m'intéresse bientôt plus aux calculs – jamais achevés – visant à démontrer que le bolchevisme fit, en définitive, plus de victimes que le nazisme.

Si l'un et l'autre causèrent d'égales tragédies, il est maintenant clair pour moi que les mobiles qui animèrent leurs militants comme les circonstances politiques, sociales et culturelles dans lesquelles ceux-ci accédèrent au pouvoir ne sauraient être mis sur le même plan, et j'ai aussi compris que, dans notre Europe aux racines chrétiennes, bien des croyants n'ont pas été des modèles de vigilance.

Si pendant longtemps j'ai dit qu'après tout je ne savais pas bien ce qu'aurait pu être mon propre positionnement dans le climat des années troubles, j'arrive petit à petit à la quasi-certitude que je n'aurais jamais été pétainiste. Peut-être pas pour les meilleures raisons, mais par refus de certaines pseudo-évidences comme : « La terre ne ment pas. » Ou, peut-être, en raison de méfiances (innées ou acquises) à l'égard de ceux qui parlent un peu vite du don de leur vie.

Cependant, si quelques principes s'éclaircissent, je demeure très interrogatif sur ceux qui prétendent les défendre. Je ne me sens nulle envie de militer dans un parti politique. Passionné dans mes convictions, modéré dans mes choix, reconnaissant volontiers mes propres contradictions, j'ai du mal à m'enthousiasmer pour des réunions où les formules ou les bons mots tiennent lieu de pensée et où, comme on le dit souvent, « les promesses n'engagent – que ceux qui les croient ».

J'ai peine à croire au « juste milieu », tenant le plus souvent les compromis pour des compromissions, et je suis convaincu qu'on ne peut faire un choix – je ne me résigne pas au vote blanc – sans se salir les mains. J'ai alors tendance à privilégier ce que je perçois des personnes sur les programmes qu'elles déclinent, et je finis généralement par éliminer – en fermant les yeux sur le bulletin que je glisse dans l'urne – celle ou celui que, au nom de critères qui ne relèvent pas forcément de la raison ou de la morale, je trouve particulièrement insupportable !

En classe, les débats politiques sont souvent animés. Et si les circonstances plus apaisées du moment ne m'ont pas permis d'entraîner mes élèves dans un réseau de résistance – « ce grand jeu enfantin et mortel », selon Emmanuel d'Astier de La Vigerie –, il reste dans les relations que j'ai conservées avec certains d'entre eux quelque chose d'une rébellion partagée !

Il est des heures (elles commencent souvent par l'étude de la revue de presse sur France Inter) particulièrement mémorables. Ainsi ce matin de 1982 où, au lendemain des massacres dans les camps palestiniens de Sabra et Chatila, j'évoque la responsabilité des Israéliens dans cette tragédie, ajoutant : « Ces événements nous montrent bien qu'il n'y a pas, de manière définitive, les oppresseurs et les opprimés, et que les uns et les autres peuvent l'être tour à tour. » Il est clair que je suis en train de régler un vieux compte avec la notion de « peuple élu », qui à mes yeux peut donner lieu à pas mal d'abus. Je préfère cette expression plus factuelle, utilisée dans la liturgie du vendredi saint : « Ceux auxquels Dieu a parlé en premier. » En effet, à partir du moment où Dieu n'est plus en « conversation trinitaire » (exercice sur lequel, il est vrai, je n'ai pas d'informations particulières), il doit, pour s'adresser aux humains, s'adapter à nos contingences. Il ne peut en même temps s'adresser aux Juifs, aux Grecs et aux Égyptiens. De la même façon, lorsqu'il vient habiter notre chair, il doit choisir un sexe, un moment, une terre. Je ne pense donc pas très raisonnable de tirer trop de conséquences de ces choix obligés qui ne sauraient engager l'avenir.

Mon propos, immédiatement rapporté au directeur de l'établissement, fort engagé dans le dialogue judéo-chrétien, me vaut un mémorable savon, confirmant ce que je pense déjà des militants arrimés à une cause unique : elle ne peut que brouiller leur capacité d'analyse et les conduire à d'inévitables excès. Revenant en classe mis en forme par cette philippique, je rajoute un couplet : « La souffrance ne donne pas de droits. Nous avons tous les droits, potentiels, par naissance : l'épreuve n'en ajoute pas. D'ailleurs, si nous étions plus attentifs à ce que soit respecté ce premier article de la Déclaration des droits de l'homme, cela éviterait à d'aucuns de se poser en victimes. »

Cette fois, il est bien possible que je règle un compte avec un récent discours de Jean-Paul II sur les droits de la Pologne après la guerre. À moins que ce ne soit avec quelques malades impossibles qui, au nom de leur souffrance, deviennent des tyrans domestiques. Ou les deux !

Il y a déjà eu, l'année précédente, une confrontation passionnée lors du débat sur l'abolition de la peine de mort. Cette proposition du « programme commun » était pour moi essentielle.

Je n'ai pas alors directement assisté au moment même du grand passage, mais je n'ai jamais pu chasser de ma mémoire mon arrivée à l'hôpital Cochin, un matin gris de novembre 1972 : la chambre où, la veille, j'avais trouvé tante Suzanne si fatiguée est vide, sur le lit les oreillers sont encore affaissés et, un peu plus loin dans le couloir, j'aperçois sur un chariot une forme humaine sous un drap devenu linceul. De cet instant-là date une détermination : aucun acte ne saurait justifier que cette tragédie sans retour puisse être froidement décidée pour un autre. Je suis bien convaincu que si justice n'est pas rendue à toute victime – aussi bien dans une salle de classe que dans un tribunal – des vies peuvent être gravement abîmées, voire détruites, mais il est tout aussi clair que cette justice n'a rien à voir avec un règlement de comptes, fût-ce au meilleur sens du terme.

Non parce qu'il est des crimes et délits qui ne peuvent être réparés, mais parce qu'à mes yeux la justice n'a pas pour mission première de sanctionner, mais de protéger. Acceptant que la réclusion définitive soit le seul moyen d'assurer cette protection que l'on doit absolument à toute victime… comme à tout coupable susceptible de récidiver. Je ne vois d'ailleurs pas d'autre solution pour que la peine de mort ne revienne régulièrement dans le débat. Bien conscient qu'en matière d'enfermement, provisoire ou définitif, il ne manque pas de progrès à faire.

Inutile de préciser que, dans mes classes comme dans le reste du pays, il n'y a pas unanimité sur cette question « capitale ». Je relève alors une contradiction qui n'a sans doute pas perdu toute actualité aujourd'hui. Pendant plusieurs années, j'ai proposé un questionnaire pour aider les jeunes à accéder à une meilleure connaissance d'eux-mêmes. Quarante questions réparties sur quatre pages. Au bas de la première page se trouve précisément la question : « Êtes-vous pour ou contre la peine de mort ? » En haut de la quatrième page, une autre question en deux parties :

A – « Êtes-vous pour ou contre l'avortement ? »

B – « Pourquoi ? »

Or, à près de 100 %, ce sont les mêmes qui sont contre l'avortement (au nom du respect de la vie)… et pour la peine de mort !

Quel que soit l'avis des uns et des autres, l'émotion est grande pour tous quand, le 16 septembre 1981, nous écoutons Robert Badinter ouvrir le débat de manière particulièrement solennelle : « J'ai l'honneur, au nom du gouvernement de la République, de demander à l'Assemblée nationale l'abolition de la peine de mort en France. »

Une question d'« honneur », tout simplement. Dix ans plus tard, le catéchisme de l'Église catholique, dans son article 2267[1], n'est toujours pas parfaitement au clair sur cet honneur qui, pourtant, signe notre humanité. Pendant les débats, l'affrontement entre le général de Bénouville et Florence d'Harcourt, tous deux députés de droite, constitue une autre grande leçon : « Madame, vous savez bien qu'une majorité de Français est contre l'abolition. » Réponse : « Je suis de ceux qui pensent que les politiques doivent précéder et non pas suivre l'opinion. »

À l'issue du vote, champagne pour toutes mes classes !

---

1. « Aujourd'hui, en effet, étant donné les possibilités dont l'État dispose pour réprimer efficacement le crime en rendant incapable de nuire celui qui l'a commis, sans lui enlever définitivement la possibilité de se repentir, les cas d'absolue nécessité de supprimer le coupable sont désormais assez rares, sinon même pratiquement inexistants. »

En sortant dans la rue, je découvre que la journée
est magnifiquement ensoleillée.
C'est le premier jour de soleil sans ma mère.
Je pleure derrière mes lunettes.
Je pleurerai souvent ce jour-là.

Pedro Almodovar.

La maladie puis la mort de ma mère, en 1983, ne sont pas pour rien dans mon propre mûrissement et le désir qui en découlera de quitter un monde exclusivement constitué d'enfants et de jeunes. Le premier signe de la maladie (sclérose latérale amyotrophique, SLA) qui allait emporter ma mère est apparu au cours de l'été 1980 sous la forme d'une soudaine difficulté à exécuter un geste simple et familier : introduire le fil dans le chas d'une aiguille. Cela nécessite une pression des doigts qu'elle n'arrive plus à effectuer. Incident apparemment banal : on parle alors de rhumatisme. Sournoise, la mort pose en fait un signe qu'aucun d'entre nous ne sait reconnaître.

Il ne se passe pas grand-chose d'autre au cours des deux années suivantes, même si un certain engourdissement semble gagner l'ensemble de ses membres. Mais, quand on vieillit, tout cela n'est-il pas normal ? Et puis, comme dit mon père : « Il faut savoir prendre sur soi. » À l'été 1982, je constate une véritable dégradation. Beaucoup de gestes de préhension deviennent de plus en plus difficiles et il lui arrive souvent de ne pas lever le pied assez haut pour franchir une marche d'escalier. Quel lien y a-t-il entre cela et les angoissantes « fausses routes » qui nous amènent à écarter certains produits – comme les salades fraîches du jardin – de son alimentation ?

Le neurologue que l'on a consulté, après plusieurs autres médecins, se dit incompétent. La nature du mal ne lui a vraisemblablement pas échappé, et c'est sans doute pour cela qu'il se déclare inapte face à une affection pour laquelle on ne propose alors aucun traitement, fût-ce d'accompagnement. En octobre, je conduis mes parents à l'hôpital Sainte-Anne, à Paris, pour prendre l'avis d'un autre neurologue. Après l'examen, celui-ci s'arrange pour me garder un moment et me glisse entre deux portes que ma mère a la maladie de Charcot (autre nom de la SLA) et qu'elle doit en mourir dans les mois qui viennent : la paralysie des membres gagnera sans doute la parole, puis la respiration jusqu'à l'asphyxie. Il estime qu'elle n'a pas plus d'une année devant elle et me glisse un numéro de téléphone où je peux l'appeler en soirée.

Je retrouve mes parents dans la salle d'attente. Ils sont soulagés par l'examen : la maladie n'affecte pas la sensibilité, et, à chaque fois que ma mère a réagi par une grimace à des piqûres d'aiguille ou à des produits froids ou chauds, le médecin a conclu par des « bon… bien », semblant indiquer qu'il n'y avait rien de très grave derrière ces étranges symptômes. Quelques minutes plus tôt, j'ai eu la même perception qu'eux. Mais il y a maintenant un abîme entre nous : j'ai les jambes qui se dérobent, la gorge serrée, les larmes au bord des yeux, et c'est dans un brouillard que j'entends mon père parler d'aller déjeuner au PLM Saint-Jacques voisin. J'invoque la pluie, ce jour-là torrentielle, pour que l'on gagne au plus vite la gare Montparnasse où ils pourront reprendre immédiatement le train pour Nantes. Je peux enfin pleurer.

Le soir, au téléphone, ma mère me dit son étonnement (et il y a du reproche dans sa voix) que j'aie paru pressé, pour la première fois, de me séparer d'elle. Le lendemain, j'informe mon père et mes frère et sœur de la situation. Aucun ne souhaite que l'on en prévienne ma mère.

« Pas de traitement », a dit le professeur... Ne reste donc que la prière. Mais prier pour quoi ? Pour que Dieu – parce que c'est ma mère – la guérisse d'une maladie dont actuellement on ne guérit pas ? Je m'interdis cette demande, qui pourrait fausser la relation que j'essaie d'entretenir avec Celui qui me touche davantage par sa fragilité que par sa toute-puissance. Je n'ai pas envie de jeter un défi au Dieu du pouvoir. Je préfère me tourner vers le Dieu de compassion qui, lui-même, a connu la souffrance et la mort. Ce douloureux épisode de ma vie modifie ainsi de manière définitive mon rapport à la prière de demande. Je sais bien que, dans le Notre-Père et dans d'autres passages de l'Évangile, le Christ nous invite à des requêtes, à des sollicitations. C'est vrai aussi qu'il lui est arrivé de faire des miracles en réponse à ceux qui l'imploraient. Mais ces signes extraordinaires me troublent plus qu'ils ne me rassurent.

Avec ma mère, sans lui imposer une vérité qu'elle ne semble d'ailleurs pas demander, je favorise un dialogue franc et lucide : jamais je ne lui dis qu'elle va guérir et, les mois passant, il est acquis entre nous que son horizon est limité. Un moment particulièrement difficile est le matin du 1er janvier 1983. Comment me suis-je arrangé alors pour ne pas lui souhaiter une « bonne année » ? Je sais que ce souci occupa une partie de ma nuit.

Je devais avoir la chance – puisqu'elle mourut à la fin de septembre – de passer un dernier été auprès d'elle. Je crois avoir été alors le témoin privilégié de la métamorphose qui s'accomplit en elle. Almodovar, à propos de la mort de sa mère, parle très justement de « l'instant où tout se décide ». Ainsi ma mère, chaque jour plus invalide et plus dépendante, conquit enfin une liberté qu'elle n'avait que rarement exprimée jusqu'alors.

Un des souvenirs forts de cette mue est le soir où nous avons regardé ensemble *Belle de jour*, malgré la désapprobation totale de mon père. Celui-ci avait d'ailleurs une manière bien à lui – qui n'est pas sans me rappeler celle du chroniqueur spécialisé de Radio Notre-Dame aujourd'hui – de parler des programmes de télévision. Si nous l'interrogions sur la programmation d'un soir où il n'avait trouvé aucune émission correspondant à ses intérêts ou à son système de valeurs, il répondait qu'il n'y avait « rien ». Et prenait très mal que je lui rétorque : « Ah bon, la télé est en grève ? » Regarder avec ma mère l'histoire de cette femme, à la fois si différente de la sienne mais en même temps si proche par ce qu'elle nous disait du mystère des êtres et de la complexité des itinéraires, fut un merveilleux moment d'intimité entre ma mère et moi. Sans un mot, nous nous sommes dit alors beaucoup de choses.

Ma mère mourut un mardi soir de la fin de septembre. Je lui avais toujours promis que je serais là au « moment nécessaire » (je ne crois pas que nous ayons jamais prononcé entre nous le mot « mort »). Le week-end précédent, je reviens de Pontoise où je viens de commencer une nouvelle année scolaire. En arrivant à la maison, le vendredi soir, l'étrange regard de ma mère me convainc qu'elle s'éloigne de nous. Elle s'exprime difficilement, et les crises d'étouffement sont de plus en plus rapprochées.

Depuis quelques semaines, les nuits sont pour elle particulièrement difficiles. Pendant celle du samedi au dimanche, on passe à l'heure d'hiver. Cette heure supplémentaire de sommeil, si agréable en temps ordinaire, rend la nuit interminable. Au matin, je demande au médecin de famille s'il peut lui donner quelque chose qui lui permette de dormir un peu la nuit suivante. Asthmatique moi-même, je sais bien que cela ne sera pas sans conséquence sur sa gêne respiratoire. Mais au point où nous en sommes, il m'apparaît évident qu'il ne faut pas la laisser confrontée à une nouvelle nuit de souffrances et d'angoisses. Le médecin, bon catholique, a une réponse terrible, semblable aux déclarations souvent atterrantes par lesquelles la hiérarchie de l'Église exprime son combat – si légitime soit-il – pour le respect de la vie : « Ce que vous me demandez, mon père, c'est une euthanasie discrète. » L'impérative urgence de la leçon de morale lui fait mettre de côté la plus élémentaire humanité… Ne parlons pas de charité ! J'ai la chance de ne pas être ébranlé par son propos et de pouvoir lui répondre que je lui demande simplement que ma mère souffre un peu moins.

Le dimanche soir vient le moment prévu de mon départ. Je ne pense pas que ma mère puisse tenir bien longtemps, mais le médecin – aussi expert dans ses diagnostics que dans ses conseils moraux – m'assure qu'il ne prévoit pas d'échéance fatale avant au moins un mois. Je pars fort inquiet pour Pontoise. Après une mauvaise nuit, je tente tôt le matin de joindre le médecin.

Dieu merci (!), je tombe sur son répondeur et, me passant de son avis, je préviens mon supérieur de collège que, tenant à être fidèle à la promesse faite à ma mère, je repars à Nantes pour une durée indéterminée. Comme mon retour n'est pas prévu, mon frère a décidé de passer la nuit à la maison pour assister mon père dans les gestes de plus en plus éprouvants qu'imposent les lourds handicaps de ma mère. L'état dans lequel elle se trouve en fin d'après-midi décide ma sœur à demeurer, elle aussi, pour la nuit. Moment étrange et ultime où se recompose ainsi autour de ma mère la cellule familiale – cela n'était pas arrivé depuis une vingtaine d'années – qui a été le cœur de sa vie.

Cette nuit et la journée suivante, les paroles, les activités, les sentiments même de chacun sont totalement rythmés par la respiration de ma mère. Cette femme qui a décidé de si peu de choses dans sa vie semble alors totalement maître de nos confidences, de nos larmes, de nos rires, de nos promesses exprimées ou secrètes. Elle meurt en fin d'après-midi. Elle meurt d'asphyxie comme on meurt en croix. Une asphyxie qui fait bleuir son visage et la fait s'arc-bouter dans un ultime spasme. Un silence abyssal succède à nos cris. C'est ma première et terrible expérience du grand passage.

Avant de nous quitter, ma mère m'a fait un ultime cadeau. Selon les règlements édictés par mon père, nous devions réduire au strict minimum le contact avec les personnes divorcées. Ce fut le cas de notre boucher de quartier. L'infidélité de son épouse paraissait d'autant plus surprenante que, lorsqu'on la voyait trôner à la caisse, elle semblait parfaitement assortie à son mari, avec son chignon en forme de gigot d'agneau. Reste que, lorsque cela arriva, nous dûmes changer de boucher. Quand mon frère divorça, la situation devint plus complexe. Comme d'habitude, mon père rappela les interdits et ma mère tenta des compromis. Ils furent « facilités » par l'invalidité à laquelle la réduisait la maladie. Il y eut ainsi progressivement, pour mon frère et sa nouvelle épouse, quelques accommodements à la règle initiale.

Mais ma mère avait aussi un filleul divorcé… et donc interdit de séjour à la maison. Avant d'être clouée chez elle, elle le croisait souvent dans les rues de Nantes et conservait de bonnes relations avec lui. Le matin de la mort de sa femme, mon père se trouve confronté à deux principes : l'un interdit qu'un divorcé franchisse notre porte ; l'autre demande qu'un filleul dise adieu à sa marraine. L'urgence de la situation donne la priorité à cette dernière règle. Dans la matinée, mon père appelle Jean B. Celui-ci, qui a une réelle affection pour ma mère, ne s'étonne pas de cette invitation et répond aussitôt qu'il passera la voir au moment du déjeuner. Quand ma mère l'entend entrer, elle se tourne vers moi et me dit avec un petit sourire : « Tu sais, Gérard, maintenant je sais que je suis perdue. » La tendresse de son regard et l'humour tragique du propos sont sa dernière victoire sur une série d'absurdités qui ont tellement compliqué sa vie. Elle me laisse là un héritage qui déterminera bon nombre de mes engagements. Parmi eux, celui de ne pas fuir l'accompagnement ultime de mes compagnons de voyage.

Dix ans plus tard, quelques semaines après ma nomination comme curé à Saint-Eustache, je suis appelé un samedi soir par l'épouse d'un jeune toxicomane rencontré dans les groupes « Narcotiques anonymes » qu'accueillent les locaux paroissiaux. Nous avons noué un dialogue confiant dont il a laissé d'émouvants témoignages dans son journal. Il est en train de mourir du sida à l'hôpital Saint-Louis. Nous sommes une dizaine dans la chambre pour la grande veille. Vers quatre heures du matin, il semble aller un peu mieux et les infirmières nous invitent à nous reposer un peu. Je connais maintenant trop bien ce « mieux de la mort » par lequel passent beaucoup, et je propose de continuer à veiller. Il nous quitte deux heures plus tard.

À l'aube, je rentre à Saint-Eustache pour célébrer ma première grand-messe comme curé. À l'un de mes confrères qui constate ma fatigue, je réponds que je viens de passer la nuit à l'hôpital. Sans doute plus inquiet pour le prochain déroulement du culte que pensant réellement ce qu'il dit, il me déclare : « Tu crois que tu n'as pas autre chose à faire, comme curé, que de passer des nuits blanches à l'hôpital avant les liturgies dominicales ? »

*Concrètement, la sclérose latérale amyotrophique équivaut
à un emprisonnement progressif
sans possibilité de liberté conditionnelle.*

Tony Judt, historien et écrivain, 1948-2010.

Quand j'ai connu le diagnostic posé sur la mystérieuse fatigue et les étranges « rhumatismes » qui gagnaient les membres de ma mère, cette fameuse maladie de Charcot, je n'en avais jamais entendu parler. Pas d'Internet, alors, pour en savoir plus. Ce que je lis dans le dictionnaire médical est effrayant, aussi bien sur les nombreux handicaps que peut entraîner la maladie que sur son terme inéluctable. Et si le neurologue consulté à Paris a osé, contrairement à celui de Nantes, mettre un nom sur le mal dont souffre ma mère, nul autour de nous ne peut nous en parler.

Comme d'habitude, il ne manque pas de personnes – surtout parmi celles qui ont connu les épisodes dépressifs de ma mère – pour dire qu'avec « un peu plus de volonté et d'efforts »… Car les maux mystérieux – je retrouverai cela avec le sida – peuvent facilement être interprétés comme le fruit d'une malédiction dont on est sans doute un peu responsable !

Peu de temps après le décès de ma mère, j'entends parler d'une association (la Motor Neurone Disease Association, ou

MNDA) qui vient d'être créée en Angleterre. L'attachement des Britanniques à une solidarité pratique, leur talent pour le *charity business* et la mort du très populaire acteur David Niven – deux mois avant celle de ma mère, et du même mal – ont favorisé son très rapide développement.

C'est par Londres que j'apprends qu'un jeune malade français, Guy Serra, et son neurologue, Vincent Meininger, travaillent à la création d'une association en France. Je rejoins aussitôt leur petite équipe et, à la mort de Guy Serra, je lui succède comme président de la toute neuve Association pour la recherche sur la sclérose latérale amyotrophique, ou ARS. C'est mon premier engagement solidaire. Comme ceux qui suivront, il est une réaction spontanée à une réalité humaine rencontrée.

Certains ont parfois salué les combats que j'ai menés comme le signe d'un généreux altruisme. D'autres, sans doute plus perspicaces, ont analysé mon incapacité à rester les bras ballants face à des situations dramatiques comme l'une des manifestations de mon refus d'accepter les limites de notre condition humaine. De toute façon, j'ai été élevé dans la conviction qu'il était impossible de s'endormir paisiblement en restant sourd à l'appel d'un frère en détresse… d'où mon mauvais sommeil !

Je considère comme un don – qui m'interroge autant que d'autres – que l'on m'ait appris la joie de partager et je plains ceux qui – aussi mystérieusement que j'en ai été doté – en sont privés, et doivent avancer dans la vie dépouillés de ce plaisir. Et parfois, ceux qui n'ont déjà pas beaucoup reçu de la vie n'ont même pas reçu cela. Ou l'ont perdu, car la dureté de leur vie a asséché en eux la bienfaisante fraîcheur de la bienveillance. Tellement plus difficile à reconquérir que d'autres biens.

Cette plongée dans l'univers du bénévolat constitue ma première leçon sur les nombreux pièges de la philanthropie. Des pièges où tout le monde peut tomber, mais qui sont particulièrement dangereux pour ceux dont l'investissement suit la perte d'un être cher qui était, ou qui est devenu par sa maladie, leur unique raison de vivre.

Il n'est pas toujours facile de s'investir sans sombrer dans la pitié à l'égard de ceux que l'on veut aider, ou dans la rage à l'égard de tous ceux qui ne montrent pas la même ardeur combative contre les maux que l'on veut vaincre. De ces possibles déviances originelles peuvent découler des attitudes exagérément compassionnelles ou agressives conduisant rapidement certains caractères à la conviction que la terre s'arrêtera de tourner avec eux. Ils adoptent alors des modes particulièrement autoritaires d'exercice d'un service qui devient pouvoir. C'est comme cela que les meilleures intentions du monde amènent régulièrement, dans le monde associatif, des bagarres de chiffonniers. C'est la crainte de ces déviances qui m'a, entre autres, conduit à ne jamais jouer les prolongations dans les responsabilités qui me sont confiées. J'estime d'ailleurs que bon nombre d'associations perdurent bien au-delà des besoins qui ont motivé leur création.

Je ne suis pas loin de penser la même chose au sujet des congrégations religieuses. Si certaines ont eu pour fondateurs des maîtres spirituels dont la pensée dépassait largement leur temps, proposant ainsi à ceux qui les rejoignaient des règles de vie et des missions qui ont encore une actualité, les autres – et ce sont les plus nombreuses – ont été créées pour répondre à un besoin précis du moment.

Et vouloir les faire perdurer, quand les circonstances qui les ont fait naître ont beaucoup changé et que les évolutions sociales ou des engagements d'État (personnels hospitalier ou enseignant, assistantes sociales, aides à la personne) apportent désormais les réponses aux urgences d'autres temps, cela ne me paraît pas forcément très sain. Ainsi, il n'est pas rare de retrouver celles et ceux qui, au départ, devaient servir les plus pauvres tenant les établissements scolaires les plus huppés et les maisons de retraite les plus confortables. Absolument inaccessibles à ceux dont la détresse avait mobilisé leurs énergies créatrices !

J'ai l'occasion de développer ma philosophie du service associatif en accueillant Michel Gillibert, secrétaire d'État auprès du ministre de la Santé, qui vient, en juin 1990, inaugurer le premier centre SLA à l'Hôtel-Dieu de Paris :

« Tout homme frappé par la maladie ou le handicap fait d'abord l'expérience de sa solitude… Pour ne pas s'y abandonner complètement, il a besoin d'une communauté dans laquelle il puisse se reconnaître et être reconnu. C'est la raison d'être d'une multiplicité d'associations. Mais si chacune en venait à se refermer sur son problème […] elle faillirait à sa mission, contribuant alors à renforcer les solitudes qu'elle voulait vaincre, alimentant des rancœurs inutiles, enfermant ceux dont elle voulait favoriser la réinsertion dans un véritable ghetto. »

J'ajoute – prenant le risque d'être confronté à des résistances dans nos propres rangs – mon refus de hiérarchiser les détresses, ce qui entraînerait « une hiérarchie des associations, fondant ainsi la plus grande légitimité de telle ou telle à retenir l'attention des responsables et à conquérir les fonds publics ou privés ». Et de conclure : « Il n'y a pas de handicap plus ou moins acceptable, il n'y a pas de souffrance plus ou moins supportable – et encore moins utile –, il n'y a pas non plus, je crois, de belle mort. »

L'ARS allait être aussi pour moi une école de collaboration entre clercs et laïques. En l'occurrence, les grands prêtres sont évidemment les médecins, et même si officiellement je suis responsable de l'ensemble, je fais auprès d'eux l'expérience d'un « dévoué et déférent laïque ». J'espère ne pas avoir totalement oublié les leçons reçues alors. En tout cas, elles me seraient particulièrement précieuses dans ma responsabilité de curé.

Nul n'est curé de Saint-Eustache s'il n'est fou.

Adage du XVIIIe siècle.

Mon supérieur général est venu m'annoncer, en cet après-midi du 28 novembre 1992, qu'il m'a proposé au cardinal Lustiger pour devenir curé de Saint-Eustache en septembre prochain. Stupéfaction. En principe on ne devient pas curé là où on est vicaire. Mais surtout, les initiatives que j'essaie de déployer depuis mon arrivée à la paroisse en 1984 paraissent barrer définitivement pour moi toute promotion ecclésiastique. Marie-Noëlle, la gouvernante du presbytère et ma confidente, que j'ai entretenue de ma perplexité après la visite inattendue de mon « patron », avait pourtant émis la bonne hypothèse quant à la raison de sa visite.

Stupéfaction, mais grande joie. En neuf ans, je suis tombé sous le charme du robuste bâtiment, qui ne se dévoile pas au premier coup d'œil : beaucoup de ceux qui ne voient que sa masse trapue, depuis la nouvelle esplanade du Forum, ne soupçonnent rien de la hauteur et de l'élégance de ses voûtes. À l'intérieur, l'élévation des nefs latérales et les grandes verrières transparentes (on dit qu'elles ont remplacé les premiers vitraux,

103

détruits par des tirs de mousqueton lors des obsèques de Mirabeau) permettent au premier rayon de soleil d'illuminer sa délicate architecture et son riche décor peint. Elle est restée à l'écart des grands circuits touristiques, et celle qu'on appelait du temps des Halles la « cathédrale du ventre de Paris » est même méconnue de bien des Parisiens, lui préservant ainsi une relative intimité.

J'aime aussi la diversité de celles et ceux qui s'y rassemblent chaque dimanche, qui y passent pour confier une angoisse, tenter une prière, ou qui l'« approchent » pour s'associer à ses démarches de solidarité. Comme j'aime le quartier qui l'entoure : mêlé et en pleine mutation, il n'y manque pas de bonnes volontés avec lesquelles on peut oser de nouvelles manières d'« être ensemble ».

J'ai eu la grande chance d'arriver dans la paroisse au moment où s'achevaient les travaux du nouveau Forum. De ce vaste chantier sur lequel on s'interroge toujours, l'église – totalement cachée auparavant par les anciens pavillons des Halles et ayant échappé au fantasme néoclassique de Ricardo Bofill – est l'une des rares bénéficiaires. Donnant ainsi à ceux qui y servent des responsabilités particulières.

J'apprécie beaucoup la façon dont le bâtiment s'inscrit dans son nouvel environnement. Par ses dimensions, Saint-Eustache est l'une des quatre grandes églises de Paris. Les trois autres (Notre-Dame, le Sacré-Cœur, Saint-Sulpice) déploient leurs façades sur de vastes parvis ordonnés en direction de leurs imposants portails. « Imposants » au sens strict du terme, car ils imposent au passant qui ne veut les franchir de dévier sa route. Saint-Eustache, elle, est posée comme la toile de fond du Forum. Toujours là après cinq siècles, elle peut encore parler au Paris d'aujourd'hui, mais avec la modestie qui convient aux circonstances. Elle peut rassurer ceux qu'effraient les bouleversements de la modernité et, malgré ses fréquents échafaudages, elle rappelle, à deux pas du centre commercial, qu'il est d'autres temples qui résistent assez bien à ceux du négoce. À ceux qui errent (souvent sans grandes illusions ni espérance) à la sortie de la grande gare souterraine, ses formes rondes peuvent donner le signe d'une protection bienveillante. Peut-être même suggère-t-elle parfois une issue lumineuse à ceux qui, par les escalators, remontent des salles obscures où, très souvent, ils ont plongé dans un monde désespéré ?

Mais, si l'on ne peut manquer de la voir, on n'y entre que si l'on veut bien. Et c'est même un souci pour les curés de faire en sorte que l'on n'ait pas trop de mal à en trouver la porte. Combien de fois, en particulier lors d'obsèques, des personnes touchées par la beauté du lieu m'ont dit l'avoir longée pendant des années sans avoir jamais songé à y entrer ?

Présence non contraignante, discrètement ouverte à ceux qui cherchent de la paix et du sens, avec, les soirs d'hiver, la soupe populaire qui « sculpte » sur sa façade mieux que n'importe quelle œuvre iconographique l'essentiel du message évangélique. La mission est toute tracée.

Je passe dans l'église la nuit qui suit l'annonce de ma prochaine nomination. Quelques heures plus tôt, j'ai eu la chance d'y voir le soleil d'une belle journée d'automne jeter, au travers de la rosace ouest, ses derniers feux sur la croix dorée de l'ancien maître-hôtel qui, comme les Halles, est l'œuvre de Baltard. Je suis maintenant solitaire dans le clair-obscur de la nef et, même si je me doute bien qu'il y a quelques soucis liés à la fonction, je retrouve là la quiétude des béguinages. De mes racines belges j'ai gardé un goût particulier pour ces enclos où, au Moyen Âge, étaient érigées de petites maisons de veuves regroupées autour d'une église.

Autrefois situées aux limites des villes flamandes, ces béguinages se retrouvent aujourd'hui au cœur des cités et, passant une porte, on quitte les bruits et soucis du monde pour un moment où le temps est suspendu, éternel. Comme à cet instant dans ce grand vaisseau. Daniel Mermet, enfant du quartier souvent témoin des cascades qui par grandes pluies chutent de certaines clés de voûte (les travaux qui mettront bientôt le bâtiment hors d'eau n'ont pas encore eu lieu), l'appelle d'ailleurs le *Titanic*.

Après y avoir consacré deux heures de sa fameuse émission *Là-bas si j'y suis*, il me dédicacera chaleureusement, mais avec la liberté de ton qu'on lui connaît, un exemplaire de ses *Carnets de route* :

« À un moment de notre histoire, les cathédrales furent la forme sublime donnée à nos abîmes. Il y a ici autant d'émancipation que de soumission. Théâtre où boxent le diable et le Bon Dieu, où dialoguent le Destin et la Liberté. Enclos où s'affrontent le Désir et le Désert. »

*

« Je ne connais pas la plupart d'entre vous. De votre côté, même si vous me cernez peut-être un peu mieux, puisqu'il m'est déjà arrivé de vous parler "d'en haut", vous ne me connaissez pas beaucoup non plus. » Ces premières lignes écrites dans le bulletin paroissial de Saint-Eustache retrouvent, sans l'avoir voulu, le thème déjà évoqué au jour de mon ordination : « Je voudrais que vous sachiez que, m'adressant ainsi à vous de manière encore bien impersonnelle, j'ai déjà présents à l'esprit ces mystérieux rendez-vous qui nous destinent à être les uns pour les autres de timides et fragiles images de Celui que nous recherchons. »

Ainsi commence avec Saint-Eustache une histoire d'amour qui va durer seize ans. Ce que je vais y vivre au plus fort des tragiques années sida va jouer pour moi un rôle essentiel.

Comme vicaire, j'ai été assez préservé des problèmes administratifs, matériels et financiers qui dévorent le temps d'un curé. J'en ai amplement profité pour faire la connaissance d'un quartier auquel je reste très attaché. Il est alors un peu moins « bobo » qu'aujourd'hui. Au milieu des années 1980, les derniers grossistes alimentaires sont en train de quitter le quartier des Halles. Au presbytère, nous ne serons plus réveillés par l'attendrisseur de la boucherie du rez-de-chaussée ; bientôt finies, également, les odeurs de la poissonnerie d'en face, et ce sont les dernières années où, avant Noël, les caniveaux débordent du sang rouge vif des marcassins.

L'un des rares témoignages du monde grouillant et bigarré du « ventre de Paris », la sculpture de Raymond Mason représentant le départ des marchands de fruits et légumes en 1969, a été installé dans l'un des bas-côtés de l'église. Il rappelle le lien intime entre Saint-Eustache et le monde si particulier des travailleurs des Halles : sans doute pas très réguliers dans leurs pratiques, mais n'hésitant pas y faire brûler un cierge, peut-être à des intentions que la bonne morale réprouve, et tenant à s'y rassembler en masse à chaque fête de corporation. Y venant comme chez eux. Et tenant à montrer que le curé est aussi chez lui sous les chapiteaux Baltard en lui offrant un verre à toute heure du jour et de la nuit.

Je pratique dans la rue Montorgueil et les rues voisines ce que l'on appelle aujourd'hui – mais en l'assortissant volontiers de méthodes publicitaires inspirées des télévangélistes – une « pastorale de proximité ». Ce qui consiste dans un premier temps à dire bonjour à ses voisins et à bavarder chez les commerçants. Cela veut dire aussi participer aux événements du « village » – comme la fête de la Commune libre des Halles qui, conduite par son maire, anticlérical déclaré, ne saurait éviter un passage à l'église –, ne pas manquer d'aller au monument aux morts des 1er et 2e arrondissements le 11 novembre et le 25 août pour l'anniversaire de la libération de la capitale et, bien sûr, être présent aux parades, souvent devant l'église, pour les changements de capitaines des pompiers de la caserne de la rue du Jour. Sans omettre de fréquenter restaurants et cafés – surtout le jour de l'arrivée du beaujolais nouveau – et d'aller découvrir au « Pied-de-Cochon », avant même d'en avoir le titre, la « gourmandise du curé de Saint-Eustache » qui s'avère être… une religieuse !

Et pas besoin d'un col romain pour que l'on sache très vite qui je suis. Il ne m'apparaît d'ailleurs pas vraiment indispensable d'être immédiatement reconnu dans ma fonction. Car, des trente discrètes années passées par Jésus à Nazareth avant qu'il ne rassemble les foules sur la montagne ou les rives du lac de Tibériade, je retiens l'idée qu'il vaut mieux se faire apprécier par une certaine pratique de la convivialité que par un titre ou une mission.

Avec les commerçants du nouveau Forum les choses sont plus compliquées. Malgré son appellation, il n'a pas grand-chose à voir avec les espaces de rencontre et d'échange du cœur des villes romaines. Les enseignes commerciales s'y succèdent et voient passer des populations totalement anonymes. Mais, petit à petit, je commence à connaître au moins les représentants de leurs associations. L'un des directeurs de la société de gestion – qui, outre ses qualités humaines, a l'intelligence de comprendre que l'église est sans doute l'un des rares éléments positifs de ce centre urbain dont, par ailleurs, on ne dit pas que du bien – conviendra assez vite avec moi qu'il est des choses que nous pouvons faire ensemble et qui rendront service à l'un comme à l'autre. C'est ainsi que l'on verra même un jour le directeur de la Fnac tenir la buvette lors d'une kermesse paroissiale !

Mon engagement auprès des victimes du sida, ou de ceux qui se mobilisent à leurs côtés, créera très vite des liens particuliers avec les métiers de la mode, qui s'installent de plus en plus nombreux dans le quartier. Ceux qui, à travers leurs talents, leurs tâches et l'univers qu'ils génèrent, peuvent donner le sentiment d'avoir l'unique préoccupation du paraître sont en train de vivre une tragédie qui va, au sens propre du mot, décimer certaines maisons. Et nombreux sont ceux qui, derrière le souci préservé de l'élégance, viennent partager un moment leur combat lucide et courageux et l'interrogation existentielle qu'il soulève en eux.

Ces multiples contacts vont permettre des aventures où les collaborations amicales et solidaires tiendront une large place. Si je suis plutôt heureux que l'entrée dans Saint-Eustache relève de la volonté de chacun, je ne cesse de me préoccuper des sas à inventer pour que nous rejoignent tous ceux, habitants ou passants, qui fréquentent le quartier.

La participation à la fête de la Musique sera l'un d'entre eux. C'est en effet une occasion d'allier tradition et modernité. Les événements musicaux ont scandé, depuis longtemps, la vie du bâtiment : Rameau y a été à la console des orgues, Berlioz y a créé son *Te Deum*, et, pour des raisons qui tiennent sans doute davantage au hasard qu'à une vocation particulière des lieux, Lulli s'y est marié et Mozart y a accompagné le cercueil de sa mère décédée dans un hôtel voisin. L'orgue que recèle l'église compte parmi les plus beaux de la capitale, et Jean Guillou y déploie son immense talent. De plus, un de mes confrères, le père Émile Martin, a, il y a quarante ans, créé la Société des chanteurs de Saint-Eustache, récompensée dans les années 1970 par plusieurs grands prix du disque.

Chaque dimanche, la messe de onze heures rassemble une communauté sensible à une certaine forme d'esthétique musicale qui vient y entendre une messe de Campra, Victoria ou Monteverdi... Il n'y a pas là que de grands connaisseurs de ce répertoire, mais plus largement des personnes qui trouvent dans l'harmonie entre la beauté architecturale du lieu et les polyphonies qui montent vers les voûtes l'atmosphère de recueillement qu'ils recherchent.

Malgré le jeu de Jean Guillou, parfois considéré comme d'avant-garde, l'église demeure pour beaucoup un univers qu'il ne leur viendrait pas, ou plus, à l'esprit de fréquenter. Il y a donc du travail à faire pour qu'il devienne un lieu populaire le soir du 21 juin !

D'ailleurs, même si la liturgie dominicale a ses amateurs, elle a aussi inévitablement ses réfractaires. Elle est particulièrement peu adaptée aux enfants et aux adolescents et, plus largement, à tous ceux qui souhaitent participer autrement qu'en chantant en latin le Gloria et le Credo. Elle est aussi porteuse d'un risque : faire de Saint-Eustache un pôle de nostalgiques ayant mal vécu les changements liturgiques d'après Vatican II.

Ce qu'illustre bien, au début des années 1970, l'éditorial intitulé « La messe de onze heures à Saint-Eustache » que Jean Fourastié signe en première page du *Figaro*. Il y déplore tous les regrettables bouleversements qu'il estime consécutifs aux événements de mai 68. En conclusion, il oppose à l'instabilité des temps l'immuabilité de notre grand-messe dominicale : « Heureusement, dimanche, je suis allé à la messe de onze heures à Saint-Eustache. » Cet article connaît un énorme retentissement parmi le lectorat du quotidien, et le courrier des lecteurs est l'un des plus abondants reçus dans toute l'histoire du journal.

Une majorité d'oratoriens – auxquels la paroisse est confiée depuis 1922 – ne sont pas ravis par cette publicité inattendue. Répondant à notre invitation (il est ancien élève de notre collège de Juilly), Jean Fourastié, que je ne connais alors que comme un brillant économiste et sociologue du travail, fin connaisseur des réalités de son temps, nous surprend par nombre de ses paroles, en particulier lorsqu'il nous déclare qu'en matière religieuse il « demeure attaché à la foi de sa grand-mère : celle du charbonnier » ! Nous ne pouvions pas penser, à l'époque, que ce propos apparemment passéiste était en fait prophétique de la façon dont nombre d'intellectuels se disant encore chrétiens aujourd'hui abordaient la question religieuse.

La soirée ne fait donc que confirmer les craintes de mes confrères qui, dans leurs nouvelles constitutions, votées quelques années plus tôt, ont souligné leur « devoir d'être attentifs à l'évolution des cultures et des conditions sociales ». Et, si l'on tient à la tradition musicale de Saint-Eustache, pas question pour autant que la paroisse devienne le pôle d'un traditionalisme plus général. Très vigilant sur cette possible dérive, le plus provocateur de mes confrères, alors vicaire à la paroisse, proclame haut et fort qu'au cœur des bouleversements de son époque et de son quartier « un grand machin comme Saint-Eustache n'a aucun avenir et qu'on ferait mieux de rendre un réel service au quartier en le transformant en parking ». Le même qui, plus encore que son goût pour la contestation, manifeste une extrême attention à la détresse (il y a sans doute des liens entre l'une et l'autre) aura un peu plus tard l'idée de la soupe populaire, toujours servie chaque soir d'hiver sur le parvis. Une idée infiniment plus précieuse pour les personnes et moins radicale pour le bâtiment !

*

Mon souhait que Saint-Eustache s'ouvre largement à la fête de la Musique n'est pas étranger au double souci qui anime le père Denis Perrot au moment où il crée la « Soupe Saint-Eustache » : offrir un bien – qu'il soit indispensable ou « superflu » – auquel certains ne peuvent habituellement accéder et donner ainsi une plus juste image de la vocation d'une paroisse qui ne saurait se replier sur les croyants qui la fréquentent.

Avec l'accord plus ou moins enthousiaste de mon curé, qui craint un peu certaines de mes initiatives, je prends contact avec le ministère de la Culture. C'est le début d'une collaboration avec les pouvoirs civils qui s'établit sur un respect réciproque : les autorités reconnaissent la nature et la fonction du bâtiment ; j'entre dans l'esprit de gratuité et d'ouverture du projet. Pas question, donc, d'ajouter un autre message à celui que l'édifice porte naturellement. Quant au genre de musique, il sera éclectique. Et beaucoup s'apercevront, *in situ*, que la force du lieu peut accueillir bien des répertoires et donner un caractère sacré à une musique que spontanément on ne désignerait pas comme telle.

Dès la première soirée, le 21 juin 1986, c'est le succès. Pour la deuxième, on passe à la nuit complète, de vingt heures à l'aube, et l'on décide, avec les organisateurs des manifestations parisiennes, d'anticiper la journée nationale en programmant la soirée du 20 au 21. Ainsi, nous ne nous trouvons plus en concurrence sonore avec les musiciens de passage tentés par le parvis de Saint-Eustache et pour lesquels l'église constitue alors une remarquable caisse de résonance.

Cette situation nous amène d'ailleurs régulièrement, en particulier pendant les services religieux, à demander aux musiciens bateleurs de s'installer un peu plus loin. Mais hors de question de le faire un soir du 21 juin ! La troisième année nous confère, et pour longtemps, une place de choix dans les programmations proposées aux Parisiens. Ouverte par les sonneurs du Débuché de Paris, la nuit de concert non-stop se termine le lendemain matin, vers huit heures et demie, par le concert de l'orchestre Philarmonia. Jack Lang y assiste puis donne, lors d'un petit déjeuner au « Pied-de-Cochon », une conférence de presse qui inaugure la journée du 21.

Entre-temps, on a pu entendre un programme très varié, notamment le chœur Accentus dirigé par Laurence Equilbey (qui n'en est qu'au début de sa prestigieuse carrière), l'ensemble vocal du cours Florent et, à cinq heures du matin, la prestation de la musique divisionnaire du 5e régiment d'infanterie !

En effet, n'ayant pas des masses de volontaires pour ces horaires matinaux où ne restent guère que les dizaines d'irréductibles décidés à aller avec nous jusqu'au bout du marathon, j'ai reçu le soutien précieux du colonel responsable des musiques à l'École militaire, où je suis allé le solliciter. Une démarche accomplie non sans effort car, d'une façon générale, j'ai horreur de quémander. Particulièrement auprès de ceux (surtout s'ils sont de mes amis) qui, par leur talent et/ou leur fonction, ont quelque pouvoir.

Et certains, qui m'ont parfois demandé de jouer les intermédiaires pour faire avancer une demande ou une promotion, n'ont pas toujours compris mes réticences, voire m'ont gardé rancune d'avoir refusé.

Cela n'est d'ailleurs pas sans rapport avec ma difficulté à pratiquer la prière de demande auprès du « Tout-Puissant ». Je répugne même à me mettre en situation équivoque d'appel à la générosité. Bien des fois je change de trottoir, rue Montorgueil, me refusant le plaisir d'aller dire bonjour à mes amis de la pâtisserie Stohrer pour ne pas leur donner une nouvelle occasion de manifester la sympathique reconnaissance qu'ils portent à la paroisse et à ses pasteurs.

Mais, quand il s'agit d'un projet pour Saint-Eustache, d'une aide à apporter à une personne en grande difficulté ou pour faire réparer ce que je considère comme une injustice, je suis capable de toutes les audaces. Pas seulement parce que je n'en serai pas le premier bénéficiaire, mais parce que je suis fondamentalement convaincu que celle ou celui que j'invite à s'associer à une « bonne œuvre » liée à Saint-Eustache ne peut qu'être honoré par la grâce du lieu.

Comme je le dirai en me référant à l'Évangile de Luc, lors de l'inauguration de la chapelle des Charcutiers, à tous ceux qui, avec l'artiste John Armleder, ont participé à sa restauration : « Réjouissez-vous de ce que vos noms sont inscrits dans les cieux. »

Comme je le dirai à ceux qui viendront faire les crèches de Noël, aider à la Soupe Saint-Eustache, accompagner les malades du sida, illuminer les fenêtres du centre social Cerise, participer au succès de la Kermesse héroïque…

Comme je le dirai aux militaires obligés de se lever avant l'aurore (et encore, si l'on avait prévu que les pneus de leur autocar crèveraient dans l'étroit passage qui mène au parvis de l'église, leur nuit eût été encore plus courte !) pour venir réveiller une trentaine de personnes un peu assoupies avec des variations sur *La Carmagnole*, puisque l'on est en 1989 ! Peut-être ont-ils ranimé dans les vieux murs le souvenir de la période révolutionnaire, pendant laquelle l'église était devenue temple de l'Agriculture.

Ces nuits de la Musique allient qualité des talents et générosité des artistes. À quatre heures du matin, Jean Pacalet et Richard Galliano arrivent frais et souriants avec leurs accordéons, et le duo Davenport avec leurs contrebasses. Catherine Meyer, au moment où l'aurore nous fait passer du bleu de la nuit au rose d'un premier jour d'été, fait monter sous les voûtes d'inoubliables lieder de Richard Strauss. Un soir, une rencontre particulièrement inattendue a lieu : les batteurs de Tam-Tam l'Europe et Jean Guillou, qui s'ignoraient réciproquement la veille, mixent tonneaux et tuyaux pour une surprenante improvisation.

Et il y a le public. Ceux qui ne cessent de nous remercier de leur avoir permis d'entendre le *Boléro* de Ravel par un grand orchestre national, ce que leurs moyens ne leur auraient jamais permis. Les autres qui, dans ce climat de bonheur partagé, cèdent si volontiers leur place à une personne âgée ou handicapée. Enfin le sourire amusé et reconnaissant de celle ou celui à qui on donne une couverture car, vers quatre heures du matin, il fait froid dans ce grand vaisseau qui ne s'est pas encore empli de la chaleur de l'été. Et pas de quête ! Ce que d'aucuns ont du mal à croire tant ils sont habitués à ce que, quand les entrées sont libres, les sorties le soient moins.

Devant le succès de ces nuits de la Musique, un groupe charismatique ne tarde pas à venir demander que l'on commence la soirée sur le parvis avec « une fête pour Dieu ». Il me semble assez clair que Saint-Eustache n'est pas la salle Pleyel et que la plupart de nos visiteurs savent bien que des chrétiens se rassemblent là chaque dimanche. Bon nombre d'entre eux établissent un lien entre la fête, l'accueil proposé et certains principes évangéliques : je ne souhaite vraiment pas que l'on écarte le large public – accueilli, ce soir-là, sans certificat de baptême ni conditions particulières – par une manifestation qui viendrait semer le trouble sur nos intentions. À mon curé, qui, lui, est tenté par la proposition, je dis clairement que, si l'on devait en passer par là, je lui rendrais immédiatement mon tablier pour la lourde organisation de la manifestation. Conscient que celle-ci jouit maintenant d'un véritable succès populaire, il renonce assez vite à cette Fête-Dieu.

Certaines choses s'éclairent pour moi à cette occasion : avoir des relations cordiales et faire confiance à des membres d'administrations municipales ou ministérielles, comme avoir un peu de crédit auprès des professionnels de l'information, revient pour certains milieux d'Église à frayer avec une dangereuse « franc-maçonnerie ».

Je tiens pourtant absolument à l'importance des gestes gratuits, me refusant toujours à remettre un chapelet en même temps qu'une soupe chaude. Mais pour les tenants de la « nouvelle évangélisation » qui regardent d'un mauvais œil la modestie des édifices religieux construits ces dernières années, ma manière de penser et d'agir passe pour une attitude soixante-huitarde d'enfouissement. Ce qui ne manque pas de m'amuser, si l'on veut bien considérer la situation de l'église par rapport au Forum des Halles !

La fête de Noël est, par excellence, le moment où le plus
large public franchit les portes d'une église sans qu'il y ait qui-
proquo entre ce que nous célébrons alors et ce que chacun
peut venir y chercher : la présence souriante d'un être fragile et
proche, porteur d'un message de joie, de paix et de réconciliation, un peu de chaleur au cœur de l'hiver. Belle occasion,
donc, d'associer le quartier à la façon de traduire cette bonne
nouvelle, puisque la fête nous invite à un échange de cadeaux.

Retrouvant une tradition de l'époque des Halles, je me
tourne vers les gens de métier du quartier pour les inviter à
réaliser la crèche de Noël. À la tête des boutiques de mode
qui, petit à petit, remplacent les magasins de bouche se
trouvent bon nombre de nouveaux créateurs. Tout naturellement, je m'adresse à une proche voisine dont je connais déjà
la générosité à l'égard de la Soupe Saint-Eustache. Agnès B.
est immédiatement partante et confie l'exécution du projet à
un groupe d'artistes qu'elle expose alors dans sa galerie de la
rue du Jour.

Bien sûr, cette nativité à laquelle chaque artiste a travaillé avec enthousiasme et indépendance en surprend certains. Et encore, personne ne saura alors que le visage de l'enfant Jésus est la photo de la fille de Colin Paul Mey, qui est particulièrement ému d'avoir été choisi pour rendre les traits de l'Emmanuel, « Dieu avec nous », qu'il entoure de pailles à soda. L'ensemble, très coloré, plaît aux enfants, nous vaut des visites inattendues, et provoque une réelle fierté chez nombre de paroissiens.

Et surtout, il y a l'émotion des artistes auxquels a été confiée la mission d'exprimer, dans l'église, ce mystère de Noël qui touche bien au-delà des habituels pratiquants. Chaque matin, je compte les dix moutons confectionnés en contreplaqué découpé par Patrick Chauveau. Je les trouve particulièrement sympas, mais faciles à emporter, et bien tentants quand on connaît le prix des cocottes que l'artiste expose, au même moment, rue de Seine.

Or c'est le chameau, pourtant grandeur nature, qui disparaît en plein milieu de journée. Une paroissienne le voit passer sur le Pont-Neuf. Un paroissien le retrouvera quelques jours plus tard dans un restaurant à couscous dont le patron reconnaît l'avoir négocié cinq cents francs. Il sera rapporté à l'église… dans un fourgon de police !

D'autres crèches connaîtront des sorts plus dramatiques. L'année suivante, je fais appel au talent de Marie Mercié, modiste rue Tiquetonne. Certes, sa Vierge Marie ressemble davantage à Marie-Antoinette sortant du Petit Trianon qu'à une jeune femme de Galilée. Mais, depuis des siècles, il n'a pas manqué de Vierges couronnées. Alors pourquoi mettre le feu à la crèche, détruisant ainsi les boiseries XVIIIe de la chapelle des Charcutiers qui l'abrite ?

En juillet 1990, je reçois une carte de Joëlle Thomas, collaboratrice d'Anne-Marie Beretta, qui a ses boutiques dans le voisinage de Saint-Sulpice et « serait très honorée de participer à la crèche de Noël ». Après l'incendie de l'année précédente, je crains pour le décor en papier kraft qui, sous le ciel où l'artiste a voulu placer l'étoile de David et le croissant de Mahomet, abrite des personnages qu'elle a confectionnés en terre cuite. L'ensemble est sobre, ton sur ton, à l'image des vêtements qu'elle crée.

Grand moment d'émotion quand, avant la messe de minuit, Christophe L., malade du sida, amène l'enfant Jésus. Le coussin sur lequel il le porte est, à l'inverse du décor dépouillé de l'étable, réalisé dans un somptueux tissu de soie dorée.

Christian Tortu, fleuriste du carrefour de l'Odéon qui a déjà apporté son concours à Marie Mercié et Anne-Marie Beretta, se propose pour l'année suivante. Il réalise une œuvre très délicate où, bien sûr, les végétaux ont une large place. La Vierge, avec robe et voile bleus, est cette fois très virginale, et l'enfant Jésus semble tout droit sorti d'un magasin d'art sacré de la place Saint-Sulpice. Tout a été ignifugé mais, par mesure de sécurité, on a comme l'an passé monté la crèche dans le transept sud, où l'on ne trouve rien de facilement inflammable.

Un peu avant treize heures le 28 décembre – même jour, même heure que deux années auparavant –, nouvel incendie.

Les matières traitées pour résister au feu sont vite vaincues par la volonté criminelle : tout brûle en quelques minutes, dégageant une si forte chaleur que la céramique des grands personnages ornant les murs éclate. Et, surtout, les végétaux sont à l'origine d'une énorme quantité de suie qui monte sous les voûtes, arrivant rapidement au-dessus des dernières issues vitrées. Les pompiers font intervenir plusieurs machines spéciales pour rabattre cette nuée noire et grasse qui menace dangereusement les tuyaux d'orgue.

Ce jour-là, j'en pleure, non pas tant parce que je me suis fait vigoureusement remonter les bretelles par mon curé, mais parce que je ne comprends pas que l'on puisse ainsi s'attaquer à ce cadeau fait à tous, en particulier aux enfants, pour témoigner du message de paix de Noël.

On attendra cinq ans. J'ai alors, en tant que curé, la pleine responsabilité de la paroisse et peux renouveler l'expérience. Je prends la précaution de solliciter « Les Alternateurs volants » (Françoise Henry et Laurent Bolognini), qui travaillent sur la lumière et « sculptent » des personnages à partir de métaux de récupération. Trois étonnants Rois mages, sur une vis sans fin, passent leur temps à s'approcher puis à s'éloigner de l'enfant Jésus, qui, corseté de cuivre jaune, semble sortir d'un cocon. J'ai un faible pour l'astronome – type Harry Potter avant l'heure – qui, avec sa longue-vue, scrute la nuit dans laquelle tourne une étoile interpellant le passant. (En fait, une petite ampoule de lampe de poche juchée sur une antenne de voiture !) Outre sa parfaite résistance aux tentations pyromanes, cette alliance d'ingéniosité mécanique et de finesse de réalisation connaît un grand succès, et elle sera réinstallée en 1997 et 1998.

En 1999, mon dernier Noël à Saint-Eustache, une petite équipe de l'école des beaux-arts de Brest installe dans le transept deux énormes lanternes japonaises. Sur leurs flancs, de grands tableaux peints présentent, dans une lumière chaude et dorée, des scènes bibliques dominées par une Vierge dont le ventre s'arrondit sur un enfant qui est aussi le monde. L'équipe est accompagnée par son professeur David Ryan. Modeste dans son travail, timide dans la vie, balbutiant dans sa foi, il comprend au plus juste la proposition qui lui est faite : être un passeur entre le mystère de Noël et les attentes des hommes et des femmes de notre temps.

Quand nous chanterons le temps des cerises...

Jean-Baptiste Clément,
chansonnier montmartrois et communard, 1836-1903.

Située comme elle est, et si majestueuse, aux frontières du Forum et du quartier Montorgueil, et proclamant l'attention évangélique aux pauvres et aux petits, Saint-Eustache ne saurait se soustraire à des signes concrets de partage. Une préoccupation dont, dès juin 1985, je fais part aux paroissiens :

« À la fin de l'été – si le rythme des travaux se maintient –, la majeure partie du jardin prévu au chevet de Saint-Eustache sera terminée. Le plan même du nouveau jardin constituera demain une sorte de trait d'union entre cette agora des temps modernes et l'église. Celle-ci ne sera plus alors le cœur d'un quartier unifié mais, bien au contraire, le lieu de croisement entre le vieux quartier du nord (qui a conservé parfois des allures de village) et toutes ces foules du Forum qui nous arrivent souvent de loin, à bien des égards... Comme villageois de Montorgueil ou de la rue Montmartre, il pourrait nous arriver de regarder l'invasion venue de la nouvelle planète avec regret, inquiétude ou méfiance... et de nous faufiler alors, hors de l'église, par la petite porte de l'impasse.

« C'est une tentation qu'il nous faut repousser, car ce que doivent trouver demain dans Saint-Eustache ceux qui s'y presseront, c'est bien plus qu'un merveilleux écrin de pierres, qu'affiches, dépliants, montages sonores et bulle d'accueil pourraient leur rendre moins étranger. Ce qu'ils doivent trouver ici, c'est le signe d'une présence alors qu'au-dehors chacun s'ignore, c'est le signe d'une chaleur alors qu'au-dehors, en toute saison, règne le froid de la défiance, c'est le signe d'une générosité vraie alors qu'au-dehors tout s'achète, c'est le signe d'une paix alors qu'au-dehors tant se sentent menacés... »

La Soupe Saint-Eustache est, depuis l'hiver 1984, un des signes forts de la volonté paroissiale d'être attentif à ce nouvel environnement. Elle est une réponse modeste mais très concrète aux réalités des temps.

Pour compléter le service qu'elle propose, et fort des leçons vécues à l'ARS, je favorise tous les partenariats possibles avec d'autres associations et les services publics afin de tisser sur le quartier un réseau de solidarités. Nous nous retrouvons réguliè-rement au presbytère sous le label « Forouver » et, réunis autour du taboulé de Farida, la cuisinière de la maison, nous en venons à nous dire qu'ensemble nous pourrions sans doute un peu sim-plifier la vie de ceux pour lesquels elle est si compliquée.

C'est ainsi que pendant plusieurs années, trois jours durant, au cœur de l'hiver, nous proposerons à ceux qui doivent habituellement courir dans tous les coins de Paris pour d'hypothétiques rendez-vous, ou pour constituer des dossiers interminables et jamais complets, de rencontrer en un lieu unique, la Pointe Saint-Eustache, à l'angle de l'église et de la rue Montmartre, tous les interlocuteurs dont ils ont besoin, regroupés ensemble et travaillant de concert : DASES (Direction de l'action sociale, de l'enfance et de la santé du département de Paris) ; CAS (Centres d'action sociale des arrondissements du centre) ; CAF ; Médecins du monde ; dispensaire de premiers soins...

Jean, un Vosgien en galère à Paris depuis pas mal d'années, a la bonne surprise de s'y découvrir des droits à une retraite qu'il ne soupçonnait pas. Elle lui permet de repartir pour une « vie normale » dans son pays, d'où il nous manifestera régulièrement sa reconnaissance. Au-delà de la résolution de cas individuels, ce travail en commun favorise pour chacun des participants la prise de conscience de l'absurdité de certaines exigences administratives et de collaborations indispensables à renforcer. Et il est ensuite tellement plus simple d'appeler un(e) collègue dont on connaît le visage et dont on sait mieux maintenant les services qu'il peut rendre !

Bien sûr, ces initiatives ne plaisent pas à tous les riverains. Et même si je peux comprendre les exaspérations d'un moment, je ne varie pas d'un pouce sur l'idée qu'il est impossible d'être heureux, où que l'on soit, en feignant d'ignorer la misère des autres ; surtout lorsqu'elle frappe à votre porte. Je réagis d'ailleurs toujours vivement aux remarques de ceux qui accusent ces manifestations de solidarité de faire du Forum un vaste carrefour des précarités. Celles-ci ne nous ont pas attendus pour se retrouver là. Comme dans toutes les villes du monde, une gare est toujours le lieu près duquel s'installent des errants qui n'ont pas la moindre idée de la direction à prendre, et encore moins les moyens de se payer un billet. Et le croisement des métros et RER à la station Châtelet-Les Halles constitue, sans en porter le nom, la plus grande gare de France. C'est ainsi qu'en 1989 nous voyons arriver à la soupe populaire Russes et Polonais faisant halte ici sur la route de leur « conquête de l'Ouest ».

*

Mais si l'on donne à manger on n'offre pas le toit, et quand la température descend en dessous de zéro je n'ai pas la conscience vraiment tranquille. Même si d'autres près de nous, dont Emmaüs, qui a ouvert là son vaste centre d'accueil de jour Agora, ont mis en place des services spécifiques.

Il est très rare que j'ouvre un local paroissial pour un dépannage de dernière heure : il faut avoir, pour gérer la suite du probable engrenage, un courage et un cœur que je n'ai pas. De plus, je suis bien conscient que ces locaux nous sont confiés par la Ville, avec leurs trésors à préserver, et pour un usage précis. À ceux qui reprochent aux églises d'être fermées par grand froid, je suggère d'avoir un geste simple que nous faisons au presbytère et auquel j'invite également les paroissiens à l'issue des messes dominicales : « Enlevons les codes de nos portes quand on passe en dessous de zéro : nos couloirs d'entrée deviendront alors autant d'issues de secours. Bien sûr, il nous faudra peut-être passer une serpillière le lendemain matin… Mais arrêtons de renvoyer à des collectivités un peu anonymes ce que chacun de nous doit à son frère en difficulté. »

Une occasion va bientôt m'être donnée d'atténuer, très partiellement, le profond malaise trop souvent ressenti à composer un numéro d'urgence quand tombent la nuit et le froid. Il se trouve que, le jour où je deviens officiellement curé – le 1er septembre 1993 –, doit être mis en vente au 46, rue Montorgueil un immeuble qui est propriété de la paroisse depuis une cinquantaine d'années. Depuis lors, avec des projets divers, il a toujours été un lieu de solidarité et de vie du quartier. Ces dernières années, les activités qu'il accueillait n'étaient plus gérées par la paroisse, occupants et propriétaire se renvoyant le souci de la progressive dégradation des lieux. L'immeuble est dans un tel état qu'il a fallu l'étayer dans les parties situées en sous-sol, prélude à une prochaine fermeture.

Parallèlement, la paroisse doit aussi entreprendre des travaux lourds sur le presbytère et, face aux charges que cela représente, mon prédécesseur et son conseil financier envisagent de vendre l'immeuble Montorgueil. J'apprends cette décision au début du mois de mai et, compliquant un peu mes relations avec celui auquel je vais succéder trois mois plus tard, j'interviens aussitôt auprès de l'archevêché pour demander que l'on sursoie au projet de vente. J'ai immédiatement le soutien de Mgr Vingt-Trois, alors évêque auxiliaire, qui attire toutefois mon attention sur le fait que, s'il accepte l'endettement de la paroisse pour les travaux du presbytère, propriété de l'archevêché, il me revient de trouver des fonds pour la réhabilitation du 46, rue Montorgueil. J'ai aussi très vite l'appui de quelques personnes rencontrées dans le cadre des partenariats engagés à Forouver. Elles apportent du temps et leurs relations pour œuvrer à définir un nouveau projet – qui doit conserver au lieu sa vocation sociale et de quartier – et rechercher les fonds nécessaires à sa réalisation.

Grâce à l'implication particulière d'une responsable de la Caisse d'allocations familiales, j'obtiens un premier rendez-vous déterminant avec Antoine Durrleman, directeur de la DASES. Cet homme a l'intelligence de reconnaître immédiatement que ce n'est pas si souvent qu'on lui apporte sur un plateau un bien immobilier au centre de Paris. Il a par ailleurs la sagesse pratique d'affiner le projet en fonction de lignes de crédit budgétaires déjà existantes, donnant ainsi deux grandes directions : une part de logements sociaux pour des jeunes de dix-huit à vingt-cinq ans qu'un trajet particulièrement difficile a amenés en centre d'urgence ; une part d'activités au service du quartier qui reste à définir.

Ainsi commencent cinq années de démarches plus ou moins fructueuses, de jours (et de nuits) d'enthousiasme et de découragement. Avec, sur la route, plusieurs rencontres exceptionnelles, révélant qu'à tous les échelons de responsabilité dans la vie sociale et culturelle peu méritent l'appellation devenue péjorative de « fonctionnaires ».

Par exemple, un officier de police judiciaire nous permet de sortir d'une situation qui s'annonçait embarrassante et onéreuse : l'immeuble, inoccupé en attendant les travaux, a été squatté par des comédiens… qui sont convoqués au commissariat pendant que nous faisons murer les trois premiers niveaux !

Il apparaît très rapidement que, hors les façades, il faudra tout reconstruire. Mais là n'est pas la plus grande difficulté : la création d'un foyer social dans la rue Montorgueil – alors en pleine réhabilitation – n'est évidemment pas ce dont rêvent un certain nombre de voisins. Et d'aucuns ne tardent pas à me le faire savoir. Il y a parmi eux quelques pratiquants du dimanche qui ajoutent à la médiocrité de leurs arguments des méthodes particulièrement odieuses pour les exprimer. C'est ainsi qu'une « bonne paroissienne », à laquelle j'ai promis une part de la collecte du carême de cette année-là, écrit au cardinal Lustiger, dont on a annoncé la prochaine venue à Saint-Eustache, que j'ai le projet de constituer – engagement auprès des malades du sida oblige ! – un « ghetto homosexuel » dans la partie réservée aux logements sociaux. Mêlant dans son argumentaire des considérations financières (ce que cela va coûter aux contribuables et aux paroissiens) et morales (la protection de l'enfance), elle exprime en fait sa crainte que le quartier soit ainsi troublé par des affaires de drogue et qu'un surcroît d'insécurité entraîne la baisse du prix des appartements. La spécificité « charitable » de la méthode tient au fait que, bien sûr, ce courrier n'est pas envoyé directement à celui dont on désapprouve l'initiative.

Par « précaution », son auteure en a tout de même adressé un exemplaire à Mme le maire du 2e arrondissement. C'est par là que m'en arrive une copie.

Ce qui me permet de faire, sans détour, quelques mises au point :

« Comme dans tout immeuble social, il y a une commission logement, dont je ne fais pas partie moi-même, mais où l'on retrouve les services concernés de la préfecture et l'Association pour la sauvegarde de l'enfance et de l'adolescence, et ceci en lien avec les services sociaux du quartier et de la Ville de Paris. Comme cette commission ne fait pas subir de tests sérologiques aux candidats et ne les interroge pas sur leurs pratiques sexuelles, je ne peux effectivement vous garantir qu'il n'y aura aucun homosexuel séropositif parmi eux. »

Entre-temps, le cardinal est venu célébrer la messe et déjeuner, sans me dire un mot du courrier qui lui avait été adressé.

Et, comme prévu, quelques semaines plus tard j'enverrai à cette « bonne paroissienne » la part de la collecte de carême que je lui avais promise au bénéfice d'une association d'aide à l'enfance au Vietnam !

Cependant, un certain nombre de réactions, connues ou non, me renforcent dans l'idée qu'il convient de faire œuvre de pédagogie pour favoriser l'acceptation du projet par le quartier : c'est une des conditions de la réintégration sociale des jeunes qui y seront accueillis. Cela commence par un changement de nom : l'ancien « foyer Montorgueil » s'appellera désormais « Cerise » (Carrefour, Échanges, Rencontres, Insertion Saint-Eustache) parce que, dans ce quartier des Halles, il me semble que ce sympathique fruit du printemps invite à croquer avec gourmandise... plutôt qu'à mordre !

Mais si j'ai bien enregistré que, dans ce combat-là comme dans d'autres, il y aura quelques irréductibles, je sais qu'il y a aussi ceux que l'on peut rallier en en appelant au meilleur d'eux-mêmes. Je reçois également – et directement cette fois – des lettres qui partent du cœur :

« Chère Cerise,

« Votre personne m'intéresse et me touche doublement. Tout d'abord à un niveau personnel, car j'habite le quartier et je trouve qu'il a la vocation à être un lieu de rencontre. Ensuite, à un niveau plus "professionnel" car je suis étudiant en urbanisme et aménagement (Paris-IV) et que vous êtes une formidable réponse à une des préoccupations majeures de la profession, à savoir : comment lutter contre la ségrégation sociale et la ghettoïsation qui s'opèrent au sein des villes ?

« Excepté mon enthousiasme et mes quelques connaissances théoriques, j'ai assez peu de choses à vous offrir. J'espère néanmoins avoir de vos nouvelles.

« Amicalement,

« Julien. »

Pour renforcer les sympathies et gagner des soutiens, c'est une nouvelle fois vers les artistes que je me tourne afin qu'ils nous aident à trouver les mots ou, plus souvent, les images.

Des liens avec Christian Boltanski et du plaisir que nous avons à collaborer surgit l'idée de transformer – quelques mois avant la fin des travaux – les fenêtres de l'immeuble en un grand calendrier de l'Avent. Durant les quinze jours précédant la Noël 1998, chaque soir à dix-huit heures apparaît à l'une des quinze fenêtres de l'immeuble une création réalisée par cinq artistes, professeurs aux Beaux-Arts, et dix de leurs étudiants. Pendant ce temps-là, avec un groupe de volontaires, je distribue dans la rue des tracts pour faire connaître la réalité du projet aux voisins et les inviter à s'y associer. Chaque soir les rassemblements sont plus nombreux, mêlant paroissiens, étudiants des Beaux-Arts, leurs amis et habitants du quartier. Devant l'enthousiasme que crée l'opération, les opposants ne s'expriment guère et chacun y va de sa proposition. Parallèlement, nous avons ouvert dans un proche magasin de vaisselle une liste permettant à ceux qui le souhaitent de faire un cadeau de Noël aux jeunes qui arriveront bientôt dans les studios aménagés.

Le 23 décembre, il revient à Pierre Buraglio d'animer la dernière fenêtre, au centre. Bien avant dix-huit heures, il y a déjà une petite foule devant l'immeuble. Pour la circonstance, j'ai invité un évêque auxiliaire à participer à la fête, mais je comprends assez vite – c'est l'un de nos premiers malentendus – que, pour lui, ce calendrier de l'Avent « revisité » n'est pas assez explicite quant au strict message de la nativité. Pourtant, présentée sous l'appellation « Calendrier de l'Avent », l'opération porte un titre de circonstance emprunté aux derniers mots de Goethe : « *Licht, mehr Licht* (De la lumière, plus de lumière) » expliquant le programme d'hébergement. Elle dit le souci d'accueillir ceux qui errent sans toit pour la nuit ; elle invite, en ce temps précédant Noël, les personnes de bonne volonté à un geste fraternel associé à celui des artistes intervenus gracieusement ; elle participe à sa manière aux éclairages festifs du moment… Tout cela sous l'égide de Saint-Eustache, dont le curé et les vicaires viennent chaque soir expliquer la démarche.

Certes, aucune des fenêtres ne présente la Vierge Marie et l'enfant dans la crèche.

Je ne l'ai demandé à aucun des créateurs, leur laissant la libre interprétation d'une intention par ailleurs clairement exprimée... et, grâce à eux, maintenant « proclamée » sur la façade du bâtiment ! Ce que l'évêque ne sait peut-être pas – mais qui n'échappe pas aux amateurs d'art contemporain –, c'est qu'à travers sa composition de lumières, qu'il a traitée avec la technique du vitrail, Pierre Buraglio a inscrit là avec finesse et modestie un témoignage de sa démarche spirituelle. Ou peut-être au contraire sait-il que l'artiste est un ancien militant d'extrême gauche, qui a animé les grands jours de Mai 1968 à l'École des beaux-arts. Peut-être pense-t-il que Buraglio n'a pas encore assez expié ses travers de jeunesse en apportant son talent à plusieurs œuvres à caractère religieux, en particulier la réhabilitation de la chapelle Saint-Symphorien de l'église Saint-Germain-des-Prés ! En tous les cas, l'évêque cache mal sa mauvaise humeur.

Quelques années plus tard, c'est la création du café Reflets. Jean-Luc Vilmouth, lui aussi professeur à l'École nationale des beaux-arts, nous aide à résoudre l'une des difficultés posées par l'implantation des locaux. En effet, la composition des bâtiments a amené à aménager sur rue la part de l'immeuble vouée à l'hébergement, alors que les salles du fond de cour et des sous-sols sont disponibles pour les activités de ce qui est en train de devenir un centre social. Comment faire franchir les portes aux passants ?

L'artiste, avec la participation de l'architecte Patrick Bouchain, nous propose de remplacer les banales dalles du faux plafond par des photos prises depuis les fenêtres des habitants du quartier. Clichés lumineux et colorés qui viendront se refléter dans des tables-miroirs.

Près de deux cents personnes nous ouvrent leur porte, et c'est maintenant la vue quotidienne qu'ils ont à partir de leur appartement que l'on découvre dans les tables du café Reflets.

Une manière parmi d'autres de créer des liens entre Cerise et ses voisins.

La rénovation et le décor, comme ces animations de l'immeuble, contribuent à donner une certaine image au centre ; reste à trouver ceux qui lui donneront un visage au quotidien. Trop souvent, les lieux à vocation sociale sont marqués par le style des bâtiments et, il faut bien le dire, par les profils tellement stéréotypés de ceux qui s'y dévouent. Par sa situation particulière, sur une rue piétonne et commerçante, par ses projets mêlés – hébergement, activités de proximité –, par les liens qu'il souhaite entretenir avec les nombreux créateurs du quartier, le centre Cerise appelle un responsable au profil inhabituel.

Se présentent de nombreux candidats qui ont un programme tout prêt avant même d'avoir vu les lieux. Assez découragé, je choisis de faire le pari de personnes jeunes, certes moins expérimentées, mais n'ayant pas à laisser à la porte trop d'idées toutes faites et pouvant susciter autour d'elles le goût pour une nouvelle aventure dans un lieu qui demeure en grande partie « à inventer ». C'est à Bruno (qui aura au sens strict à essuyer les plâtres) puis à Delphine que revient la tâche de mener un navire qui n'est jamais à l'abri de tempêtes.

À chaque fois que des personnalités politiques viennent en visite, je ne manque jamais de faire remarquer que la petite taille de la structure – une vingtaine de jeunes seulement peuvent y être hébergés – n'est pas étrangère à sa bonne intégration. Mais que cela a un coût. Un coût dont on doit avoir conscience au moment de nous attribuer des subventions et si l'on pense qu'il y a là un exemple à suivre !

Ce que nous ne pouvions imaginer, c'est qu'un jour, « cerise sur le gâteau », une Bentley s'arrêterait au coin de la rue Montorgueil et de la rue Étienne-Marcel, d'où descendrait le maire de Paris accompagnant Sa Très Gracieuse Majesté la reine d'Angleterre : une visite surréaliste, précédée de fax et de rencontres réglant jusqu'aux moindres détails, nous indiquant les gestes et les paroles qui nous sont autorisés ou interdits. Souriante – mais si lointaine et si énigmatique qu'il ne viendrait à l'idée de personne que ce sourire puisse avoir un lien quelconque avec la situation du moment et les personnes rencontrées –, la souveraine maîtrise parfaitement l'art d'exprimer que le don qu'elle nous fait de sa venue est une grâce particulière et sanctifiante pour l'établissement et tous ceux qu'elle y croise. Dernière reine couronnée et marquée du sceau de l'Esprit-Saint, elle provoque un trouble non dénué de frustration, assez analogue à celui avec lequel on accueille la Présence réelle lors de sa première communion. Elle passe une vingtaine de minutes « avec » nous.

À son départ, j'aperçois parmi les nombreux curieux qui guettent sa sortie une personne qui a fait preuve d'une particulière et opiniâtre hostilité à l'égard du projet Cerise. Dopé par le caractère exceptionnel de la situation, je lui lance avec le plus grand sourire : « Vous voyez bien, madame, qu'ici nous n'accueillons pas que des voyous ! »

L'objet de notre responsabilité, c'est le fragile.

Paul Ricœur, philosophe, 1913-2005.

Demander l'aide de fonds publics, solliciter des collaborations ou des parrainages pour créer une association, multiplier
les rendez-vous avec des administrations pas toujours très
cohérentes n'est pas qu'une partie de plaisir. Mais on a droit
généralement à des égards, même minimaux, et l'on peut recevoir en retour un prix de la Ville de Paris, la reconnaissance
d'un ministre, voire la visite de la reine d'Angleterre !

J'appelle cela faire du « social par le haut ». Car, si j'ai plusieurs fois rencontré des personnalités et des personnels d'une
exceptionnelle qualité humaine et animés des meilleures intentions du monde, et même si nous avons fait avancer ensemble
quelques projets utiles, je n'ai pas l'illusion d'œuvrer dans la
cour des grands, comme l'abbé Pierre ou Mère Teresa, qui,
eux, ont choisi d'être au plus près des petits, avec tous les
détachements qu'impose une telle immersion. Et je n'ai pas fini
d'être tourmenté par la fameuse parabole où un jeune homme
interroge Jésus sur les conditions nécessaires pour le suivre et
s'entend répondre : « Vends toutes tes richesses et donne-les

aux pauvres ; puis, viens et suis-moi. » Ce que, me donnant toutes les « bonnes/mauvaises » raisons, je n'ai jamais su faire.

Une interrogation qui n'est pas que l'émotion d'un moment : le Dieu qui m'a séduit ne s'est pas contenté de prêter attention aux hommes depuis ses hauteurs. Il est devenu l'un des nôtres en son fils, donnant au concept moral de fraternité une réalité charnelle. Et sans cette prière apprise un jour par Jésus à ses disciples, « Notre Père... », où les évêques de France auraient-ils puisé l'audace d'interpeller ainsi leurs fidèles lors de l'élection présidentielle de 2007 : « Qu'as-tu fait de ton frère ? » Cette conviction d'une fraternité incontournable suscite mon admiration et tient en éveil ma capacité d'indignation.

J'admire ceux qui, n'écoutant que leur cœur, portent spontanément secours à ceux auxquels il reste, pour seul passeport valide, leur condition humaine. Comme cette modeste Calaisienne dont un reportage a montré les visites quotidiennes dans un camp de réfugiés où elle rassemble, afin de les recharger chez elle, les téléphones portables qui sont le dernier lien familial pour ces errants de nulle part. Comme ceux que je vois – pendant que je me drape dans mes « bonnes/mauvaises » raisons – donner avec le sourire à ceux qui passent et repassent quotidiennement dans les métros. Comme ceux qui, engagés au plus près des familles roms, établissent ce dialogue que je n'ai jamais pu lier avec celles et ceux qui quêtent à la porte de l'église ; je n'arrive pas à franchir un fossé qui ne tient pas seulement à un problème de langue. Ce même fossé que je retrouve aujourd'hui avec ceux qui se cachent l'hiver sous une capuche ou me bravent l'été avec une casquette arrogante. Leurs papiers me disent qu'ils sont mes compatriotes et l'Évangile qu'ils sont mes frères, mais je ne sais pas comment leur témoigner que nous sommes les compagnons d'une commune aventure. Au moins, je suis toujours incapable – même si je l'ai attendu trois quarts d'heure – de rester dans un taxi dont le chauffeur tient des propos racistes.

Certes, il est toujours des personnes engagées, au nom de l'Évangile, auprès des plus pauvres. Ils forment même sans doute une bonne part des bataillons associatifs en guerre contre toutes les précarités, parmi lesquels le Secours catholique, Emmaüs, ATD Quart Monde ou l'ACAT (Action des chrétiens pour l'abolition de la torture) portent la trace de leur origine chrétienne.

Mais, pendant ces vingt dernières années, beaucoup – et le plus souvent sur la pointe des pieds – ont abandonné toute pratique religieuse.

Si la radicalité de l'Évangile et l'interrogation de conscience qu'elle suscite en moi entretiennent ma vigilance, je dois aussi reconnaître que des blessures d'autrefois ne sont pas étrangères à certains de mes réflexes. Notamment le peu de considération qu'en raison de mon milieu social m'a témoigné mon directeur au cours de mes études à l'externat des enfants nantais. Et aussi un souvenir de petite enfance qui, comme les rares que j'ai conservés d'alors, est d'une étonnante précision.

Mon père appartenait, dans l'immédiat après-guerre, au cercle Pie X, qui s'était entre autres donné pour mission de détourner les bons ouvriers de toute tentation marxiste. Dans ce mouvement mené par quelques grandes familles nantaises, monsieur R. tenait un rôle particulier. Il n'habitait pas loin de chez nous, dans une des maisons qui avaient été construites dans le grand parc de la propriété de sa mère, où s'élevait un petit château que je n'ai toujours vu que de loin quand j'accompagnais ma mère à une sorte d'ouvroir animé par madame R. Les images sont furtives mais claires : elles me laissent le sentiment que ces ateliers de tricot, conduits avec grande autorité, était un moment difficile voire humiliant pour ma mère. Quant à moi, je ne sais pas exactement quand m'est venue l'expression « goûters d'enfants de pauvres » pour désigner le « quatre-heures » qui m'était donné là-bas.

Pendant la grande grève de 1953, il devient à un moment difficile de s'approvisionner en charbon. Mais monsieur R., qui possède l'une des principales entreprises d'importation de ce produit, vient lui-même avec sa superbe voiture nous en porter quelques sacs. À son départ, pour les associer à sa gratitude, mon père aligne ses trois enfants dans l'escalier extérieur de la nouvelle maison que mes parents viennent de faire construire.

Trente ans plus tard, à la mort de ma mère, monsieur R. vient à la maison faire une visite. Je suis touché par la démarche de cet homme âgé et en très mauvaise santé. Mais, quand je le raccompagne au fameux escalier, il veut me remettre un billet de cinquante francs afin que je dise une messe pour ma mère. Heureusement, monsieur R. ne peut voir, et encore moins comprendre, mon bouillonnement intérieur quand ma main, doucement mais fermement, se referme sur la sienne pour qu'il reprenne son offrande. Il m'est impossible de l'accepter, tant elle fait resurgir en moi de souvenirs que je n'ai su ou pu oublier.

C'est sans doute pourquoi je ne comprends que trop bien ces militants, anciens pratiquants, qui ne se retrouvent pas dans les atmosphères paroissiales d'aujourd'hui où tant de gestes charitables s'accompagnent – voire sont précédés – d'une parole missionnaire. Ce n'est vraiment pas dans cet esprit que je souhaite retrouver un engagement de proximité.

J'accomplis par exemple ces dernières années un petit bout de parcours social « par le bas » auprès d'un étranger handicapé par sa méconnaissance de notre langue et de graves soucis de santé. Avec lui, j'ai erré dans un parcours du combattant qui réclame une énergie dont ceux que l'on veut aider sont précisément dépourvus. J'ai vécu les attentes interminables (« Pourquoi donner un rendez-vous précis à des personnes qui n'ont que ça à faire ? ») où l'on n'a même pas un siège pour s'asseoir, et j'ai découvert pendant ces heures d'attente que, dans un Pôle emploi où l'on va le plus souvent l'inquiétude au ventre, on n'a pas accès à des toilettes. J'ai ainsi beaucoup appris sur les démarches auxquelles, pendant plusieurs années et sans trop d'états d'âme, j'avais invité les personnes venant me confier une situation de détresse. Dans ce parcours ubuesque et si souvent décourageant, je n'ai que très rarement quitté la file d'attente pour décrocher mon téléphone et appeler au secours les responsables rencontrés des années auparavant, lorsque je faisais du « social par le haut ». Je l'ai tout de même fait le jour où un courrier annonça subitement l'arrêt de versement du RMI. Deux conditions étaient indiquées comme nécessaires pour retrouver les droits à ce revenu minimum d'insertion : l'une d'entre elles me plongea dans un abîme de perplexité : elle stipulait qu'il fallait « disposer de ressources suffisantes » !

Ces démarches m'éloignent définitivement d'un propos trop souvent entendu chez de bons pratiquants du dimanche : « Tout de même, on ne peut pas indéfiniment aider des gens qui n'ont pas envie de travailler. » Comme le disait déjà mon premier livre d'enseignement moral et civique en cours élémentaire (déjà cité) : « Il faut travailler. Dieu le demande à tout le monde. Ceux qui se laissent aller à la paresse deviennent des êtres inutiles, que personne n'estime. » L'un et les autres semblent ne pas avoir conscience que ne pas assister ces personnes revient à les laisser mourir sur un coin de trottoir.

Pour ma part, je n'ai pas choisi la grande difficulté que j'éprouve à rester inactif. Il ne manque pas d'amis pour la dénoncer. Une difficulté qui me fait pester – au lieu de sortir un chapelet… que je n'ai pas – quand je découvre que je ne dispose pas d'un journal à lire entre deux stations de métro. Je sais que cela se soigne et, animé par la sagesse que donnent l'âge et les limites physiques qu'il impose, je commence même à m'y atteler sérieusement.

Cela se soigne sans doute beaucoup mieux que le manque d'appétit de certains pour le travail. À ceux qui les traitent un peu vite de « paresseux », il m'est souvent arrivé de répondre que je m'estimais, pour ma part, très heureux d'avoir envie de travailler et que cela me donnait des responsabilités à l'égard de ceux qui sont moins bien dotés. Et j'ai vérifié, pendant les heures passées dans ces salles de perdants et perdus, qu'il faut, une bonne fois pour toutes, accepter de soutenir ceux qui n'ont jamais eu, ou qui ne trouvent plus, l'énergie nécessaire pour dépasser les découragements inévitables du quotidien. Une première pauvreté entraînant toutes les autres.

Ainsi, l'histoire de celui que j'accompagne dans le dédale de ses démarches administratives : à sa naissance, ses parents attendaient leur troisième enfant. Surprise, ce sont des jumeaux. À celui qui apparaît le dernier et se retrouve ainsi en surnombre, son père fera très vite comprendre qu'il n'est pas le bienvenu. Il n'en faut pas plus pour douter de soi toute sa vie. Cinquante ans plus tard, l'enfant blessé collectionne encore les ours en peluche et regarde toujours si ceux qu'on lui offre ont des yeux bienveillants !

Décidément, Dieu a vraiment bien fait de rejoindre les hommes « par le bas ». Depuis longtemps, il se présentait comme pouvant combler les faims et les soifs de chacun. L'événement nouveau ne fut donc pas le jour où son fils multiplia les pains, mais celui où il demanda à boire à une femme « de mauvaise vie ». Deux mille ans plus tard, la leçon est toujours pour moi (et sans doute aussi pour quelques autres) d'une cuisante actualité.

Quand nous nous retournons,
nous ne voyons plus que des jeunes morts,
et c'est cela qui est impardonnable.

Maurice Genevoix.

En 1986, Christian Boltanski est l'invité du Festival d'automne dans la chapelle de l'hôpital de la Pitié-Salpêtrière. Dans la demi-pénombre de l'espace monumental, il installe des photos de visages d'enfants qu'éclairent de petites ampoules électriques. La pauvreté des matériaux (clichés noir et blanc, encadrements de fer-blanc, ampoules nues) comme le titre donné à l'installation, *Les Leçons de ténèbres*, composent l'une des nombreuses œuvres où l'artiste scrute (bien plus qu'il n'expose) sa vision de l'enfance, « la part de nous-mêmes qui meurt la première », toujours prématurément perdue. Le nombre de clichés suggère un épisode de mort en masse, comme lors de la Shoah, qui hante l'œuvre de celui qui est né pendant la guerre, officiellement de père inconnu. Celui-ci, juif, était caché sous le plancher de l'appartement familial. Christian Boltanski sait-il alors que, dans les chambres de ce même hôpital, nombreux sont ceux qui luttent contre le sida ?

Cela fait un an ou deux que l'on parle de l'épidémie à Paris. Les dix années qui vont suivre seront terribles pour tous ceux qui, de bien des manières, seront touchés par la maladie. Saint-Eustache se trouve très vite au cœur des événements. Entre le symbole de modernité urbaine que veut être le Forum des Halles et les boutiques de haute couture et de design qui rayonnent autour de la place des Victoires, le quartier accueille une importante population homosexuelle et va être frappé de plein fouet par l'épidémie : les demandes d'obsèques qui arrivent à l'église (elles triplent en cinq ans) concernent de plus en plus des hommes jeunes et « célibataires ». À l'évidence, il est en train de se passer quelque chose de particulier. À l'évidence... pour ceux qui veulent bien s'en rendre compte.

Or, manifestement, beaucoup de confrères confrontés aux mêmes demandes, dans nombre de paroisses du centre de Paris ou à proximité de certains hôpitaux, n'ont pas vraiment envie d'en savoir ni d'en comprendre davantage sur le drame qui s'alourdit de semaine en semaine. Quand, quelques années plus tard, en pleine tourmente, deux aumôniers d'hôpitaux et moi-même convierons l'ensemble des prêtres d'une centaine de paroisses parisiennes à réfléchir sur l'accueil des malades et de leurs proches, quatre seulement répondront à l'invitation.

Le plus souvent transmise par voie sexuelle, la maladie révèle le non-respect d'un certain nombre de principes de la morale catholique et met en lumière des situations dont on parle peu dans les églises, excepté dans le secret des confessionnaux. Mais si ces situations sont rarement évoquées spontanément, elles apparaissent au grand jour lors des funérailles, où se croisent des mondes qui, jusqu'alors, n'avaient ni raison ni envie de le faire. Il y a là des homosexuels souvent très bien intégrés, grâce à leur sensibilité, à leur imagination débridée et à leur humour corrosif, dans les métiers d'art et de création comme dans de nombreux médias. Ils y sont les leaders de fêtes qui donnent le ton à la vie nocturne parisienne et il ne manque pas de femmes qui apprécient ces chevaliers servants, volontiers empressés mais jamais trop entreprenants. À côté d'eux, dans l'ombre, il y a aussi tous ceux qui cachent une différence qu'ils vivent plus ou moins douloureusement. L'autre monde – et cela peut s'appliquer à tous les cas de figure – est celui de leurs familles : grandes dynasties bourgeoises ou modestes foyers ruraux ou ouvriers, le plus souvent originaires de province et qui, même vivant à Paris, ignorent ou feignent d'ignorer – à moins qu'ils ne les réprouvent – ces manières d'être et de vivre.

Avec la maladie, ces mondes perdent de leur étanchéité. Ainsi, sur le parvis de Saint-Eustache, des familles « sans histoire » se retrouvent perdues au milieu de branchés parisiens. Le plus souvent, les uns et les autres ne se parlent pas. Plus rarement, ils rapprochent les pans d'une vie coupée en deux ; des parents, frères ou cousins s'aperçoivent qu'ils étaient déjà bien éloignés de celui dont ils accompagnent le dernier voyage. Quand il ne s'agit pas d'une épouse douloureusement confrontée à la double vie de son conjoint ou d'enfants qui doivent reconstruire l'image brisée de leur père.

Face à ces réalités, la préparation des cérémonies d'obsèques devient particulièrement délicate : il faut tenter de rassembler une histoire en morceaux, donner de la cohérence à la personnalité de celui autour duquel nous sommes rassemblés, permettre des compréhensions et des pardons réciproques, accueillir en vérité sous les voûtes d'une église des réalités et des itinéraires de vie que l'Église condamne. Préparant la cérémonie au cours de laquelle celle-ci accompagne de sa prière l'un de ses enfants « égarés », on se retrouve rapidement d'accord pour retenir deux textes de saint Jean : « Notre cœur aurait beau nous accuser, Dieu est plus grand que notre cœur » (1re épître, III, 20) ; et « Dans la maison de mon père, beaucoup peuvent trouver leur demeure » (XIV, 2).

Ce sont, de toute façon, les textes le plus habituellement choisis pour des obsèques, car il n'est guère de mortels qui aient eu une vie quotidienne en parfaite adéquation avec les exigences évangéliques. Mais pour certains c'est plus évident que pour d'autres ! C'est sans doute aussi pourquoi on a entendu ces mêmes lectures lors des obsèques d'un ancien président de la République dont la situation familiale n'était pas, elle non plus, d'une parfaite orthodoxie.

Mais, par respect pour la mémoire du défunt et pour être entendu et compris de ceux qui l'entourent, on ne peut se contenter de belles oraisons funèbres qui parlent si bien de la miséricorde d'un Dieu dont, au quotidien, témoignent si peu des jugements humains rendus en son nom. Face à un mal qui fait jour après jour tant de victimes, il m'apparaît urgent de ne pas attendre que les personnes menacées soient mortes pour leur témoigner de la bienveillance. Cette conviction, partagée avec d'autres, va faire naître plusieurs initiatives liant durablement la paroisse Saint-Eustache et tous ceux que touche ou émeut l'épidémie.

En 1988 s'ouvre « Pour parler du sida », une permanence d'accueil qui se tient dans un petit local intégré à l'église et disposant d'un accès direct sur la rue : chacun peut venir déposer là un fardeau trop lourd pour ses épaules fatiguées. Beaucoup y viennent nous dire qu'ils se sont éloignés d'une institution catholique dont ils se sont sentis rejetés, mais qu'ils n'ont pas pour autant perdu le goût d'une quête spirituelle qu'avive l'urgence de vies en péril. Beaucoup aussi s'interrogent sur leur parcours et les priorités qui les ont guidés. Ils n'attendent pas de nous que nous mettions les idéaux évangéliques dans notre poche ; ils souhaitent seulement que nous reconnaissions qu'ils n'ont pas choisi leurs penchants sexuels et que nous comprenions la solitude morale dans laquelle a trop souvent grandi l'éveil de leur personnalité. Les repères proposés alors leur ont paru étrangers à leur différence, dont le plus souvent ils n'ont pu parler, ce qui a enfermé nombre d'entre eux dans une marginalité qui a marqué définitivement leur vie.

Ils disent aussi leur honte face à certaines remarques ou questions, parlent de leurs premières rencontres, qui ont eu lieu en cachette et souvent dans des mondes et des lieux à part, entraînant des comportements, des attentes, des échecs sur lesquels certains n'en finissent pas de s'interroger : frontières indécises entre sexualité et affectivité, enthousiasmes pour des relations sans lendemain, difficultés dans la fidélité, fragilité de la vie en couple quand celle-ci paraît possible.

Ils vivent mal d'être traités d'immatures… quand on les a si peu aidés à mûrir. Et ils refusent catégoriquement l'interdiction qui leur serait faite d'aimer comme ils sont.

Très vite, plusieurs personnes séropositives, malades ou proches de malades, demandent à se rencontrer régulièrement pour partager leur quotidien à la lumière de l'Évangile. J'accompagne un bref moment ce groupe « Sida vie spirituelle », jusqu'au jour où le père Pierre de Charentenay, alors directeur de l'université de la Compagnie de Jésus, rue de Sèvres, arrive dans mon bureau pour me dire qu'il veut bien mettre une partie de son temps libre (je ne crois pourtant pas qu'il en ait beaucoup) au service de nos projets.

Lui, puis le père François Boëdec (maintenant, chapelain de l'église Saint-Ignace), chemineront pendant des années avec cette petite équipe dont les rescapés se retrouvent toujours aujourd'hui. La disponibilité comme les qualités intellectuelles et spirituelles de ces deux pères jésuites constituent pour moi un soutien précieux.

Dans un coin du bureau où nous accueillons les confidences de nos visiteurs, il y a une boîte de préservatifs. Il ne s'agit pas d'une provocation ; c'est une façon de dire que l'Évangile ne suggère pas d'interdits sur les manières pratiques – ou plastiques – dont les personnes doivent protéger leurs relations sexuelles. C'est la condition d'une liberté de parole qui permet d'aborder des questions plus fondamentales.

Car pour ceux qui accueillent, comme pour ceux qui sont accueillis, tout n'est pas aussi simple que le suggère la formule, lancée avec un clin d'œil par Christophe Dechavanne à la fin de chacune de ses émissions : « Sortez couverts. » Celle-ci peut laisser entendre que, une fois cette protection plastique assurée, il pourrait y avoir un amour sans risque et que se préserver, quand on entre en relation avec l'autre, est une idée qui va de soi. Alors qu'au même moment certains viennent nous dire qu'il n'est ni simple ni naturel de dire à sa compagne ou à son compagnon : « Je partage tout avec toi, sauf ta maladie. »

Cela nous ramène à des questions plus existentielles, car les enjeux de société que porte l'épidémie se situent bien au-delà de l'utilisation d'un préservatif. Elle provoque déjà un revirement des mots à cent quatre-vingts degrés : quelques années plus tôt, dire de quelqu'un qu'il était négatif n'était pas un compliment ! Et n'y a-t-il aucun lien entre ces passions humaines et la façon dont le Christ a vécu la mission que lui avait confiée son Père : « Celui qui veut sauver sa vie doit savoir la perdre » ? Une manière d'être qui l'a conduit immanquablement à sa propre « passion ».

Je ne suis pas loin de penser maintenant que ces années terribles ont contribué aux replis sur soi – personnels et collectifs – du moment, rendant particulièrement lointain le message de tous ceux qui, dans leurs choix de vie, ont intégré l'indispensable prise de risques.

Et pas seulement les personnalités exceptionnelles que présente Maurice Schumann dans son essai *La Mort née de leur propre vie* : Charles Péguy, qui, quoique ayant passé l'âge de la conscription, s'engage dans la Grande Guerre et meurt dans l'un des premiers combats ; Simone Weil, qui rejoint librement ses proches captifs des camps ; Gandhi, qui malgré les menaces continue son plaidoyer pour la paix.

Combien j'aurais aimé alors que, plutôt que de se replier sur la dénonciation d'un morceau de plastique (certains évêques allant même jusqu'à se prononcer sur la qualité du matériel), l'Église contribue à élever le débat ! Il aurait fallu, par exemple, veiller à ce que ne soient pas marginalisés tous ceux qui, par conviction, prenaient des risques réfléchis et assumés. Car vouloir s'assurer une sécurité absolue revient à s'enfoncer un bonnet, pas seulement sur le sexe, mais aussi sur la tête et le cœur.

Il apparaît rapidement que ce que nous sommes quelques-uns à entendre ne saurait rester – sauf évident respect de confidentialité – entre quatre murs, constituant un espace extra-territorial qui ne modifierait en rien la vie habituelle de la paroisse. Une demande du cardinal Lustiger va d'ailleurs nous y aider. Préparant les manifestations du 1ᵉʳ décembre 1988, l'association Aides – dont le président, Daniel Defert, vient de déclarer dans les colonnes du *Monde* que « l'événement épidémique, dans toute société, a une dimension spirituelle et déclenche une soif de rituel » – s'adresse à l'archevêque pour qu'un lieu religieux soit ouvert ce soir-là afin d'accueillir malades, proches et soignants. Le cardinal, qui a connaissance de « Pour parler du sida », propose que la veillée ait lieu à Saint-Eustache et s'y fait représenter par Mgr Vingt-Trois, alors évêque auxiliaire.

La soirée se veut pluriconfessionnelle, ouverte aux Juifs et aux musulmans et, bien sûr, œcuménique, c'est-à-dire accueillant les représentants des Églises orthodoxe et protestantes. C'est l'occasion pour moi de faire l'expérience pratique de la complexité d'une telle entreprise : j'avais un peu trop rapidement – et naïvement – cru que les circonstances tragiques qui motivaient la réunion en simplifieraient l'organisation.

En fait, comme à chaque rencontre œcuménique – exception faite pour la Communauté de Taizé, étrangère par nature à ces problèmes de protocole –, il me faut veiller à une multitude de détails susceptibles de provoquer de « regrettables incidents ». Par exemple, les sièges proposés à chacun des invités doivent être exactement semblables. Seuls les papes, comme Jean-Paul II à Assise, peuvent, installés dans un immense fauteuil, accueillir leurs homologues assis sur des tabourets.

Cette soirée du 1ᵉʳ décembre 1988 n'échappe pas à la règle. Première déconvenue : dès qu'il apprend que l'archevêque ne sera pas là en personne, le président de la Fédération protestante, qui avait annoncé sa venue, nous apprend qu'il enverra l'un de ses délégués. La communauté juive, elle, nous fait savoir qu'elle ne participera pas ; ce qui n'empêchera pas le professeur Leibovitch, et d'autres, d'être présents. Vis-à-vis des autorités musulmanes surgit un autre point délicat. J'ai en effet proposé à toutes les communautés religieuses d'envoyer des textes de réflexion, de méditation ou de prière qui seront mis à la disposition des participants aux portes de l'église. Me parvient de la Grande Mosquée de Paris une sourate du Coran qui ne s'inscrit pas vraiment dans la tonalité souhaitée pour la soirée : « Ne provoquez pas vous-même votre propre péril » (IV, 29). Je peux le confesser aujourd'hui : je me suis bien gardé de photocopier ce document !

Mais, une fois dépassées les subtilités diplomatiques d'une telle organisation, en reste une superbe image guère imaginable dans le paysage durci d'aujourd'hui : regroupés sur le tapis des mariages, que nous avons spécialement sorti pour la circonstance, les trois représentants de la mosquée, en grande tenue, font monter leurs prières en forme de mélopées orientales vers les hautes voûtes de la croisée du transept.

Cette première veillée est un peu exceptionnelle ; les suivantes seront plus simples. Mais, pendant une dizaine d'années, le passage à Saint-Eustache sera pour beaucoup – et bien au-delà de ceux qui professent la foi chrétienne – un moment essentiel de cette journée consacrée au souvenir de ceux qui sont partis et à la solidarité à l'égard de ceux qui font face à la maladie. Entrecoupés de moments musicaux se succèdent prières douloureuses et témoignages intimes. Et il y a ces bougies que l'on ne cesse d'allumer dans le chœur pour un proche en danger, pour un compagnon à l'agonie, pour un enfant qui n'est plus.

Le 1er décembre 1994, un paroissien, croyant et malade, confie ses paroles à une autre voix que la sienne :

« Je fais lire ce message car je ne tiens pas à ce que l'on sache que je suis séropositif : je peux encore le cacher, l'oublier la plupart du temps, vivre une vie "comme si" : les mêmes mots que j'utilisais voilà dix ans quand je découvrais l'amour d'un autre homme...

« Jamais je ne me suis senti rejeté par le Christ et je communie paisiblement car j'essaie d'aimer, de respecter, de compatir à l'autre...

« Je me suis dit : ce n'est pas possible qu'il n'y ait que ça, que cette vie humaine si courte, que tout cet amour que nous donnons malgré nos faiblesses, tous ces efforts que nous faisons, soient perdus à jamais au fond d'un trou de terre.

« Alors, j'ai refait le pari de Dieu, même si je ne prie pas très bien, même si je doute. J'ai peur quand même...

« Ni révolté ni militant par nature, j'aime l'idée de tolérance, d'amour sans jugement qui flotte autour du sida, souvent, pas toujours. Bien sûr, elle me révolte cette roulette russe qui me conduit vers un possible chemin de croix interminable et même pas glorieux. »

L'année suivante, Jean-Pierre, soutenu par deux proches (il décédera le 28 du même mois), nous confie, dans un souffle épuisé, ses ultimes réflexions :

« Le sida ne fait pas des malades des héros, ou des êtres que la souffrance mènerait à la Rédemption. Il ramène l'existence à une réalité première ou dernière, partagée par toute l'humanité, à savoir que le télos, comme disaient les Grecs de toute vie, c'est-à-dire à la fois la fin et le parachèvement, réside dans la mort.

« Au fil de la maladie, au fur et à mesure que le corps se délite, vous prenant par surprise, imposant sa loi opaque à une conscience qui voudrait tant s'en échapper, je crois qu'on fait un extraordinaire apprentissage de la patience. Sans lâcher le terrain, on sait malgré tout que c'est le corps qui aura le dernier mot et que nous finirons nus.

« Découvrir ce dénuement, ce dépouillement, vous rapproche de bien d'autres pauvretés, sociales, économiques, morales, que la fureur de nos sociétés modernes a engendrées. »

En conclusion, il cite un texte du grand écrivain suédois Stig Dagerman en nous précisant que, « malgré son pessimisme excessif », il « l'interprète comme une prière » :

« Je suis dépourvu de foi et ne puis donc être heureux, car un homme qui risque de craindre que sa vie ne soit une errance absurde vers une mort certaine ne peut être heureux. Je n'ai reçu en héritage ni dieu ni point fixe sur la terre d'où je puisse attirer l'attention d'un dieu : on ne m'a pas non plus légué la fureur bien déguisée du sceptique, les ruses de Sioux du rationaliste ou la candeur ardente de l'athée. Je n'ose donc jeter la pierre ni à celle qui croit en des choses qui ne m'inspirent que le doute, ni à celui qui cultive son doute comme si celui-ci n'était pas, lui aussi, entouré de ténèbres. Cette pierre m'atteindrait moi-même car je suis bien certain d'une chose, le besoin de consolation que connaît l'être humain est impossible à rassasier. »

Par écrit, sur de grands cahiers ouverts aux quatre coins de l'église, s'expriment des confessions, des appels, des douleurs :

« Seigneur, je t'offre mon humble souffrance et tous mes frères morts, malades, angoissés, désespérés : donne-nous de toujours garder confiance en Toi. » D.

« Dieu tout-puissant, pardonnez-moi, aidez-moi, je vous avais oublié, je vous retrouve enfin. Priez pour moi. » JPG.

« Il nous faut non seulement apprendre à aimer, mais apprendre à le dire à temps et à contretemps, avant qu'il ne soit trop tard. Je t'aime. » Maman.

« Ton angoisse est finie, tu peux te reposer. » S.

« Je suis là ce soir et pour toutes les fois où j'aurais voulu ou dû être là aussi... » F.

« L'engagement est l'affaire de tous, mais surtout de chacun. » A.

Un soir, Mgr Frikart, évêque auxiliaire de Paris, ose cette prière :

« Nous te confions ceux qui sont partis et dont l'absence nous fait mal. Certains ignoraient ton espérance mais d'autres communiaient consciemment à la Pâque de Jésus, ton fils. Accueille-les tous dans ta lumière, dans la vie nouvelle, toi qui "fais toutes choses nouvelles".

« Et nous te prions pour tous nos frères dont l'amour est clandestin et ne peut s'épanouir au grand jour, qui ne vivent l'amour que dans la crainte, dégage-les de cette peur, conduis-les dans ta paix, conduis-les à la source de vie. »

Les paroissiens viennent nombreux passer un moment. Beaucoup repartent bouleversés par ce qu'ils ont vu et entendu, les yeux et le cœur ouverts à des itinéraires et des situations qu'ils ignoraient jusqu'alors. Et, pour le leur rappeler, il y a aussi le parvis de leur église qui, plusieurs fois par semaine, se couvre de gerbes de fleurs. Elles sont blanches le plus souvent : retour symbolique à une pureté dont la maladie dénonce publiquement la souillure. Ils prennent conscience de l'ampleur d'un drame qu'ils ne soupçonnaient pas ; un drame qui amène, un soir, une jeune victime du virus à reprendre les lignes de Maurice Genevoix à propos de la guerre de 1914 :

« On a été mutilés aussi dans nos amitiés. Et c'est ça qui est inexpiable. Un homme de trente ans, quand il se retourne sur sa route, il doit voir autour de lui des images de compagnons vivants, eh bien nous, à trente ans, quand nous nous retournons, nous ne voyons plus que des jeunes morts, et c'est cela qui est impardonnable. »

Longtemps après que la trithérapie aura apporté d'énormes progrès au traitement de la maladie, des proches et des rescapés retrouveront naturellement, autour du 1er décembre, le chemin de Saint-Eustache.

Après avoir plusieurs fois annoncé sa venue, le cardinal Lustiger vient lui-même à la veillée du 1er décembre 1996. Il m'a prévenu qu'il serait en retard, et je sens monter la tension dans l'assemblée : ces soirs-là, la parole est libre, et j'ai bien compris que certains comptent profiter de la circonstance pour dire ce qu'ils ont sur le cœur.

Le cardinal arrive juste avant les paroles particulièrement poignantes d'une mère qui a enterré son fils unique dix jours auparavant. Parmi ceux qui se succèdent ensuite au micro, les plus virulents à l'égard de certaines prises de position de l'Église ne sont pas – à ma surprise – les représentants d'associations militantes, mais les membres d'équipes d'aumônerie de certains hôpitaux.

Je suis profondément mal à l'aise dans mon statut d'hôte – que j'estime mis à mal, non par les propos, mais par le ton sur lequel ils sont exprimés. Le matin du 4, j'écris au cardinal :

« Cher Père,

« Je voudrais tout d'abord vous remercier pour votre venue à Saint-Eustache dimanche dernier. Mais pour mieux dormir – et comme vous le savez bien, nous en avons tous besoin – je voudrais vous préciser mes sentiments au terme de cette veillée.

« Il est bien évident que, chaque année, des homosexuels sont venus témoigner : ils étaient les plus nombreux touchés par l'épidémie et beaucoup habitent, travaillent ou se retrouvent dans le quartier. De plus, la maladie a fait resurgir chez bon nombre d'entre eux de fortes interrogations spirituelles. Ils évoquaient avec vérité l'intimité de leur vie et parfois aussi leur souffrance et leur malaise dans leur rapport avec l'Église. Et je pense qu'il était important que cela puisse se faire ainsi.

« Mais, dimanche soir, j'ai eu l'impression que la situation était un peu différente : l'énonciation même du mot, plusieurs fois répété – en particulier à la fin des témoignages et des intentions de prière –, nous faisait passer de l'évocation de réalités de vie à l'expression d'une revendication qu'on aurait pu croire organisée à dessein… et pas étrangère à votre présence. Je n'ai pas, bien sûr, à interpréter et encore moins à juger les intentions de ceux qui étaient invités à s'exprimer librement au cours de cette soirée, mais j'en ressens depuis un certain malaise et j'éprouve le besoin de clarifier cette question avec vous.

« Je suis de ceux qui estiment que le magistère appréhende mal la réalité homosexuelle. Je crois qu'entre l'"interdit" – au moins quant au passage à l'acte, mais souvent perçu comme une condamnation de la personne elle-même – qui prive officiellement les personnes de tout accompagnement moral dans leurs situations de vie, et l'"ouverture" qui n'interroge pas les comportements… il y a place pour une pastorale plus attentive aux personnes et aux consciences.

« Le sida – entre autres – a révélé à beaucoup de prêtres qui accompagnent des malades, et en particulier aux aumôniers d'hôpitaux, des qualités de relations, des fidélités, des solidarités, des dévouements qu'ils ne soupçonnaient pas et a modifié bien des paroles, dans le secret des confessionnaux.

« Tout cela, je suis capable de vous le dire… et de vous l'écrire ! Mais je ne peux supporter l'idée que vous ayez pu penser que l'invitation à cette soirée comportait d'autres finalités que "se souvenir, espérer, prier ensemble…", comme l'énonçait le tract d'invitation. Croyez bien que j'ai d'autres manières de dire mon opinion et un autre sens de l'hospitalité.

« Nous pourrons reparler de tout cela à l'occasion, et, vous renouvelant ma gratitude pour votre présence parmi nous dimanche, je vous prie de croire, cher Père, en l'assurance de mes sentiments filiaux. »

Dans sa réponse du 17, il me dit sur un ton particulièrement chaleureux que « l'intensité des témoignages de foi l'a rempli d'admiration ». Ajoutant : « Soyez donc pleinement rassuré. Je vous dis ma reconnaissance et la fidélité de ma prière et de mon amitié. »

Je ne suis pas insensible à ce message. Je sais trop combien les questions qui entourent le drame du sida, et qui suscitent dans l'Église des paroles diverses, contrarient le travail de tous ceux qui tentent de rétablir des ponts entre les malades et l'institution.

Pourtant, le lundi 12 février 1996, la commission sociale de l'épiscopat, présidée par Mgr Albert Rouet, avait publié un texte courageux, visant à sortir des habituels positionnements :

« Le sida n'est pas d'abord la maladie des autres. Tout le corps social en est affecté. […] Le sida, révèle ce qui tient à cœur à une société, les valeurs qu'elle promeut, les idéaux qu'elle recherche. […] Pour nous, chrétiens, parler du sida oblige donc à la fois à tenir fidèlement l'appel du Christ lancé à tout homme et à garder la même miséricorde et le même accueil que lui. Une séparation entre les deux aspects serait aussi mortelle pour la vérité et pour l'amour.

« L'homme n'est fait ni pour la misère ni pour le refoulement de sa sexualité. [...] Nous appelons à réfléchir au caractère proprement humain de la sexualité et à poursuivre des efforts en vue d'une éducation affective et sexuelle qui fasse découvrir la beauté et la dignité de toute relation humaine. Nous appelons à méditer sur la fidélité non pas comme une morne constance, mais comme un travail quotidien de libération de l'amour. Nous appelons à accompagner fraternellement ceux dont la vie sexuelle et affective est pour eux source de conflits et de souffrances. »

À peine paru, ce texte officiel est l'objet de telles rectifications et mises au point – y compris par Mgr Rouet lui-même – que sa compréhension et sa portée s'en trouvent singulièrement brouillées. Et, très vite, ce signe d'ouverture de l'Église face à l'ampleur de la pandémie et à la détresse des malades est enfoui sous un flot de propos contradictoires. Le catéchisme de 1992 témoigne lui aussi de l'embarras de l'Église sur le sujet :

« Art. 2357 – La Tradition a toujours déclaré que "les actes d'homosexualité sont intrinsèquement désordonnés". Ils sont contraires à la loi naturelle. Ils ferment l'acte sexuel au don de la vie. Ils ne procèdent pas d'une complémentarité affective et sexuelle véritable. Ils ne sauraient recevoir l'approbation en aucun cas [...]. »

« Art. 2359 – Les personnes homosexuelles sont appelées à la chasteté. Par les vertus de la maîtrise, éducatrices de la liberté intérieure, quelquefois par le soutien d'une amitié désintéressée, par la prière et la grâce sacramentelle, elles peuvent et doivent se rapprocher, graduellement et résolument, de la perfection chrétienne. »

Le catéchisme indique qu'on doit éviter « toute marque de discrimination » vis-à-vis des personnes aux tendances homosexuelles. Mais l'appel qui y est fait à des vertus héroïques cache mal l'interdit du passage à l'acte. Certes, on retrouve aussi dans ces lignes l'invitation au « respect » et à la « délicatesse » que l'on se doit d'avoir à l'égard des personnes en situation irrégulière. Envers les divorcés remariés, par exemple, dont on dénonce pourtant la situation d'adultère public et permanent, on se doit d'avoir une « sollicitude attentive ».

Toutes ces plus ou moins louables intentions (on ne peut pas toujours ignorer l'attention particulière du Christ à l'égard de ceux qui cheminent sur les voies de traverse) donnent trop souvent à la charité le visage insupportable d'une irrecevable et maladroite commisération, et ceux qu'elle concerne n'apprécient pas beaucoup d'être désignés comme « blessés de la vie » alors que certains de leurs maux sont d'origine sociale, voire ecclésiale. Sous cette expression utilisée par Jean-Paul II lors de sa visite à Tours en 1996, on rangea alors pêle-mêle malades du sida, chômeurs, handicapés, divorcés, SDF, personnes dépendantes de l'alcool, de la drogue…

Pourquoi cette étrange cohorte me fait-elle toujours penser au tableau de Bruegel l'Ancien intitulé *La Parabole des aveugles* ? Probablement parce que ceux qui cheminent – chacun ayant une main sur celui qui le précède et alors que le premier est déjà tombé à l'eau – ont sur le visage une expression de terreur ou d'étonnement, et surtout parce que aucun d'entre eux ne peut voir l'église qui se dresse à l'arrière-plan !

De plus, même s'il est écrit dans le catéchisme que les personnes homosexuelles ne choisissent pas leur condition, il ne manque pas de catholiques pour affirmer le contraire. Car dire que celle-ci relève d'un choix libre des personnes a le gros avantage, pour ceux qui voient la Providence partout, de déresponsabiliser totalement Dieu et nos anges gardiens de graves laisser-aller dans ce que chacun est ou devient précocement. Certains laissent même entendre qu'il s'agit là d'un choix pervers et provocateur : « J'ai quinze ans, qu'est-ce que je pourrais bien faire pour faire de la peine à mes parents et embêter le pape ? Ah, si j'étais gay… »

Il y a enfin ceux qui continuent à parler de maladie plus au moins guérissable, proposant parfois comme thérapie possible le mariage… ou l'engagement religieux ! Le moins que l'on puisse dire est que ces traitements ne marchent pas à tous les coups, et que les plus belles sublimations ne sont pas toujours un gage d'équilibre humain et spirituel !

Le pourcentage important du clergé personnellement concerné par la question homosexuelle n'est pas étranger à un tel mode de pensée. Mais vivre ses attirances dans une semi-clandestinité ou dans le refoulement ne favorise guère la parole libre et juste que les fidèles attendent de leurs pasteurs. On voit même certains d'entre eux – réparation pour leurs dévergondages ou volonté de mieux les dissimuler – prendre la tête de croisades, travestis en « pères la pudeur ».

Les communautés nouvelles, réellement soucieuses de l'accueil des personnes mais pas les plus lucides en matière de psychologie, me paraissent particulièrement redoutables dans ce domaine. Elles font facilement de la prière une sorte d'anti-virus, créant de véritables schizophrènes déchirés entre les nuits d'adoration à Montmartre et d'autres passées en errances nocturnes. Il arrive aussi qu'on y donne d'étranges conseils : à un couple de messieurs qui confessent leur situation de vie commune on prescrit d'arrêter toute relation physique, sinon pas d'absolution. Mais comme le confesseur est compréhensif et qu'il sait que la chair est faible, il veut bien leur pardonner de petits écarts à l'extérieur. Curieuse conception de la fidélité !

Reconnaissant plus ou moins ses problèmes internes – « il suffit de parcourir les couloirs du Vatican pour en être témoin », m'a confié une journaliste correspondante à Rome d'un quotidien français pourtant peu suspect d'anticléricalisme –, le Saint-Siège publie, en décembre 2005, une instruction recommandant la vigilance aux supérieurs de séminaire. Bien sûr, le document se défend de tout ostracisme : toute « marque de discrimination » doit être condamnée, mais il y est également écrit que « ceux qui pratiquent l'homosexualité ou qui présentent des tendances homosexuelles profondément enracinées ne peuvent être admis au séminaire et aux ordres sacrés ».

Plusieurs responsables de formation ne manquent pas de faire remarquer qu'à bien des égards un tel texte est inapplicable ; mais, dans son commentaire, Mgr Tony Anatrella, consulteur du conseil pontifical pour la Famille, qui s'exprime volontiers sans nuances sur cette question délicate, frappe plus fort, désignant les homosexuels comme des êtres « immatures, narcissiques et manipulateurs ».

Ces propos sont tellement insupportables que je finis par accepter, sans grand enthousiasme, de me rendre à France Info pour commenter le commentaire. Je suis alors supérieur général de l'Oratoire et je n'ai pas particulièrement envie de compliquer la vie de la congrégation en disant tout ce que j'ai sur le cœur ; mais je trouve que, à travers son invitation, cette radio s'honore de ne pas laisser penser que les paroles de Mgr Anatrella constituent l'expression d'une pensée unique du corps ecclésial. Je n'hésite donc pas à dire clairement que les propos qu'il a tenus sont absurdes, et qu'après avoir accueilli tant de personnes définitivement abîmées, voire détruites, par ce genre de considérations, je les crois dangereuses et gravement contraires à la plus élémentaire des charités.

*

Dès septembre 1998, j'ai envoyé au *Monde* un billet d'humeur à propos du projet de pacs qui, en cette fin d'été, agite l'Assemblée nationale et plus largement la société française. Bien sûr, la plupart des responsables d'Église sont contre.

J'écris « bien sûr » parce que, après les interdits sur la pilule, le préservatif et le remariage après divorce, nous avons, sur tous ces sujets de morale intime, donné le sentiment de positions permanentes de défense qui font peu de cas des nouvelles données psychologiques, sociétales, médicales ou scientifiques.

Parmi les causes de ce refus répété de prendre en compte certaines réalités, il y a la crainte toujours sous-jacente de la théorie de la pelote de laine : « Si on lâche là-dessus, il nous faudra bientôt lâcher sur d'autres choses. » Derrière le pacs – qui apparaît alors essentiellement comme un mode d'union pour les personnes homosexuelles – se profilent clairement les questions du mariage et de l'adoption d'enfants.

Je n'ai pas la naïveté de penser qu'elles ne seront jamais posées. Mais cela ne me paraît pas une raison suffisante à invoquer pour s'opposer au projet du moment, et je refuse de me laisser enfermer dans la position de forteresse assiégée, avec les raideurs qu'elle génère inévitablement.

Un peu comme des parents confrontés à l'éducation d'adolescents qui, plutôt que de leur donner un cadre sur lequel il faudra veiller et dont il faudra contrôler les débordements, préfèrent leur interdire définitivement de sortir le soir. Un tel comportement, déjà pas très défendable avec des enfants, devient franchement ridicule avec des adultes. Et ce, d'autant plus que la théorie de la pelote de laine interroge bien moins ceux qui voudront tirer sur le fil que ceux qui seront alors incapables de leur résister.

Il eût été, à mes yeux, plus convaincant de reconnaître en 1998 normale et nécessaire la protection juridique et sociale des couples homosexuels que d'en venir, dix ans plus tard, à défendre le pacs pour prévenir tout projet de mariage entre personnes homosexuelles ! Une hypothèse qui, comme celle de l'adoption des enfants, me laisse autrement perplexe, voire réservé. Suis-je totalement vieux jeu pour penser que le mariage concerne une union entre un homme et une femme, et que des couples d'une autre nature peuvent inventer et faire reconnaître – et, peut-être un jour, sans doute pas très proche, par l'Église – d'autres modèles et d'autres rituels ? Les images du mariage de Bègles, ou d'autres qui nous viennent de nos voisins belges, ne me feront pas changer d'avis.

Quant à l'adoption d'enfants par des couples homosexuels, ma première réaction est de penser que l'on n'est pas obligé d'ajouter des singularités au départ d'itinéraires déjà suffisamment complexes. Mais, en même temps, je n'ai rien de bien convaincant à opposer à ceux qui me disent qu'il vaut tout de même mieux qu'un enfant soit adopté par deux hommes ou deux femmes plutôt qu'abandonné, je ne sais où, dans une situation de grande précarité. Et je n'ai pas non plus, à ce jour, remarqué que les enfants grandissant dans ces situations familiales particulières étaient spécialement traumatisés. En tous les cas, pas davantage que ceux qui, grandissant auprès de couples traditionnels mais déchirés par la mésentente, subissent des séparations et des recompositions familiales. Trop de jeunes – entre autres ceux que je croise dans les internats oratoriens – ont du mal à s'y retrouver.

En fait, les raisons invoquées par certaines personnes, toutes catégories confondues, pour exprimer leur désir parental m'inquiètent bien davantage que ces adoptions d'un nouveau genre. Car certains ne parleraient pas autrement du choix d'un animal familier (et, en ces temps où resurgissent des préoccupations d'eugénisme, celui-ci doit être de la meilleure race) ou de l'adhésion à un fonds de pension (et, en ces temps d'inquiétude économique et financière, il doit assurer le meilleur rendement). Notre société se trouve en fait confrontée à cette question essentielle : souhaite-t-on un enfant pour son bonheur à lui ou pour son bonheur à soi ?

Qui ou qu'est-ce qui m'autorise ou m'engage à parler ?

Dietrich Bonhoeffer.

Mes préoccupations sont ailleurs en cet automne 1998. Les nombreux malades rencontrés et suivis depuis des mois m'ont convaincu qu'il y a des situations pour lesquelles les législateurs doivent proposer des solutions. Ils m'ont tout autant convaincu qu'il est temps qu'une voix d'Église témoigne des réalités qu'elle accompagne, donnant ainsi pleine cohérence à ses engagements au quotidien.

Le texte que je propose est, à quelques corrections près, immédiatement accepté par Henri Tincq, responsable de la rubrique religieuse du *Monde*. Quarante-huit heures plus tard – le jeudi 25 septembre 1998 –, il est publié dans les pages « Idées » du journal. Je n'ai pas pensé à proposer un titre, et celui que je découvre, « L'Église et le pacte civil de solidarité », ne me plaît guère. Il présente mon témoignage comme l'expression d'une position unifiée de la hiérarchie catholique alors que c'est, précisément, elle que j'interroge à partir de mon expérience de terrain :

« Au cœur d'un quartier où, avant les progrès de la trithérapie, le sida était pratiquement à l'origine d'un enterrement par semaine, j'ai plusieurs fois appelé des familles qui, au nom de leurs convictions religieuses, avaient rompu toute relation avec leur fils homosexuel, les suppliant de venir se réconcilier avec lui, près de son lit d'hôpital...

« Si j'ose un mot dans ce débat, c'est parce que ces solidarités – mises en œuvre à Saint-Eustache – me font rencontrer trop d'êtres en quête spirituelle qui croient ne plus pouvoir l'exprimer auprès d'une Église catholique perçue souvent comme étrangère – voire hostile – à leurs cheminements humains. Et c'est sur les conditions du dialogue que nous avons mission d'avoir avec eux que je m'interroge...

« Si nous voulons être entendus sur les sujets de morale – où nous avons, j'en suis convaincu, nos propres questions à poser plus que des réponses à imposer –, il nous faut donc, au moins, nous interroger sur la méthode... il nous faut mieux exprimer notre "sympathie" avec notre siècle et cheminer autrement avec nos contemporains... même quand leurs itinéraires nous déconcertent.

« Il nous faut aussi dire, avec humilité, que beaucoup de ces questions de société traversent douloureusement le peuple chrétien. Car si des publicains et des pêcheurs de Galilée furent séduits par l'Évangile – comme encore beaucoup d'entre nous aujourd'hui –, c'est parce que le Christ, en même temps qu'il leur rappelait les exigences du Royaume, osa s'asseoir à leur table et manger avec eux. C'est aussi pourquoi, plus tard, ils le reconnurent quand il rompit le pain. »

Le lendemain matin, la première réaction provient du doyen de la Faculté de droit canonique de l'Institut catholique de Paris : il m'appelle pour une tout autre question, mais en profite pour me dire sa sympathie et aussi me prévenir qu'il faut m'attendre à certaines réactions – et convocations – officielles.

Au grand regret de certains confrères, qui ne manquent pas de lancer quelques allusions « délicates » lors de réunions de prêtres du quartier « Le Louvre-Les Halles », dont je suis alors doyen, et à mon grand soulagement, rien ne se passe. Le cardinal, alors hospitalisé à Cochin, a d'autres soucis, et pas un de ses auxiliaires n'aborde le sujet avec moi.

Si je me suis finalement décidé à faire entendre ma voix dans ce débat passionné, c'est que, jour après jour, j'écoute les angoisses des malades, j'accueille la douleur des familles et des amis. Et, autour de moi, des inconnus et des proches tombent les uns après les autres.

Souvenirs ou portraits sont inscrits dans ma mémoire. Par exemple celui d'un jeune d'une vingtaine d'années qui, devant entrer à l'hôpital pour des examens après l'annonce de sa séropositivité, préfère se mettre au volant de la voiture de sa mère, qu'il a aspergée d'essence, pour aller quelques kilomètres plus loin, pied au plancher, foncer sur un arbre. Il a passé les jours précédents à régler tous les détails de ses obsèques : il n'y aura que des fleurs bleues – comme le jeune homme romantique que révèlent ses écrits – et on n'y entendra que la musique dont il a soigneusement classé les CD. Il laisse ses parents avec des questions sans fin sur ces derniers jours de cohabitation, apparemment tranquilles, pendant que, seul dans sa chambre, leur enfant unique se projetait dans un temps et un espace dont la douleur de ses parents semblait pour lui totalement absente. Habitant en banlieue, il a voulu que la cérémonie ait pour cadre Saint-Eustache, dont il connaît la réputation artistique, estimant les musiques « plus spirituelles que les propos litaniques d'un prêtre inconnu ».

Christophe L. a, lui aussi, soigneusement préparé ses funérailles. Mais, cette fois, le prêtre ne sera pas inconnu : nous en avons parlé ensemble pendant des heures. C'est un fidèle paroissien de Saint-Eustache, et il a demandé à me voir après lecture de la feuille paroissiale du dimanche 11 novembre 1990, où j'ai signé un éditorial sous le titre : « Réflexions de novembre ». J'y rappelle que l'une des principales activités des prêtres d'antan était d'aller porter les derniers sacrements aux malades. C'est sans doute ce qui leur valait d'être appelés « corbeaux ».

Il y avait alors, à la porte des presbytères, une sonnette de nuit qui permettait de venir solliciter « en urgence » les secours de la religion – usages qui commençaient déjà à se raréfier dans le Nantes de ma jeunesse.

J'ajoute à ces souvenirs quelques réflexions sur cette mort trop souvent mise à l'écart dans nos sociétés modernes et urbaines, concluant sur un post-scriptum : « C'est très gentil de ne pas vouloir trop déranger vos prêtres, mais il y a tout de même des circonstances... » Cette dernière invitation provoque trois rencontres.

Le troisième visiteur est Christophe, dont on ne pouvait pas ne pas remarquer la présence assidue à la messe de onze heures, où sa taille de mannequin dépassait de plusieurs centimètres les voisins qu'il retrouvait, chaque dimanche, à peu près à la même place. Il vient me dire qu'il a le sida, qu'il pense ses jours comptés, et il me demande si je veux bien l'aider à se préparer à mourir. Il vient de passer la trentaine. Rien n'indique alors les ravages que la maladie opère en lui. Aussi, je lui réponds simplement que je veux bien, pour l'instant, l'aider à vivre. C'est comme cela que nous sommes devenus amis.

Il vient régulièrement me voir à mon bureau et, au bout de quelque temps, je vais dîner dans l'appartement du 19ᵉ qu'il partage avec Jacques, son ami médecin. Ses convictions sont profondes, son humilité réelle et son humour jamais absent. Il allie liberté d'esprit, sincérité de propos et souci de valeurs essentielles qui lui font, sans complexe aucun ni interrogations superflues, s'estimer membre à part entière d'une communauté ecclésiale à laquelle il ne demande ni pardon ni permission.

Et s'il rentre très tard un samedi soir, même s'il n'a pas le temps de se coucher, il ne manque jamais la messe du dimanche matin. Il fait par ailleurs des séjours réguliers à l'abbaye de Kergonan.

À l'été 1991, les premières taches de Kaposi apparaissent sur son visage, et, quand je lui demande ce qu'il fera pour ses vacances, il me répond en souriant : « Étant donné les circonstances, il n'est plus vraiment question que j'aille en short sur une plage ; cet été, je ferai le tour des calvaires bretons. » À l'automne 1992, leurs nombreux amis n'ont qu'une question en tête : lequel, de Jacques ou de lui, sera le premier vaincu par la maladie ?

À notre surprise, c'est Jacques qui meurt le premier. Une nombreuse assemblée entoure Christophe, qui suit le cercueil dans un fauteuil roulant. Pour ses propres obsèques, qui auront lieu quelques semaines plus tard, Christophe a déjà tout préparé avec moi.

Tout d'abord les lectures, les pièces de musique et les faire-part, qui doivent être faits par Stern, du passage des Panoramas. Pour les fleurs, elles seront blanches, évidemment, et bien sûr il faudra les commander chez Lachaume, rue Royale. Christophe est d'une extrême attention et d'une grande générosité envers les pauvres, mais il a gardé de ses années de travail avenue Montaigne un goût pour la qualité – voire pour un certain luxe.

Je le vois très souvent pendant son hospitalisation ; mais, le dernier jour, j'ai beau répondre au plus vite à l'appel de ses parents, il vient de mourir quand j'arrive à la Salpêtrière : il est encore assis dans son lit, les mains ouvertes sur les draps et, ultime clin d'œil, ultime manifestation, de l'ironie qu'il maniait si bien pour lui-même, il porte un T-shirt où une femme se regarde dans une glace à main et où il est écrit : « Il est bon d'aller voir de l'autre côté du miroir. »

Il se passe quelque chose d'extraordinaire à la fin des obsèques de Christophe. Je suis encore sur le parvis, que quitte le véhicule funéraire, quand un jeune homme marqué d'un lourd handicap physique vient demander à me rencontrer. Quelques jours plus tard, il me raconte qu'il a failli mourir à sa naissance (c'est un trop long arrêt respiratoire qui a laissé des traces dans son corps désarticulé) ; sa mère, seule, n'a pu faire face et Antoine a été adopté.

Il a le même âge que Christophe, et il a avec lui un lien familial particulier : ceux qui l'ont recueilli ont failli, un peu plus tôt, accueillir Christophe. Ils ont vu l'annonce du décès dans Le Figaro et lui ont expliqué cet épisode passé. Antoine est donc venu dire au revoir à un inconnu avec lequel il se sent des liens d'autant plus fraternels que lui aussi est homosexuel, que lui aussi a le sida, et que lui aussi se prépare à mourir.

Il porte sur son itinéraire un regard infiniment triste et désabusé, et je comprends trop bien, en écoutant le récit qu'il m'en fait, qu'il songe sérieusement à y mettre lui-même un terme. Il m'écrit dans un courrier de novembre 1995 :

« Je t'envoie ce petit mot pour préciser certaines choses. En effet, les choses s'accélèrent ; pas tant sur un plan physique, où je parviens encore à m'en sortir mieux que d'autres, mais "la tête" ne suit plus et je suis devenu encore plus dépressif, malgré l'augmentation régulière des prescriptions diverses.

« Je désire, bien que cela soit contraire aux préceptes de la religion catholique, en finir. Je m'étais fixé un terme pas trop proche mais je sais aujourd'hui que je ne serai même pas capable d'aller jusque-là. J'espère que tu ne m'en tiendras pas trop coupable. Je me serais moi-même imaginé plus fort et je me suis trompé. Mais ne plus avoir le moindre désir et ne plus se supporter sont deux fardeaux épuisants. Je tiens cependant à prendre certaines dispositions et parmi celles-ci organiser vaguement, sans rien y connaître, la cérémonie religieuse à laquelle je tiens... »

Il me propose plusieurs textes ; il a mis des astérisques à ceux auxquels il est particulièrement attaché. Dans le premier, extrait du livre de Job, celui-ci « maudit le jour de sa naissance »...

Lors de l'une de nos dernières rencontres, il me demande bien plus que ma compréhension : mon éventuelle assistance au geste définitif qu'il prépare. Je n'avais pas envisagé une telle sollicitation. Il ne me paraît pas possible, en lui opposant un refus de principe, de reprendre la main tendue à la porte de l'église. Je repars silencieux. En fait, le sida l'emporte quelques jours plus tard.

À Saint-Eustache, nous sommes très nombreux à entendre le livre de Job et un extrait de la cantate BWV 82 de Jean-Sébastien Bach : « *Ich habe genug.* (J'en ai assez !) » Cette même lassitude extrême, je l'ai vue un jour dans le regard d'un tout jeune homme recroquevillé, muet, sur son lit d'hôpital.

Un regard qui n'était pas adressé à moi, mais à son vieil ours en peluche.

*

Symbole d'un mal planétaire, à l'automne 1993 je perds brutalement un de mes liens symboliques avec la ville de Berlin : pendant une dizaine d'années, Thomas a été mon guide dans cette ville envoûtante et déconcertante. Au milieu des années 1980, c'est avec lui que j'ai vu la ville retrouver, malgré le mur, un début d'unité : simplifications administratives, remise en service d'anciennes lignes de tramway et, surtout, modifications et nouveautés architecturales qui ignorent la monstrueuse séparation. Comme si la circulation sanguine de la ville allait bientôt pouvoir être rétablie, redonnant vie au grand mutilé de l'Europe.

Certes, beaucoup d'observateurs voient bien que le vaste édifice communiste se lézarde ; mais, les yeux rivés sur le politique, ils ne sont pas assez attentifs aux besoins et décisions économiques qui précèdent toujours les grands changements.

Après l'ouverture à la cisaille de la frontière austro-hongroise en avril 1989, je sais que les jeux sont faits. Et, en juillet, les amis qui m'accueillent chaleureusement dans leur merveilleuse maison du Luberon sont surpris du motif que j'invoque pour partir plus rapidement que prévu : « Je veux absolument aller revoir Berlin avant la prochaine chute du mur. » Le soir du 9 novembre, je reçois de nombreux coups de fil, en particulier d'anciens élèves. Mais de cette soirée je garde surtout le regret éternel de n'avoir pas su partir immédiatement là-bas. J'avais si souvent imaginé cet inimaginable au cours de mes longs séjours berlinois…

En avril 1990, je projette un bref séjour à Prague. Je n'imagine pas y aller sans faire le détour par Berlin pour, symboliquement, « passer à l'Est » par la porte de Brandebourg. C'est à quelques mètres, près du Reichstag, que Thomas me tient des propos extrêmement durs qui me troublent profondément : « De l'autre côté, ils sont tout juste bons à gagner des médailles sportives, et encore, en étant dopés… Ils ne nous apportent rien et ne pourront que mendier ce que nous avons construit sans eux. »

Ces paroles de Thomas lui ressemblent si peu que j'ai souvent pensé, depuis, que la maladie qu'il sentait progresser en lui était sans doute pour beaucoup dans sa vision sombre et amère de l'avenir. Trois ans plus tard, en octobre 1993, il m'appelle à Paris.

Je commets l'erreur de décrocher le téléphone au moment où arrivent dans mon bureau, avec Mgr Vingt-Trois, plusieurs responsables financiers de l'archevêché qui viennent discuter d'une possible réhabilitation du 46, rue Montorgueil.

À Thomas, dont je comprends qu'il ne va pas bien, je dis que je vais le rappeler après cette réunion. Il a quitté Berlin pour se rapprocher de sa région natale, sur les bords du Rhin. Il me donne son nouveau numéro, que je note mal. Malgré mes nombreuses recherches, je n'aurai plus jamais de nouvelles de Thomas.

L'élégance, c'est une façon de se mouvoir.
C'est aussi savoir s'adapter à toutes les circonstances de sa vie.
Sans élégance de cœur, il n'y a pas d'élégance.

Yves Saint Laurent.

On ne peut parler de ces « années sida » sans rappeler qu'elles furent aussi celles de solidarités exceptionnelles. Il y eut en particulier ces présences discrètes, méconnues, de voisins, de collègues, d'amis qu'on ne soupçonnait pas, comme aussi de proches dont on s'était éloigné et qui oublièrent alors l'incompréhension, voire la brouille d'un moment, pour retrouver la tendresse et la complicité d'autrefois.

Et si l'on a vu l'engagement de certains artistes lors de soirées de gala, on sait moins leurs veilles auprès d'un lit d'hôpital.

On ne peut deviner, à leurs visages où ont été impeccablement dissimulées toutes traces de fatigue, à leur accueil toujours efficace et attentif, que parmi les personnels de maisons de haute couture nombreux sont celles et ceux qui passent des nuits blanches dans les hôpitaux. Dans certains de ces groupes de luxe décimés – au sens strict du terme –, on me demande de venir partager réflexion et réconfort. J'y observe que les vêtements deviennent plus sombres. Dans une France qui ne porte plus le crêpe au bras d'une veste ou au revers d'un col, on voit apparaître sur cette mode en noir un petit ruban croisé, rouge de cœur et de sang : rappel des disparus, reconnaissance entre « familles » éprouvées, signe d'un combat à mener ensemble au nom d'une fidélité envers les morts et d'une rage de vaincre au nom des vivants en sursis.

Ceux que l'on regarde souvent comme les héros d'*Amour, gloire et beauté* me confient pudiquement leurs angoisses cachées. Et sous les voûtes de Saint-Eustache, où ces créateurs de l'éphémère balbutient leur espoir d'éternité, je m'aperçois – on a autrefois oublié de me dire que l'égérie d'un créateur de mode pouvait aussi être une femme au grand cœur – que l'extrême élégance de Loulou de La Falaise réside d'abord dans sa prévenance attentive à la détresse de l'autre.

À la lumière de toutes ces rencontres et des trésors de générosité qu'elles révèlent, il devient rapidement évident que le témoignage de compassion de la paroisse ne saurait se situer sur les seuls terrains de l'accueil et de l'écoute. D'autant que les personnes qui participent aux obsèques sont particulièrement prodigues au moment de la collecte. Une générosité due au nombre des participants, à leur émotion face à des départs prématurés, mais aussi au fait que beaucoup ont connaissance de l'attention dont la paroisse souhaite entourer tous ceux que touche l'épidémie. Et je ne peux imaginer que l'on en vienne à s'enrichir sur leur dos.

Nous nous s'interrogeons sur ce qu'il nous est possible de faire avec les fonds ainsi rassemblés : ce sera service spécifique mis à la disposition de tous ceux qui doivent faire face non seulement à la maladie, mais aussi à de grandes difficultés financières. Ainsi va naître l'Association Solidarité Sida Saint-Eustache (ASSSE), qui veut favoriser et aider les relations entre les malades et leurs proches.

Nous rejoignons ainsi officiellement tous ceux qui luttent contre la maladie et les phénomènes d'exclusion qu'elle entraîne, et le choix du terrain de la médiation se veut un contrepoint aux incompréhensions, voire ruptures, dans lesquelles certains principes religieux (ou plutôt leur interprétation) ont joué un rôle funeste.

Nous présentons ce projet à l'ensemble des assistantes sociales des associations et des services hospitaliers spécialisés, et c'est avec elles que, pendant cinq ans, nous allons choisir les bénéficiaires et le montant des aides. Cette collaboration permettra de témoigner d'une compassion effective à l'égard des personnes, sans autre critère de jugement que celui de leurs besoins.

Avril 1993 : Paiement d'un billet aller simple pour Marseille à un malade qui voulait aller mourir chez sa sœur et d'un billet aller-retour pour son frère qui l'y a accompagné (1 315 francs). Demandeur : hôpital Necker.

Janvier 1995 : Financement des billets de train pendant un mois à une mère, retraitée habitant à Orléans, qui fait chaque semaine un voyage à Paris pour être aux côtés de son fils (1 000 francs). Demandeur : VLS (Vaincre le sida) à domicile.

Décembre 1995 : Participation aux frais d'hébergement de parents originaires de Corse venus rendre visite à leur fils hospitalisé à Paul-Brousse (1 840 francs). Demandeur : hôpital Paul-Brousse.

Janvier 1997 : Participation au voyage de deuil et préparation de l'avenir de ses enfants au Mali (2 448 francs). Demandeur : Dessine-moi un mouton…

Pour gonfler la « cagnotte » surgit l'idée d'ouvrir, dans un local paroissial, une galerie d'art dont les recettes iraient à l'association. Or, mon curé m'a justement demandé de trouver une utilisation pour un lieu merveilleusement situé au croisement du Forum des Halles et de la rue Montmartre. On l'appelle la « Pointe Saint-Eustache ». Après avoir été, à l'époque des Halles, réservée au mûrissement des bananes, elle a accueilli, pendant plusieurs années, des associations de réfugiés sud-américains fuyant les dictatures de leurs pays. Grâce aux liens tissés à l'occasion de la fête de la Musique, on offre déjà ici chaque mercredi soir des concerts gratuits, « Les Musiques à la Pointe », où de jeunes artistes de talent s'exercent à se produire en public.

Dans un petit bureau attenant se tiennent maintenant les permanences de diverses associations, à quelques minutes de la station de métro/RER Les Halles.

L'ARS en fait partie, ainsi qu'une association de lutte contre les sectes représentée par quatre femmes de fort tempérament qui arrivent avec leur immense générosité et leurs manteaux de vison (en hiver). Très vite, elles accueillent bien d'autres personnes que celles pour lesquelles elles sont spécifiquement mandatées. Leur bonne humeur inaltérable, leur élégance décalée et leur sang-froid – car leurs visiteurs sont parfois un peu agressifs – donnent au lieu la tonalité chaleureuse et originale dont je rêvais. Du reste, deux d'entre elles rejoindront bientôt l'équipe de la galerie. Malheureusement, Jacqueline, ancienne résistante rescapée de Ravensbrück, nous sera rapidement enlevée par un cancer foudroyant. Elle demeure jusqu'au bout digne, pudique... et sans trop d'espoir sur un éventuel paradis. C'est d'ailleurs ce doute profond qui a animé son désir d'engagement : l'existence d'un monde meilleur dans l'au-delà étant pour elle beaucoup trop incertaine, elle a préféré agir ici-bas.

La Caisse d'allocations familiales aura là quelques heures de permanence où naîtront des liens précieux pour la fondation de Cerise. On y voit aussi certains jours Kate Barry, la fille aînée de Jane Birkin, qui informe sur sa fondation les personnes touchées par la toxicomanie. Dans la grande salle, il y a très vite de multiples réunions liées à toutes ces associations, en particulier des groupes de Narcotiques anonymes, qui eux aussi commencent à être durement frappés par le sida.

C'est là qu'Olivier Abel, professeur à la Faculté de théologie protestante, organisera deux « nuits de philosophie » ; manière pour moi de mettre en acte une communauté de foi chrétienne dépassant des divisions d'un autre âge.

Le projet galerie est également lié à une rencontre déterminante dans cette aventure. Lors de la préparation d'une cérémonie d'obsèques, je reçois la visite de Suzanne Pagé, alors conservateur en chef du musée d'Art moderne de la Ville de Paris, accompagnée de deux de ses collaboratrices. Elles ont une demande un peu délicate à formuler, mais une confiance réciproque s'établit rapidement entre nous. Au terme de l'entretien, Suzanne Pagé a le malheur de me dire que, si un jour elle peut me rendre un service en retour, je ne dois pas hésiter à revenir vers elle.

Quelques mois plus tard, mon amie Flavie (qui a les compétences que n'ai pas) et moi-même élaborons l'idée d'une galerie qui accueillerait de jeunes talents dont les œuvres seraient vendues moitié à leur profit, moitié au profit de l'Association Solidarité Sida Saint-Eustache. Mais ce lieu doit être une passerelle vers les artistes de notre temps, pas une galerie d'art paroissiale accueillant les œuvres des amis et voisins. Il doit présenter les meilleures garanties professionnelles. C'est bien pourquoi, même si j'éprouve depuis quelques années un intérêt personnel pour le travail de jeunes artistes peintres, il est hors de question que je m'institue responsable artistique de la programmation. Je vais donc en parler à Suzanne Pagé.

C'est une femme de parole, mais c'est aussi – et c'est d'ailleurs pour cela que je vais la voir – une femme extrêmement exigeante dans tout ce qu'elle entreprend. Très vite, elle se dit intéressée et dégage du temps pour plusieurs de ses collaborateurs. Mais elle se montre moins empressée lorsqu'il s'agit d'accorder au projet l'estampille officielle du musée. Or, pour moi, c'est indispensable.

Et comme ce n'est pas directement pour mon bénéfice personnel, je me découvre des réserves d'audace.

Je me souviens très bien de l'endroit et du moment où je fais à Suzanne Pagé ma « demande officielle en mariage ». Je suis, avec Flavie, invité à un brunch dans la somptueuse propriété où Denyse Durand-Ruel, héritière des collectionneurs impressionnistes, a rassemblé plusieurs centaines d'œuvres d'artistes d'après-guerre.

Nous sommes nombreux, mais la maison est suffisamment grande pour qu'il puisse y avoir certaines opportunités d'intimité, et je me retrouve un bref instant seul avec Suzanne Pagé dans le bureau créé par Jean-Pierre Raynaud, tout en céramique blanche, sur fond de green du golf de Saint-Cloud. Un lieu apaisant qui calme ma tension nerveuse.

C'est là que je lui demande si l'on peut écrire sur les cartons d'invitation que la galerie du Forum Saint-Eustache est gérée en collaboration avec le musée d'Art moderne de la Ville de Paris. Elle me répond : « Mettez l'ARC. » Ce sigle, qui signifie « Animation, recherche, confrontation », désigne le département contemporain du musée.

Je repars insatisfait, car je sens bien que, même si j'ai pour ce projet le soutien de responsables au ministère de la Culture, Suzanne Pagé hésite à engager le musée dans une entreprise qui pourrait ne pas maintenir, dans la durée, le niveau de qualité auquel elle est si justement attachée. Il faut reconnaître qu'il y a déjà eu un certain nombre d'initiatives dans des églises, ou en lien avec elles, où créateurs et professionnels du monde artistique ont fait l'expérience d'un malentendu concernant leur liberté de proposition.

Après une mauvaise nuit, je décide de revenir à la charge avec, entre autres, un argument qui n'est peut-être pas le meilleur sur le fond, mais qui est imparable quant à la forme. D'une part, j'assure une nouvelle fois à Suzanne Pagé que seules les personnes de métier auront leur mot à dire dans le cadre que nous avons défini ensemble. De plus, comme elle ne le sait que trop bien, l'ARC est beaucoup moins connu que le musée d'Art moderne et il a l'énorme inconvénient de porter le même nom qu'une association de lutte contre le cancer. J'insiste sur le fait que cela risque de brouiller notre engagement autour du sida… et je finis par obtenir le label tant convoité, avec en plus un texte personnel à insérer dans le dossier de presse.

« À la mémoire de Pierre,

« Ce à quoi je crois, plus que jamais aujourd'hui, c'est à l'art et aux artistes. Je ne suis pas sûre d'avoir à vos yeux les repères les plus orthodoxes mais je m'en tiens à ce que je sais. Je crois ce que je sais et je sais que, dans la hiérarchie, ils sont au plus haut du ciel : c'est sans doute eux que l'on appelle les "anges".

« Un ange a été l'occasion de notre rencontre, en effet. Depuis qu'il a passé plus de douze ans auprès de moi, au sein du musée d'Art moderne, je sais que les anges existent, moins béatement séraphiques que "lucifériens" au sens profond et si beau du terme, thuriféraires de cette lumière noire, née de la douleur et de l'angoisse qui seule nous atteint vraiment et dont le rayonnement traverse les ombres. Que cette nouvelle "galerie" soit le lieu de cette épiphanie-là. »

*

La galerie du Forum Saint-Eustache ouvre le 1er décembre 1992. Ce soir là, la quasi-totalité des membres du comité de parrainage (Jose Alvarez, Didier Grumbach, Jacques Moisant, Andrée Putman...) entourent Christian Boltanski qui présente un jeune artiste allemand, Jakob Gautel. Bruno Masure, lui, est retenu par la présentation du 20 heures sur Antenne 2.

Cyril Collard, dont *Les Nuits fauves* demeurent l'un des films cultes de ces années sida, m'a écrit quelques jours plus tôt que, malgré les multiples développements de son mal, il fera son possible pour être là. Il arrive pour un bref passage, avec à la main un sac de médicaments, illustrant les derniers mots de sa lettre : « Je ne suis pas prêt à me rendre sans me battre. » Mais nous ne dînerons plus jamais ensemble, le dimanche soir, au « Terminus-Nord », et je ne le reverrai plus avant son décès en février.

Dès la seconde exposition (Sarkis y présente Nathalie Elemento), le Forum-Saint-Eustache est présenté par le critique d'art du *Figaro* comme l'un des lieux où l'on pourra dénicher de nouveaux talents et, pendant quatre ans, la galerie sera l'emblème de l'engagement de la paroisse auprès des malades du sida.

*

De ces moments d'amitié et de chaleur autour de la galerie témoigne le présent exceptionnel reçu à Noël 1997. Keith Haring a réalisé peu avant son décès en 1990 un triptyque où l'enfant Jésus, surmonté d'un cœur et les bras grands ouverts, rayonne de douceur au-dessus d'une foule aux poings levés : à travers ces petits personnages, l'artiste exprime la fureur des victimes du mal qui l'emporte. Ce graphisme, on le retrouve alors sur des millions et des millions de T-shirts. Son œuvre, coulée dans du bronze recouvert d'une patine d'or blanc, a été réalisée en peu d'exemplaires : trois sont aux États-Unis, un à Jérusalem et un autre à Hiroshima. Celui que l'artiste souhaitait voir installer à Paris, la Ville propose de l'exposer dans l'une des chapelles latérales de Saint-Eustache, où il rappelle, de manière pérenne, la part prise par la paroisse dans l'élan de solidarité qu'a généré l'épidémie.

Toutes nos initiatives de solidarité ne seront pas aussi « heureuses » que celle de la galerie. Depuis longtemps, je me soucie de ceux qu'on accueille à la Soupe et qu'on laisse repartir dans une nuit pour eux sans étoiles. Avec la tragédie du sida, certains cumulent précarité de ressources et de santé. Quand je présente à mes confrères l'idée d'offrir un petit studio du presbytère à l'un d'entre eux, force est de reconnaître qu'ils manifestent un enthousiasme limité. Pas tant en raison du manque à gagner financier qui s'ajoutera à l'endettement lié à l'abandon de la vente du 46, rue Montorgueil, car la générosité des paroissiens nous permet d'y faire face. Mais ils craignent – et la suite montrera qu'ils n'avaient pas tort – que ce nouveau voisinage vienne troubler la quiétude de la maison.

Pour ma part, j'ai bien conscience que, déjà très pris les uns et les autres par de multiples charges, nous ne pourrons pas consacrer beaucoup de temps à la personne accueillie, et je propose à l'association catholique Basiliade, récemment créée pour visiter et soutenir les malades, d'apporter la présence et l'accompagnement que nous ne pouvons assurer. Avec Basiliade, nous cosignons donc une lettre adressée à Aides, Act Up, Médecins du monde et certains services hospitaliers. Cette proposition de trente mètres carrés gratuits offerts à une personne malade au cœur de Paris leur paraît-elle inimaginable ? En tout cas, personne ne répond au premier courrier. Il faut en envoyer un autre pour préciser que ce n'est pas une blague.

Dans la première comme dans la seconde lettre, nous avons pris soin de préciser que, s'il n'y a aucune condition particulière quant au sexe, à l'âge, à la nationalité ou à la religion, il est cependant des cas trop complexes (dépendance à la drogue, troubles psychiques graves ou stade trop avancé de la maladie) que nous ne saurions prendre en charge.

J'ai pardonné depuis longtemps à l'association qui nous a recommandé celui que j'appellerai ici Jean-François. La situation de détresse et d'isolement qu'elle nous dépeint appelle en effet une solution d'urgence. Et puisqu'il est écrit que le malade a « renoncé à toute prise de produits depuis quelques mois », je donne le feu vert pour son accueil. Dès la première nuit qu'il passe au presbytère, je suis réveillé par la police, qui, heureusement, a appuyé sur ma sonnette plutôt que sur celle d'un de mes confrères qui me tiennent pour un peu fou dans cette histoire. Jean-François vient d'être interpellé à Strasbourg-Saint-Denis, où, le soir, ne sont pas ouvertes que des boutiques d'alimentation... Et cela dure toute la semaine : toujours la nuit, évidemment, quand les volontaires de Basiliade ne peuvent être là. J'en viens à ne dormir que d'un œil, car je veux éviter tout scandale au moment du retour de l'« enfant prodigue ». Qui, bien sûr, chaque midi, me dit qu'il ne recommencera plus jamais.

Au bout de huit jours, je déclare forfait : ma « merveilleuse idée » s'avère « mission impossible ». Et quand un hebdomadaire publie un article vantant les mérites de mon initiative, Jean-François est déjà parti pour le service de long séjour d'un hôpital parisien où il mourra quelques mois plus tard. Sans rancune à notre égard. Car s'il avait quelques défauts, il n'avait vraiment pas celui-là, et il a demandé que ses obsèques soient célébrées à l'église Saint-Eustache !

Il est des jours, au contraire, où tout concourt à donner le sentiment qu'en sollicitant le meilleur de chacun on peut, toutes générations et classes sociales confondues, créer un monde où il fait bon vivre ensemble. Et Dieu lui-même, sans doute étonné et ravi, y va de son coup de pouce et vous envoie un merveilleux soleil d'automne qui, en fin d'après-midi, donne aux yeux une lumière dorée qui vient aussi des cœurs.

La « Kermesse héroïque » du dimanche 5 octobre 1997 fut un de ces jours exceptionnels. À l'origine, un somptueux cadeau d'Yvon Lambert, l'un des plus importants galeristes d'art contemporain, qui donne trente œuvres à l'Association Solidarité Sida Saint-Eustache : Christo, Anselm Kiefer, Sol LeWitt, Annette Messager, Joseph Beuys, Cy Twombly, Jean-Michel Basquiat, Christian Boltanski… C'est ce dernier qui a l'idée d'une kermesse avec tombola.

Nous avons peu de temps pour nous organiser et cela ravit Christian Boltanski, qui veut que ce soit le plus banal et le plus désorganisé possible – comme une vraie kermesse d'école paroissiale où, au « chamboule-tout » et à la pêche à la ligne, on peut gagner toutes les petites horreurs qui encombrent nos maisons et que l'on ne revend pas encore sur Internet. Au bout de quelques semaines, on trouve absolument de tout à la brocante installée dans la crypte de l'église ! Les dons les plus prestigieux (les coussins brodés par François Lesage, les masques en papier à chocolat donnés par Alain Fleischer après leur exposition à Pompidou, les dessins de Guillaume Dégé, de Patrick Pleutin, de Pierre et Gilles et de beaucoup d'autres, ainsi que les bijoux créés par Hervé Van der Straeten) seront réservés aux enveloppes-surprises.

Reste à organiser la tombola. Et l'on découvre que c'est très compliqué : il faut déclarer le projet au Trésor public, avoir l'assistance d'un huissier… On n'y arrivera certainement pas à temps, et toutes ces complications ne sont pas vraiment le genre de la maison. On contourne la difficulté en proposant d'adhérer pour cent francs à l'association Kermesse héroïque.

Les bulletins d'adhésion (rouge et or) sont imaginés par Annette Messager et, dans les jours qui précèdent la kermesse, ils sont déjà proposés sur plusieurs stands à la Fiac. La même semaine, lors du vernissage de la grande exposition Gilbert & George au musée d'Art moderne de la Ville de Paris, Suzanne Pagé est à l'entrée du musée avec ses carnets à souche.

Le 5 octobre à l'aube, de nombreux bénévoles mettent la dernière main à ce qui sera sans doute la kermesse à la fois la plus ringarde et la plus branchée de Paris. Encouragées par le temps superbe, des milliers de personnes – paroissiennes chapeautées au sortir de la messe, étudiants des Beaux-Arts et habitués des Bains-Douches – déambulent joyeusement de midi à vingt heures. Le parcours autour de l'église est balisé par des bannières fabriquées la nuit précédente par Yves Taralon, qui réalisera entre autres le décor du café Marly, au Louvre. Christian Boltanski passe sa journée au Forum Saint-Eustache, où il portraiture ceux qui le souhaitent pour cent francs ; Gloria Friedmann tire les cartes au coin de la rue Montmartre ; Claudie Pierlot a prêté sa boutique, où les enfants peuvent se faire maquiller, et Agnès B. a mis à notre disposition la galerie de la rue du Jour pour y installer le bar, qui est un des endroits à ne pas manquer. En effet, quelques jours avant la fête, j'ai sollicité Jane Birkin. Toujours prête à l'engagement solidaire, elle m'a reçu avec sa gentillesse naturelle dans son antre de la rue Jacob, et il ne m'a pas fallu longtemps pour la convaincre de venir tenir la buvette avec Laurent Voulzy et son inséparable complice Alain Souchon.

À la nuit tombée, on sonne les cloches pour rassembler la foule sur le parvis – ce même parvis qui, occupé pendant les mois d'hiver par la Soupe Saint-Eustache, symbolise une nouvelle fois que les portes d'une église si elles se referment le temps de la prière, doivent ensuite s'ouvrir pour exprimer concrètement, par la charité, la foi proclamée sous les voûtes.

C'est donc là qu'a lieu le tirage de la tombola par Suzanne Pagé, Jean-Jacques Aillagon, alors président du Centre Pompidou, et Alfred Pacquement, directeur de l'École nationale supérieure des beaux-arts. Yvon Lambert et moi annonçons le nom des gagnants. On commence par quelques lots particuliers, offerts par divers artistes et créateurs : le premier gagnant est Jean-Paul Gaultier, qui reçoit une robe de John Galliano, qu'il remet aussitôt en jeu.

Et si le gros lot, l'œuvre de Twombly, est gagnée par Hervé Claude, présentateur du journal télévisé de France 3, c'est un jeune inconnu qui repart, comme dans un rêve, avec sous le bras une superbe photographie de Nan Goldin qui ne lui a coûté que cent francs !

En raccompagnant des amis qui quittent la fête, je croise Yvon Lambert qui repart, seul et sans bruit, allégé de plusieurs millions. Il a sous le bras le lot qu'il a lui-même gagné : un tutu que portait Guesh Patti lors de sa brève carrière de danseuse. La nuit est tombée. Tout est éphémère : la gloire, l'argent, les journées ensoleillées, les solidarités sans frontières... Le lendemain, un article du *Monde* rend compte de l'atmosphère de la journée et conclut : « Les Parisiens, un peu branchés et blasés dans ce quartier, semblent tout excités de "donner pour les bonnes œuvres de la paroisse". »

Celle-ci a récolté 550 000 francs, dont la majeure partie sera envoyée en Afrique, où les besoins sont maintenant plus pressants. Quelque dix ans plus tard, chez Joe Allen, le restaurant américain de la rue Pierre-Lescot – qui ne fut pas le dernier à apporter son concours amical aux engagements paroissiaux –, je me trouve assis à la table voisine de Laurent Voulzy : « Le meilleur moment que nous avons partagé, me dit-il, ce fut cette fameuse kermesse où il y eut tant de rencontres inattendues, tant de générosités spontanées et joyeuses à l'ombre de Saint-Eustache. »

Debout, la mère, pleine de douleur,
se tenait en larmes près de la croix.

Séquence du XIIIe siècle.

En 2005, je reviens à Saint-Eustache pour un 1er décembre particulier. Presque dix ans ont passé depuis l'arrivée des trithérapies ; on pense alors souvent, un peu rapidement, que dans les pays occidentaux le mal est maintenant éradiqué et ne fait plus de victimes. Surtout, on a très vite tourné la page, oubliant le nombre des morts (plus de trente mille en France) et, autour d'eux, tous ceux qu'ils ont laissés définitivement blessés. À commencer par les mères, souvent mises dans le secret de l'homosexualité puis de la maladie de leurs enfants.

Avec le concours de la Fondation de France, je demande à l'écrivain Christophe Huysman de recueillir les confidences de huit d'entre elles, rencontrées autrefois. À partir de ces entretiens, il compose un texte qui est mis en scène à Saint-Eustache le 1er décembre 2005 et que j'introduis par ces quelques mots :

« Elles viennent du cœur de Paris, du bord de la mer, du fond des terres…

175

« Il y a celles qui croient au ciel, celles qui n'y croient pas, celles qui n'y croient plus, celles qui aimeraient y croire. Dispersées, différentes, ces huit femmes n'auraient jamais dû se croiser. Ce qu'elles ont en commun ? Avoir perdu un enfant (pour l'une d'entre elles, deux filles) au plus fort des "années sida".

« Heureusement – du moins dans le monde occidental –, ces temps ne sont plus exactement les mêmes. Je crois cependant important que l'on n'oublie pas ces années-là. Que l'on n'oublie pas ces années de douleurs, de combats, de rejets, de réconciliations, d'abandons, de solidarités, de colère, d'espérance…

« Pour beaucoup, le sida était alors – sans doute encore aujourd'hui, d'ailleurs – une maladie de communautés ou de comportements. Pour ces huit femmes, il ne fut que le mal qui leur prit leur enfant.

« Prêtre dans une paroisse du centre de Paris, je fus le témoin de douleurs intimes, comme de déchirements familiaux. Perdre prématurément un enfant était d'un autre temps ; le perdre, victime du sida, ajoutait souvent la honte au chagrin. Et je garde le souvenir particulier de mères désemparées et solitaires.

« J'ai sollicité le témoignage de ces huit femmes – parmi tellement d'autres croisées alors – pour qu'elles s'associent à mon souci de mémoire. Toutes ont accepté de conter ces vies trop brèves… mais où il n'y avait pas que des souffrances et des larmes.

« Chacune s'est assise. Certaines avec un petit carton de notes. Certaines ont apporté des lettres, ouvert des albums-photos. Chacune s'est assise, ramassée sur ses souvenirs, soucieuse de ne rien oublier d'essentiel…

« Même assise, chacune se tenait debout.

"*Stabat mater.*" En écho à ce poème, chanté aux chemins de croix du vendredi saint. »

J'ai une très grande admiration pour les artistes,
quel que soit leur médium
et même s'ils ne sont pas très bons,
parce qu'ils prennent des risques.
Ils partent de rien pour en faire quelque chose.

Daniel Arasse, historien d'art,
mort de SLA en 2003.

Quand j'arrive à Saint-Eustache, je ne connais rien à l'art contemporain. Quelques années plus tôt, j'ai acquis un premier tableau pour un montant représentant plusieurs mois de mon salaire d'enseignant. C'était une folie ; pas un investissement. Et j'ai passé la nuit suivante à contempler un petit carré des montagnes Rocheuses réalisé à l'acrylique à partir d'une photo projetée sur la toile.

Je ne saurais dire pourquoi j'ai eu le coup de foudre pour cette peinture moins conventionnelle que celles que, jusqu'alors, j'avais vues dans des musées. Si cette acquisition est le premier signe chez moi du virus du collectionneur, j'ignore alors quasiment tout des formes nouvelles d'art plastique où pinceaux et palettes laissent place à de nouveaux moyens d'expression pour des installations au caractère souvent éphémère. Et je n'ai jamais entendu parler d'aucun des artistes qui seront bientôt parrains d'expositions dans la galerie du Forum Saint-Eustache, mais j'aime le monde dans lequel je suis et je n'ai pas trop de préjugés.

Depuis mon arrivée dans le quartier des Halles, je vais régulièrement à la galerie d'Agnès B. qui jouxte l'église ; je croise là et ailleurs des personnes qui comblent un peu l'abîme de mon ignorance. Mais c'est grâce aux nombreuses rencontres que me vaut mon engagement auprès des malades du sida que je vais soudain être projeté dans un monde inconnu, et si hermétique pour beaucoup de gens appartenant à ma génération et à mon milieu d'origine.

Je bénéficie alors de la bienveillance de quelques médiateurs : Suzanne Pagé, bien sûr, mais aussi Jean-Jacques Aillagon, dont la fidélité amicale, jamais démentie, permettra certains des meilleurs projets. Il y a aussi deux soldats de l'ombre : Alain Crombecque, directeur du Festival d'automne, et Didier Semin, professeur à l'École nationale supérieure des beaux-arts. Ascètes, puits de culture, curieux des êtres et des choses sans *a priori*, attachés aux valeurs évangéliques mais découragés par le fossé séparant tant d'hommes d'Église de la société et des réalités de leur temps, ils ont aussi en commun une profonde modestie qui fait d'eux les passeurs, le plus souvent invisibles, du talent des autres, et une réserve naturelle qui transforme les points de vue qu'ils expriment en autant de paroles d'or.

Avec Alain Crombecque, le « moine militant », la relation est assez distante : quand il est abîmé dans le silence de ses pensées, je dois prendre mon courage à deux mains pour oser une demande ou risquer un avis. C'est le cas en 2000, quand il vient me proposer de présenter dans une salle attenante à Saint-Eustache la vidéo de Bill Viola mettant en scène la Visitation. Saint Luc raconte ce moment où se croisent les mystères de deux femmes : Marie, enceinte par l'Esprit, et Élisabeth, sa cousine, attendant elle aussi un enfant, certes venu par des voies moins mystérieuses, mais à un âge où elle ne pouvait plus l'espérer. Bien sûr, j'accueille volontiers l'offre qui nous est faite, mais pas question pour moi que nous installions les images de Bill Viola en dehors de l'église. Certes, il faudra régler des problèmes techniques complexes et tenir compte des obligations de l'endroit. Mais cette page d'Évangile, avec ses enluminures du XXIᵉ siècle, je veux que nous l'ouvrions ensemble sous les voûtes où, chaque jour, se proclame la parole de Dieu.

Le soir du vernissage, des centaines de visiteurs se pressent dans la nef. Alain Crombecque accueille les uns et les autres avec son habituelle retenue, mais je vois au fond de ses yeux l'expression d'une joie partagée entre complices pour ce moment exceptionnel où, au cœur de Paris, « la Parole faite chair habitait parmi nous » et se propose, dans le langage du temps, comme lumière pour les hommes et les femmes d'aujourd'hui. Je ne sais si, maintenant qu'il est là-haut, il a pu parler avec Marie et Élisabeth de la manière dont on conta leur rencontre à Saint-Eustache !

Ce que j'ai appris des meilleurs auxquels j'ai décidé de faire confiance, quelles que soient leurs convictions personnelles, c'est à la fois le respect qu'ils ont pour la liberté de l'artiste, et celui qu'ils auront toujours pour le lieu qui se propose de l'accueillir.

Autant je souhaite rapprocher mes paroissiens des manifestations d'un art avec lequel beaucoup – comme moi, à certains jours – ont une relation difficile, autant je veille (surtout quand l'intervention a lieu dans l'église même) à ce qu'ils soient autant respectés que le lieu où ils viennent proclamer ou balbutier la foi qui les habite ou qu'ils recherchent. Le plus grand moment qu'ainsi nous avons vécu ensemble est certainement la participation de Christian Boltanski à la semaine sainte 1994. Je lui ai proposé d'intervenir non seulement dans l'église mais dans le cadre même de la liturgie pascale. Il a toute liberté d'action, nous sommes prêts à déménager bien des choses dans le bâtiment. Je n'y mets qu'une condition : que tous les paroissiens puissent être parties prenantes.

J'ai bien conscience que je ne récolterai pas que de la bienveillance en cas d'erreur. Pour l'artiste aussi, agir dans l'espace sacré, et à l'intérieur même de la célébration, représente un enjeu et un investissement personnels très particuliers. Ces risques partagés, assumés ensemble – des risques créant un lien étroit entre l'artiste et le prêtre – seront pour beaucoup dans la justesse et la force de l'intervention, qui rejoindra ainsi modestement ce mystère pascal où nous célébrons Dieu venu partager le risque des hommes jusque dans sa mort, tragique, sur une croix.

Dans les mois qui précèdent, Christian Boltanski passe des heures dans le bâtiment, rencontre plusieurs fois l'équipe paroissiale et échange beaucoup avec moi. Son histoire et son talent feront le reste. Le jeudi, jour du partage, les paroissiens sont invités, en quittant l'office de la Cène, à abandonner un manteau sur leur chaise. Dans la nuit du jeudi au vendredi, nous aidons Christian Boltanski à « coucher » plusieurs centaines de manteaux dans la nef. Trois manteaux sur la première marche du chœur y symbolisent le Christ entre les deux larrons et tous les luminaires de l'église sont voilés de crêpe. C'est dans cet impressionnant décor, où chaque vêtement semble être une dépouille, que, le vendredi, nous célébrons l'office de la Passion.

Depuis le matin, je sais que la seule clause imposée à l'artiste a été parfaitement respectée. D'ailleurs une voisine m'appelle pour me dire : « Vous savez, monsieur le curé, j'ai donné l'un de mes plus beaux manteaux... et j'ai même laissé le col de fourrure. » Le matin de Pâques, les manteaux empilés de chaque côté de la porte principale de l'église sont pris un par un par les fidèles et mis dans des fourgonnettes qui les emporteront en Bosnie – nous sommes alors en plein conflit –, où ces manteaux retrouveront vie sur les épaules de personnes qui vivent le dénuement de la guerre.

Des années plus tard, dans sa façon de célébrer les offices de la semaine sainte, Saint-Eustache se souvient de la magistrale leçon de 1994 : pour témoigner du mystère pascal à travers la liturgie – qui ne saurait être sans lien avec ses actions caritatives – il faut savoir se mettre en péril, afin de rester un lieu qui interroge et ne laisse pas indemne. Ainsi confrontée à la mission d'annoncer une parole d'espérance au cœur de la cité qui semble en être de plus en plus éloignée, l'Église ne peut le faire qu'avec les meilleurs talents : « On a une cathédrale à bâtir ? » disait le père dominicain Marie-Alain Couturier, l'un des principaux acteurs du renouveau de l'art sacré dans l'après-guerre. « On se dira : il doit y avoir au monde un architecte qui est le plus grand architecte du monde. C'est celui-là qui en est digne et qui en est capable. »

La restauration de la chapelle dite des Charcutiers – dont le décor du XVIIIe a brûlé avec la crèche de Marie Mercié – est, elle aussi, l'occasion d'une laborieuse mais fructueuse médiation. Parmi les traces qui demeurent de la « cathédrale des Halles », il y a les liens toujours étroits entre la paroisse et la confédération des charcutiers-traiteurs de France qui, à travers l'association Le Souvenir, fait célébrer chaque année en novembre une messe pour les morts de la profession et veille à l'entretien de la chapelle dédiée à la corporation. L'idée de confier la restauration de cette chapelle à un artiste contemporain permettait d'ouvrir une nouvelle fois Saint-Eustache au talent d'un créateur et en même temps, par le biais des « Nouveaux commanditaires » de la Fondation de France, de trouver les financements nécessaires. L'aventure s'annonçait complexe ; heureusement, il y avait monsieur Hilaire (on ne le connaît que par ce prénom), président du Souvenir. C'est lui qui veille chaque année à l'organisation de la messe, créée il y a un peu plus de deux siècles à la mémoire des victimes des campagnes napoléoniennes et qui se perpétue depuis lors, associant maintenant aux morts des guerres les derniers défunts du métier, davantage touchés aujourd'hui par le cholestérol. Elle est suivie d'un pantagruélique buffet servi dans l'église même. Tout cela pourrait toucher au pire ; grâce à monsieur Hilaire, à sa faconde, à ses convictions généreuses et à son attachement au lieu, on a le meilleur. Depuis que j'ai quitté Saint-Eustache, il m'arrive parfois, par amitié pour lui, d'assister à la messe du Souvenir, mais, de toute façon, nous avons régulièrement nos rencontres/confessions… au « Pied-de-Cochon » !

Que l'art soit passerelle entre l'Église et nos sociétés, ne va pas de soi. Le confirment les confidences d'Alain Crombecque, qui tient à ouvrir chaque année le Festival d'automne dans la chapelle de l'hôpital de la Pitié-Salpêtrière. En 2005, l'œuvre présentée, *Sœurs, saintes et sybilles*, est une vidéo de Nan Goldin dédiée à sa sœur Barbara : jugée psychologiquement malade alors qu'elle était simplement en pleine crise d'adolescence, celle-ci, dans l'Amérique des années 1960, a été victime d'un internement abusif qui l'a conduite à se jeter sous un train à l'âge de dix-huit ans. À travers images et texte, Nan Goldin témoigne superbement et atrocement de ce drame familial.

Mais la vidéo fait du bruit, et surtout elle évoque un suicide... dans une église. De plus, Nan Goldin établit un lien entre le destin de sa sœur et celui de sainte Barbe, princesse turque du IVe siècle enfermée par son père, qui voulait protéger sa virginité et qui la fit exécuter parce que, convertie au christianisme, elle avait fait ouvrir une troisième fenêtre à sa prison pour honorer la Trinité. Un rapprochement qui n'arrange vraiment pas les choses.

Pour l'aumônier en fonctions, sans doute peu préparé à gérer une manifestation qu'il n'a pas choisie, la situation n'est pas simple. Mais je le pense surtout peu enclin à la rencontre avec un monde qu'il estime, sans doute un peu vite, ne pas être le sien, et auquel il ne sait qu'opposer des droits et des principes, tellement dérisoires par rapport à l'expression d'une douleur qui fait écho aux drames humains que vivent un certain nombre de ceux qui sont, au même moment, alités dans l'hôpital.

Je reviens avec un collègue supérieur général, américain comme Nan Goldin, le dernier jour de l'exposition. On nous apprend que celle-ci est fermée. Et, comme pour bien montrer que l'on procède sans plus tarder aux purifications nécessaires, on nous explique qu'à la place il y a là des prêtres qui peuvent recevoir nos confessions !

Certes, les supérieurs généraux ont sans doute beaucoup de choses à se faire pardonner. Mais je suis furieux que l'on traite ainsi l'œuvre présentée, et triste pour l'image que nous donnons, une nouvelle fois, à ceux qui viennent la visiter. On est décidément bien loin de l'esprit et des mots du père Couturier, ami de Matisse, Léger, Le Corbusier : « Le génie d'un athée rend plus gloire à Dieu que la médiocrité d'un chrétien. Certes, le génie ne donne pas la foi, mais il y a, entre l'inspiration mystique et celle des héros ou des grands artistes, une trop profonde analogie pour que le préjugé favorable ne soit pas d'emblée en leur faveur. »

Je n'ai jamais pensé que nos églises devaient, sous prétexte d'être dans le vent, accueillir toutes les manifestations artistiques qui leur sont proposées. Pas plus qu'il ne faut le faire si nous le vivons comme une concession à notre propriétaire, comme ces dernières années lors des Nuits blanches organisées par la Ville de Paris. Un propriétaire qui ne manque pas de nous rappeler, avec raison, que les bâtiments religieux ne nous sont « affectés » qu'à des fins cultuelles.

Au contraire, j'ai souvent dit à mes successeurs à Saint-Eustache que nous ne devions pas nous substituer aux professionnels, qu'il ne nous fallait accueillir que ce à quoi nous adhérions, et que toute intervention dans l'église devait être précédée de deux questions : Pourquoi là ? À ce moment-là ?

Version simplifiée d'un sage principe conciliaire : « Que l'art de notre époque et celui de tous les peuples, et de toutes les nations, ait lui aussi, dans l'Église, liberté de s'exercer, pourvu qu'il serve les édifices et les rites sacrés avec le respect et l'honneur qui leur sont dus » (Constitution sur la liturgie, art. 123).

J'ai eu sur ces questions – et d'autres – des rapports parfois tendus avec le vicaire général qui a succédé à Mgr Vingt-Trois dans la responsabilité des arrondissements du centre. Ainsi ce déjeuner désastreux au presbytère, en pleine préparation des festivités devant marquer l'entrée dans le IIIe millénaire. Jean-Jacques Aillagon en a la responsabilité nationale et le vicaire général m'a demandé de favoriser la rencontre. Jean-Jacques Aillagon arrive avec sous le bras la maquette du livre de photos intitulé *I.N.R.I.* que Bettina Rheims s'apprête à publier. En guise d'apéritif, il le glisse à notre interlocuteur en sollicitant très respectueusement son avis. Sur la couverture, le Christ est représenté par une femme crucifiée. Ce n'est certainement pas ce que l'artiste a produit de meilleur et c'est inutilement provocateur. Pour l'instant, je regarde l'évêque tourner les pages en passant par toutes les couleurs. Mais, au moment où va tomber la condamnation, Jean-Jacques Aillagon sort sa martingale : quelques jours plus tôt, alors qu'il se trouvait dans l'atelier de l'artiste en compagnie d'un autre évêque auxiliaire – dont on dit souvent le goût pour l'univers médiatique –, celui-ci a eu des paroles flatteuses. Je sens que le repas va devenir difficile...

Quelques semaines plus tard, la tension monte d'un cran lors de la réunion des prêtres et religieuses du quartier Le Louvre-Les Halles, dont j'ai été nommé doyen par Mgr Vingt-Trois. Le thème est à nouveau la préparation du passage à l'an 2000. L'évêque nous fait part d'un projet diocésain : quatre cortèges de jeunes, jouant chacun d'un même instrument de musique, convergeront des quatre coins de Paris vers Notre-Dame. (J'ai un peu le sentiment que l'on s'est inspiré des quatre cortèges de géants de la Coupe du Monde de 1998, mais je me garde bien de le faire remarquer.)

Les quatre cortèges se rassembleront sur le quai de Montebello, sur la rive de la Seine qui longe la cathédrale, et au douzième coup de minuit musiques et fidèles entonneront le Magnificat. Je ne suis pas sûr, pour ma part, d'avoir envie de me trouver là, mais pour l'instant je garde mes pensées pour moi et donne la parole à l'auditoire. Rompant le silence qui s'installe, l'évêque croit bon de préciser : « Et après, comme sur les Champs-Élysées, nous aussi nous boirons le champagne, mais nous, nous saurons pourquoi. »

L'assemblée demeurant silencieuse, je ne peux m'empêcher, au bout de quelques minutes, de faire part de mon étonnement : il y aurait ainsi une « réserve » de catholiques qui, aux abords de Notre-Dame, connaîtraient le sens du IIIe millénaire, alors que les fêtards du 8e arrondissement, eux, n'en sauraient rien ?

S'il me paraît normal que les chrétiens expriment leur conviction que le Christ peut donner sens à leur vie et à notre histoire – et pour cela, la célébration de Noël 1999 serait sûrement plus indiquée que le 31 décembre –, il me semble en revanche bien étrange que l'on découpe ainsi l'humanité entre ceux qui ont l'explication du monde et de leur propre destin et ceux qui ne s'en préoccuperaient même pas. Le rassemblement de la Saint-Sylvestre sur les bords de Seine n'a jamais eu lieu.

Quatre ans plus tard, à la Toussaint 2004, Paris, après Vienne et avant Lisbonne et Bruxelles, organise un grand week-end d'évangélisation sur le modèle pentecôtiste. Il s'agit de prolonger la croisade « Holy wins » qui, depuis quelques années, mène la guerre à un Halloween pourtant lui-même très essoufflé.

Dans ces combats d'un nouveau genre, les idées comme les mots sont binaires : c'est la grande lutte de la culture de vie contre la culture de mort, séparées par un mur que l'on compare volontiers à celui qui, il y a peu, coupait en deux l'Europe et le monde.

Sur le parvis de Notre-Dame, on s'emploie pendant quatre jours à être résolument branché : T-shirts créés pour la circonstance (d'où émergent tout de même les cols relevés des polos Lacoste), orchestres de rock chrétien et dévoilement d'une croix de dix-sept mètres de haut présentée comme l'expression d'un art contemporain qui doit absolument être associé à une telle manifestation. Cette inévitable concession à la modernité n'est en fait qu'une banale croix de bois sur laquelle Hubert Damon – qui serait sans doute très surpris d'être présenté comme un artiste d'avant-garde – a fait grimper quelques pampres de vigne en métal figurant l'arbre de Vie. Le tout est installé au bout de l'esplanade opposé à la basilique, tout près de la préfecture de police. Le seul risque est que cette œuvre, un moment présentée comme pérenne, ne reçoive pas l'agrément de ceux qui ont pour mission de veiller sur les plus beaux sites de la capitale – et ce fut heureusement le cas !

Ce qui me dérange, ce n'est pas le classicisme de l'œuvre, mais son côté dérisoire par rapport à la cathédrale Notre-Dame et toute cette opération aux allures publicitaires. J'ai le sentiment que bien des catholiques cachent mal, derrière ces apparences conquérantes et cette volonté de modernité – bridée par d'étranges réflexes de défense –, une interrogation profonde sur la capacité de l'Évangile à toucher encore les hommes et les femmes d'aujourd'hui.

Nous voudrions leur parler, mais nous commençons trop souvent par les juger ; nous mettant ainsi en situation de ne plus être des leurs, nous ne savons plus comment les rejoindre. Et les mêmes qui regrettent tellement que, dans la Constitution de l'Europe, on n'ait pas évoqué ses racines chrétiennes n'ont toujours pas compris que si, au cours des siècles, les chrétiens s'étaient montrés plus ouverts aux évolutions politiques, plus attentifs aux injustices sociales, plus enclins à l'accueil de l'autre, plus fraternels pour leurs prochains, il eût sans doute été plus largement accepté que l'on fasse mémoire de l'Europe des cathédrales. Car ce ne sont pas celles-ci qui sont refusées, mais ce qu'à certains jours nous en faisons.

Frappez et l'on vous ouvrira !

Matthieu, VII, 7.

La vie d'une paroisse – fût-elle située au centre de Paris – ne saurait se résumer à quelques réalisations spectaculaires. Et, si généreuses soient-elles, elles ne sauraient être un alibi nous évitant d'accueillir au quotidien tous ceux qui, pour des raisons diverses, franchissent le seuil de l'église ou nous arrêtent dans une rue du quartier – quand on devient curé, les personnes âgées nous parlent comme à leur médecin ou à leur notaire ! – pour partager une joie, poser une question de foi, confier un souci, exprimer une détresse. Seule une cohérence d'ensemble peut permettre l'expression claire d'une fraternité que nous aimons invoquer et à laquelle nous ne cessons d'inviter.

L'accueil – attention portée au mystère de l'autre à partir d'un plus juste regard porté sur notre mystère propre –, la façon d'inviter à respecter la paix du lieu et sa fonction pour les croyants qui s'y rassemblent, la manière d'échanger avec ceux qui viennent demander un cierge ou des messes pour qu'ils n'engagent pas une dépense hors de leurs moyens ou n'y

187

lient un espoir qui ne pourra qu'être déçu, le ton des prédications qu'on y prononce, la façon dont on traite les personnels qui y travaillent et qui doivent veiller à la beauté du lieu, à son bon ordre comme à son atmosphère apaisante : tout cela doit être en harmonie.

Dès ma nomination comme curé, c'est d'ailleurs au nom de cette cohérence que je demande à Jean-Luc Jeener de plus donner de spectacles dans la crypte paroissiale. Non qu'il soit sans talent, mais le regard sans nuance qu'il porte sur le monde l'amène à présenter là des héros cornéliens qui, animés d'une foi sans faille, font toujours des choix héroïques qui leur assurent le paradis, d'où ils portent un regard sévère sur tous ceux que le manque de volonté (car bien sûr, il ne peut s'agir que de cela) entraîne vers de moins nobles existences.

Ils n'ont rien à voir avec ceux que l'on reçoit à la Soupe Saint-Eustache, à l'autre bout du bâtiment, ou ceux qui viennent frapper au petit bureau vitré où est assurée une permanence d'accueil, ce qui ajoute à la présence réelle du saint sacrement, qu'une petite lumière rouge signale dans chaque église, le regard bienveillant d'un visage humain.

Rien à voir non plus avec cette femme que je trouve à l'une des portes, un matin de fin d'hiver, appuyée sur une béquille et une vieille valise dans l'autre main. Elle arrive d'une petite ville du nord de la France où elle a élevé huit enfants, imposés par un mari avec lequel il n'y avait sans doute pas beaucoup d'échanges préalables. Et d'autres violences n'ont sans doute pas manqué. Cette femme a brusquement décidé, la veille au soir, que cela avait assez duré et pris le premier train du matin. Cette décision, qu'elle a mis des années à mûrir, est maintenant une résolution sans possible retour en arrière, quelle que soit la précarité de son avenir.

Après plusieurs heures de conversation, elle me donne les coordonnées de deux de ses enfants avec lesquels elle m'autorise à entrer en contact. Car si ses maternités forcées l'ont définitivement éloignée de son mari, elles n'ont pas entamé l'affection qu'elle porte à ceux auxquels elle a donné le jour. Avec son récit murmuré sans gémissement et sa tranquille détermination, c'est comme si une manifestation du droit – si souvent bafoué – des femmes avait envahi l'église, et sa béquille et son bagage de carton bouilli valent tous les calicots. Le soir, je l'accompagne chez les sœurs de Mère Teresa où elle passera plusieurs jours, jusqu'à ce qu'une de ses filles vienne la chercher pour une vie que j'espère nouvelle.

Il y a aussi cette femme antillaise qui, un dimanche après-midi, me pose d'entrée de jeu cette question : « Est-il bien vrai que le pape est hostile à la pilule contraceptive ? » Elle non plus n'étale pas sa vie quotidienne, mais j'imagine qu'il ne lui est pas facile d'opposer un refus ou des conditions aux demandes de son époux. Tout en lui confirmant ce qu'elle sait (lui mentirais-je qu'elle ne me croirait pas), j'essaie d'adoucir le précepte en expliquant qu'il traite de manière générale et idéale de situations qui sont intimes et particulières. Mais cette femme n'entend pas les atténuations que j'essaie de mettre à l'interdit pontifical et se met à pleurer.

Heureux temps où le curé exerçait sa mission de pasteur éclairé non par une encyclique mais par sa prière… et son bon sens ! J'ai beau en rajouter un peu sur les accommodements possibles, elle ne m'écoute pas, me repose la question et, ma réponse se faisant plus embrouillée, repart en larmes.

Cette autre femme arrive dès l'ouverture de l'église. Elle a rendez-vous le lendemain matin pour un avortement. Elle est jeune, vit seule dans un squat, sans travail, et a déjà un enfant d'un autre compagnon. Cette fois encore, je me dis qu'à la question qu'elle vient me poser elle a déjà sa propre réponse, puisqu'elle a choisi de demander l'avis d'un prêtre et non d'aller frapper au planning familial. Elle ne vient pas non plus demander une aide matérielle ; elle souhaite échanger avec quelqu'un qui la confortera dans le choix pourtant difficile qu'elle a déjà fait. À première vue, cela peut paraître assez confortable pour moi, puisque pour une fois je ne suis pas écartelé entre l'enseignement officiel de l'Église et l'empathie qu'il est normal d'avoir pour celles et ceux qui viennent confier leurs peines.

Et pourtant, parce que je n'ai ni les moyens ni la générosité de prendre en charge les multiples problèmes pratiques auxquels elle doit faire face – ce que je lui dis –, je ne me résous pas à une réponse simple, mais qui m'implique si peu. Elle passe une grande partie de la journée à l'église. Nos échanges sont entrecoupés de moments où je la laisse seule et d'autres où elle s'entretient avec un de mes cousins, jeune médecin, que j'ai appelé à l'aide. Elle me donnera plusieurs fois des nouvelles de son second enfant.

Il y a ces hommes qui viennent me parler de leur déprime. Certes, cela ne leur est pas réservé, même si pour beaucoup d'entre eux c'est « une maladie de femmes » – en tout cas « une maladie de faibles », qu'ils ont du mal à accepter et encore plus à confier. D'autant que, même si l'Église porte aujourd'hui un regard plus compréhensif sur le sujet, beaucoup de ses membres ne parviennent pas à se débarrasser d'un vocabulaire culpabilisant. Tel ce journaliste de Radio Notre-Dame disant d'un chrétien confronté à une épreuve : « Loin de se laisser aller à la dépression… »

Pour accueillir et tenter de comprendre, il n'est pas indifférent d'être un jour passé par là, et de le reconnaître. À l'automne 1987, le souci qui précède chacune de mes prédications dominicales est devenu un véritable tourment. J'ai du mal à parler « d'en haut » à une assemblée largement anonyme qui a si peu droit à la critique ou à la controverse. « Malheur à moi si je n'annonçais pas l'Évangile », dit saint Paul aux Corinthiens. Certes, mais comment transmettre la parole de Dieu sans l'affadir, et en même temps sans craindre de blesser celle ou celui qui ne s'estime pas à la hauteur ? Pendant six mois, ce dilemme anxiogène me réduit à un silence que beaucoup – mon curé le premier – ne comprennent pas.

Le jour où il est décidé que je reprendrai l'exercice avec tous les bêtabloquants nécessaires, je vais passer la « dernière heure » précédant le moment fatidique sur la pelouse du jardin des Halles. J'y retrouve un homme qui fait habituellement la manche à la porte de l'église et avec lequel j'ai tissé des liens amicaux. Je lui fais part de mes angoisses. Il a une manière de s'y intéresser et de me réconforter qui me fait prendre conscience que, tout de même, le plus démuni des deux n'est sans doute pas moi. En tout cas, grâce à lui, l'heure est passée plus vite. Je fais court et j'ajuste bien le Témesta. Mais je n'ai toujours pas oublié la dette que j'ai envers Alphonse.

Ceux qui m'ont connu enseignant, ou qui m'entendent aujourd'hui dans d'autres lieux, ne savent pas quels scrupules me saisissent à l'idée de parler cinq minutes à l'église. Et sans doute prennent-ils mon habitude de prêcher derrière le massif maître-autel pour une fantaisie liturgique alors que, tout simplement, il me fait moins redouter une perte d'équilibre que le fragile pupitre d'où on adresse habituellement l'homélie. Et pourtant, même ainsi protégé, je suis encore parfois victime de suées abondantes.

Au chapitre « scrupules », on trouve aussi l'accueil des personnes en confession. Beaucoup de nos paroissiens se contentaient très bien des célébrations pénitentielles communautaires avec absolution collective qui s'étaient développées les années précédentes. Leur interdiction au début des années 1990 (elles ne sont alors que plus ou moins tolérées suivant les évêques) ne nous ramène pas les foules au confessionnal. Et les premières célébrations que nous organisons ensuite traduisent notre embarras pastoral et liturgique devant la situation nouvelle (comment faire en sorte que le pécheur reparte avec le sentiment d'un pardon alors qu'il n'y a plus de rite sacramentel ?) et suscitent, de ce fait, peu d'enthousiasme chez une large majorité de nos fidèles.

Cette situation me conduit à rassembler, pour un après-midi de réflexion, tous les prêtres de la paroisse et de nombreux laïques que je souhaite inviter à une parole libre sur une pratique que beaucoup ont abandonnée – et dont ils ont conservé des souvenirs divers ! Le curé n'est pas le dernier à s'interroger sur le sujet, et traîne autant les pieds pour « aller à confesse » que nombre de ses paroissiens.

Il est vite clair que, pour bon nombre d'entre nous, le retour pur et simple au confessionnal d'antan apparaît comme une régression évoquant non pas tant le retour vers le Père qu'illustre la parabole de l'Enfant prodigue que le sentiment de revenir à la nudité d'Adam qui ne sait pas très bien où cacher sa pomme. Chez certains aussi, il y a la crainte d'un retour à une Église maîtresse des consciences individuelles, qui pourrait ainsi établir grâce à des rendez-vous mensuels un peu obligés des fiches de nos vagabondages. De plus, l'évolution des mœurs a creusé un large fossé entre ce qui est faute pour les uns et ne l'est pas pour les autres. Chacun dit ce qu'il a sur le cœur : « dégoût d'une routine », « souvenirs de confesseurs perçus comme impitoyables, voire pervers », « pratique trop individualiste », « confusion des genres », « refus d'une religion de la soumission ou de la peur qui dénature le visage du Dieu d'amour »… Et pourtant, nous prenons acte ensemble que, ces dernières années, certaines personnes, revenant à une pratique religieuse abandonnée pendant quinze ou vingt ans, expriment le besoin de retrouver une paix qui n'est pas celle que le monde – ou l'analyse – peut donner.

D'où l'idée de proposer une « journée du pardon », inspirée d'une expérience pratiquée à Saint-Pierre-de-Montrouge, pour exprimer d'une manière forte et communautaire qu'on ne saurait guetter un Sauveur sans dire notre besoin d'être sauvés et qu'on ne saurait accueillir ce salut à Pâques sans être en paix avec Dieu, avec nos frères, avec nous-mêmes. Nous invitons chacun, ce jour-là, à passer un moment à l'église pour un recueillement personnel ou une autre démarche ; il s'agit de permettre au visiteur de s'envelopper à sa manière dans le « manteau de pardon » de Dieu dont nous parle le psaume 104.

Le fait qu'aient été pris en compte les appréciations, regrets ou réticences des uns et des autres met chacun plus à l'aise, et dès la première année il y a un important passage. Nombreux sont ceux qui font à nouveau une démarche à laquelle ils avaient renoncé. À quelques jours de Pâques, ce moment de réconciliation, vécu selon des modalités diverses mais dans le lieu commun où nous célébrerons le Christ ressuscité, n'est pas pour rien dans la ferveur et la fraternité de la fête.

Le curé n'échappe pas (bien que ce genre de démarche soit difficile pour mon ego) à cet impérieux appel de Paul aux Corinthiens qui ouvre chaque année le temps du carême : « Frères, je vous en supplie, au nom du Christ, laissez-vous réconcilier avec Dieu. »

J'ai gardé un souvenir exceptionnel de ma dernière journée du pardon à Saint-Eustache. À quelques heures d'écart, je reçois la visite de trois femmes qui, chacune à leur manière, me confient leur parcours : après avoir été mères au foyer, elles ont ensuite gagné le terrain professionnel où elles ont développé des compétences, acquis une reconnaissance, bref, révélé une part d'elles-mêmes dont elles n'avaient pas idée vingt ans auparavant. Elles voient maintenant venir avec inquiétude l'heure de la retraite, en même temps qu'arrivent des signes qui, aux yeux de certains (voire de leur propre compagnon), les rendent moins séduisantes que leurs cadettes. Elles s'imaginent mal revenir à une vie uniquement familiale mais éprouvent, non sans raisons, quelques réticences à rejoindre certains groupes bénévoles.

Rien jusque-là que de très banal. Mais toutes trois ajoutent que c'est le ton de nos interrogations sur la confession qui leur a permis d'oser parler de leur souci ; elles ont pensé qu'ici il ne serait pas trop vite interprété comme un coupable égocentrisme ou la manifestation d'un féminisme agressif. À toutes trois, en effet, leurs curés (je dois « confesser » qu'elles viennent d'ailleurs) ont proposé « des activités de grands-mères » (me dit l'une d'entre elles) qui s'inscrivent dans une tonalité générale qu'elles ne supportent pas. « C'est une grâce pour une paroisse d'avoir des femmes disponibles », écrit un curé du 7e arrondissement dans le bulletin municipal.

Au mot « disponibles » d'autres préfèrent « serviables », « dévouées », « intuitives », « accueillantes », « discrètes »... « maternelles », évidemment ! On croirait lire l'adage d'outre-Rhin qui vouait la femme aux trois K : *Kirche* (église), *Küche* (cuisine), *Kinder* (enfants).

Il ne manque pas dans l'histoire de vierges héroïques et martyres, de princesses au pied bot devenues épouses bafouées mais mères scrupuleuses, de veuves distribuant tous leurs biens avant de s'enfermer au couvent. Et si Marie reste exemplaire dans la foi en son Dieu et son adhésion sans faille à la mission de son fils, elle n'est pas pour autant un modèle à la portée de toutes ! On sait d'ailleurs beaucoup moins de choses sur son caractère et son quotidien que ce que l'on en dit. Pas davantage sur le rôle qu'elle joua au milieu des disciples, enfermés, apeurés dans la salle du cénacle. Celle qui était au pied de la croix quand tant d'autres avaient fui était-elle là uniquement pour accomplir des tâches domestiques ?

Josette est une pénitente régulière. Au bout de quelques minutes, nous arrivons à la question qui hante sa nature inquiète : celle du péché mortel. Une fois de plus, je lui dis que ce sujet me laisse bien perplexe. Non par laxisme à l'égard de l'homme, mais par respect envers Dieu. Comment sa toute-puissance – qui s'exerce, entre autres, à travers un pardon illimité (« soixante-dix-sept fois sept fois », nous dit l'Évangile) – serait-elle bridée par les méandres de nos comportements humains ? Celui qui nous a parlé de ce berger qui laisse ses quatre-vingt-dix-neuf brebis pour aller chercher la centième peut-il être heureux en son paradis si l'un de nous manque à l'appel ?

Bien sûr, on me rétorquera que le Jugement dernier et l'enfer ont leur place dans les paroles de Jésus, et qu'ils sont l'un et l'autre indispensables à notre indépendance à l'égard du Créateur. Mais si, en vieillissant, j'ai de plus en plus d'interrogations sur le paradis, j'en ai de bien plus grandes sur l'enfer. Je prends celui-ci si peu au sérieux (au moment où de jeunes prêtres nous disent l'urgence d'en reparler) que je le décris volontiers comme un rocher couvert de berniques (appelées aussi patelles ou « chapeaux chinois »), près duquel je me retrouverais sans couteau. J'ai pour ce coquillage méprisé une passion « dévorante » que j'aime à satisfaire en les mangeant vivantes, encore emplies d'eau salée : les rares fois où je n'ai pu le faire, même en me cassant les ongles, ont été pour moi... infernales !

Plus sérieusement, je reste écartelé entre les conditions si relatives, si mystérieuses, de notre liberté à chacun et l'attachement à la revendication de mes choix, de mes engagements, comme de mes erreurs. Face à ces nœuds inextricables que n'éclairent absolument pas les flammes de l'enfer, je suis peu enclin aux affirmations péremptoires. Et je suis heureux d'avoir appris en grandissant que cette histoire d'Adam et Ève en leur jardin n'était pas le récit fidèle de la création du monde, mais la façon dont on avait imaginé, à un moment, ce mystère du mal qui n'épargne pas ces hommes à qui Dieu veut pourtant le plus grand bien.

Car ce jardin où tout est magnanimement donné, sauf l'arbre de la connaissance du bien et du mal – qui devient du même coup le seul végétal digne d'intérêt –, donne d'entrée de jeu un visage perverti de Dieu qui, malheureusement, revient à la mode dans beaucoup de publications ou de prédications. Selon l'un des nombreux manuels de la « nouvelle évangélisation » : « Les maux dont les hommes souffrent ne correspondent pas au plan originel de Dieu. Mais dans les desseins impénétrables de sa providence, Dieu fait concourir au bien final de l'homme ses péchés et ses souffrances qu'il permet mystérieusement. »

J'adore ces « desseins impénétrables » de la Providence, autre variante du discours auquel j'ai eu droit dans ma petite enfance : « Tout est grâce. » C'est plus simple quand les « grâces » sont évidentes, par exemple quand nous gagnons au Loto. Mais d'autres sont nettement moins manifestes. Dieu nous aime alors « à sa façon et pour notre bien », et nous pouvons être victime d'une balle perdue lors d'un règlement de comptes auquel nous sommes totalement étranger.

Ces mêmes « desseins impénétrables » nous permettent de nous associer à la nécessaire expiation du péché des hommes, depuis qu'Adam et Ève ont mis du désordre dans le plan originel. Et notre cas, déjà lourd, s'aggrave tragiquement lorsqu'il nous est dit que la seule manière de réparer la gourmandise et la curiosité de nos premiers parents était que Dieu envoie son fils unique au calvaire !

Josette n'en finit pas de se le reprocher, puisqu'il se trouve encore des prédicateurs – et des cinéastes – pour expliquer que chacun de nos méfaits enfonce un clou dans les membres du crucifié ! Il y a aussi cette affaire de purgatoire qui la « travaille » beaucoup, tant elle est sûre de devoir y faire un long séjour. L'avantage, cette fois, c'est qu'on n'en parle pas dans la Bible, et je suis donc beaucoup plus à l'aise pour lui dire que je ne vois vraiment pas quelle envie nous aurions d'être créés à l'image de Dieu si celui-ci se conduisait comme le pire des pères – celui qui, voyant enfin revenir son fils, certes coupable de toutes les bêtises de la terre, lui demanderait de repasser plus tard, après des mois de prison ferme où il aurait pu méditer sur son indignité. Mais alors, me dit ma pénitente, si nos vagabondages n'entraînent nulle sanction, n'est-ce pas la porte ouverte à tous les débordements ? Je lui réponds (ce n'est pas la première fois) qu'avec ces arguties tellement minables il serait bien difficile d'annoncer – et d'attendre pour nous-mêmes – un amour radicalement supérieur au nôtre, échappant à nos catégories habituelles du donnant-donnant.

Il est vrai que je n'ai pas la moindre idée de la façon dont Dieu s'y prendra pour nous rendre dignes du face-à-face amoureux qu'il nous propose. Mais je le pense assez compétent pour trouver autre chose que ces trucs que les hommes inventent pour ne pas avoir à envisager la possibilité – quelle horreur ! – que ceux qui ont davantage « profité » (?) de la vie puissent avoir une aussi bonne place que d'autres dans le Royaume.

Quelle bonne idée a eue Jésus de ne pas parler du purgatoire… Même si un ami me dit toujours – je n'ai pas encore bien compris pourquoi – qu'il est bon qu'il y ait un endroit entre l'horreur de l'enfer et l'audace du paradis. Personnellement, j'aime ce Dieu qui a pour nous toutes les audaces.

Peut-être qu'un jour les théologiens nous diront que le purgatoire n'existe pas. Je ne désespère plus depuis qu'en avril 2007 la Commission théologique internationale de l'Église catholique a reconnu que les limbes – où, depuis plusieurs siècles, on plaçait les enfants morts sans être baptisés – reflétaient une vue indûment restrictive du salut et ne pouvaient pas être considérés comme une « vérité de Foi ».

Lors de ma dernière rencontre avec Josette, je lui parle d'une interview dans *La Croix* du père jésuite et universitaire reconnu Joseph Moingt qui, à quatre-vingt-dix ans passés, y dit son désir que « Dieu reste pensable et intelligible aujourd'hui ».

Ce louable souci, on aimerait qu'il habitât davantage le cœur de bien des théologiens qui commencent leur carrière avec un esprit infiniment moins jeune que le sien. Ainsi, il croit que la « revendication de la liberté de l'homme par rapport à Dieu est un effet de l'Évangile » et que « l'on peut lire la modernité comme le retournement de l'Évangile contre la religion ». Et il ajoute que la mort du Christ n'est pas l'acte obligé par le péché de l'homme mais « un acte de gratuité et de pauvreté de Dieu ». « Sur la croix, Dieu ne nous menace pas » ; bien au contraire « tout l'esprit de l'Évangile nous dit le sens de la croix de Jésus : il n'y a pas de plus grand amour que de donner sa vie pour ceux qu'on aime ».

Et de conclure : « L'homme moderne a besoin de désapprendre une certaine forme d'esprit religieux – faite de soumission, de calcul, d'expressions de besoins matériels, de craintes… – pour entrer dans un autre type de rapport à Dieu : Dieu nous demande d'entrer en relation avec lui en développant des relations de fraternité, de gratuité, d'amitié les uns avec les autres. »

Josette prend la photocopie de l'article que je lui ai préparée. Elle repart apaisée… jusqu'à la prochaine fois. La grâce ne refait pas complètement la nature. Josette n'est pas revenue. Son cœur, trop fragile, a brusquement cédé quelques semaines plus tard. Dans son sac à main, on a retrouvé des tas de petits papiers où elle notait pensées et prières. L'une d'elles, attribuée à saint Augustin, nous dit l'invitation pressante que nous adresse Dieu dans son infinie tendresse paternelle. Nous l'avons lue au terme de ses obsèques :

« Donne-moi ton cœur, aime-moi tel que tu es.

« Je veux l'amour de ton cœur indigent, si pour m'aimer tu attends d'être parfait, tu ne m'aimeras jamais. Mon enfant, laisse-moi t'aimer, je veux ton cœur. Je compte bien te former, mais en attendant, je t'aime tel que tu es et je souhaite que tu fasses de même... »

Entre le vice et la pureté,
il y a comme entre le noir
et le blanc toute une gamme de gris
où nous tentons d'aimer.

Cyril Collard,
écrivain, musicien, acteur et réalisateur,
1957-1993.

L'accueil de couples ayant un projet d'union reste l'une des principales activités des prêtres parisiens. Même si, pour des raisons pratiques et financières, beaucoup de mariages se célèbrent plutôt en province, la première demande se fait souvent dans les paroisses de la capitale où l'on propose des temps de préparation personnels ou communautaires, facilitant ainsi les choses pour les futurs époux et soulageant un clergé qui se raréfie sur le reste du territoire.

Ce n'est pas là mon activité préférée, car sur ce terrain très délicat il est difficile de conjuguer notre attachement à des valeurs intemporelles avec les situations et les itinéraires de celles et ceux qui viennent vers nous. S'y ajoute, à titre personnel, un écartèlement permanent entre, d'une part une vision plutôt réaliste des personnes et des situations, et d'autre part la conviction que la promesse échangée ne saurait être rompue unilatéralement. Une conviction viscérale que n'a pas entamée le souvenir, toujours vif, d'un drame dans lequel je me sens une part de responsabilité et qui devrait m'inviter à plus de nuance. Un de mes anciens élèves m'apprend un jour que sa mère vient de lui révéler la double vie de son père : il n'est plus l'enfant unique qu'il pensait, il a un frère adolescent. Je partage son désarroi et, peu ouvert aux infidélités conjugales, je comprends le ressentiment de sa mère et soutiens le choix auquel elle veut contraindre son époux. Au terme d'années de procédure qui ne sont pas sans lien avec une certaine déchéance physique, quelques semaines avant que le divorce ne soit prononcé, l'homme se tire une balle dans la tête avec un fusil de chasse. Ce que nous ne pouvons pas nous empêcher d'interpréter comme son refus d'un choix impossible.

Au fond, nous autres prêtres avons du mal à faire passer une idée simple : on ne peut rien construire dans la durée sans donner à l'autre amour et fidélité, et sans que l'autre nous les promette en retour. Et plutôt que de faire de ces biens échangés librement une vertu, et encore moins un devoir, nous gagnerions à les présenter – surtout à un moment où l'on parle volontiers de « stratégies durables » – comme un art de vivre. Ce qu'Hannah Arendt – qui n'y est pourtant pas parvenue du premier coup – exprime de façon radicale : « Ces imbéciles, qui croient que la fidélité, c'est la vie qui s'arrête [...], non seulement ils y perdent la vie commune, ils y perdent la vie en général. »

Ce n'est d'ailleurs pas tant notre vision du mariage qui est contestée. Et si le discours idéal qui l'accompagne semble décalé à bon nombre, il séduit plutôt ceux qui viennent encore vers nous. Il correspond à ce qu'ils ont envie d'entendre. À une époque où un projet d'engagement en couple paraît audacieux et fragile (surtout si les parents des deux futurs époux sont eux-mêmes déjà séparés), ils souhaitent que nous leur garantissions félicité et pérennité. Préparant la cérémonie dans cet esprit, ils retiennent le chapitre XIII de la première épître aux Corinthiens : « L'amour excuse tout, croit tout, espère tout, supporte tout. » Les musiques choisies ne révèlent pas plus d'états d'âme, et l'organiste doit interpréter au mieux les vœux des jeunes mariés en ne ménageant pas les tutti. Et pour qu'aucune fausse note ne vienne ternir « le plus beau jour de leur vie », ils prévoient pour la sortie une superbe photo de famille où leurs parents, même séparés, retrouveront la configuration originelle. Et si le photographe a un peu de talent et de patience, on ne percevra pas que certains ont perdu l'habitude de se donner le bras.

Plutôt ouvert à la complexité des itinéraires et des situations, qui invite, à mes yeux, à la modestie dans le ton, je ne me sens pas toujours très à l'aise lorsqu'on me sollicite également pour jouer les pleins jeux. J'ose pourtant rappeler que le mariage est un risque (même s'il vaut la peine d'être vécu) et que le passage à l'église – même s'il peut ancrer l'engagement d'un couple dans la parole et l'exemple d'un Dieu toujours fidèle – n'est en rien une garantie.

Me laissant aller à de tels propos, je suis nettement en deçà de l'attente du couple et de ses proches, qui estiment avoir « mis le prix » pour que je sois parfait dans mon rôle de Merlin l'Enchanteur (doté, espèrent-ils sans doute, d'une brillante rhétorique théologique sur les vertus du sacrement de mariage en guise de baguette magique). Car, tout de même, ils ne sont pas venus à l'église – qui, seule, fournit un décor à la hauteur de l'événement – pour entendre évoquer l'humilité préalable à leur engagement. En les y invitant, il est clair que j'assombris un peu la merveilleuse journée. Sans compter qu'il se trouvera sûrement à la sortie un couple pour me remonter les bretelles, en me disant que dans leur paroisse, desservie par les jeunes prêtres d'une communauté nouvelle, on sait autrement mieux parler de l'indissolubilité du mariage !

Il m'arrive souvent de me dire que faire du mariage un sacrement – avec l'encadrement juridique qui l'accompagne – ne facilite pas la présentation des idéaux évangéliques. Or ce n'est qu'au quatrième concile du Latran (1215) que le mariage est devenu le septième des sacrements de l'Église catholique. Et ce n'est qu'à partir du concile de Trente (1563) qu'il fut décidé que l'échange des consentements – qui constitue le mariage – devait se faire à l'église devant un prêtre. En règle générale, les Églises protestantes ne reconnaissent que deux sacrements : le baptême et la célébration de la Cène. Les orthodoxes, qui reconnaissent les mêmes sacrements que les catholiques, pratiquent derrière le joli mot d'« économie » (ce qu'un de mes amis, pope, marié et père de cinq enfants, définit simplement comme la « bonne gestion de la maison ») une approche assez pragmatique des situations : leurs fidèles peuvent obtenir une dissolution (moins compliquée et moins coûteuse qu'une annulation de mariage catholique) qui les autorise à revenir à l'église pour une nouvelle union.

Ainsi, toutes les Églises chrétiennes qui fondent leur morale sur la même parole de Paul, enracinée dans la Genèse, « L'homme quittera son père et sa mère et s'attachera à sa femme et tous deux ne feront plus qu'un », en arrivent à des conclusions pratiques assez différentes. Si les orthodoxes peuvent paraître plus « arrangeants », ils sont à leur manière les plus absolus sur la nature des liens du mariage puisque ceux-ci perdurent au-delà de la mort de l'un des conjoints. Ce qui, pour moi qui ai eu pendant des années ma Bible ouverte sur la finale du Cantique des cantiques, « L'amour est fort comme la mort, les grandes eaux ne pourront éteindre l'amour, ni les fleuves le submerger », n'est pas particulièrement extravagant.

Mais si l'idéal annoncé peut être encore assez largement entendu et compris, il n'en est pas de même pour notre manière d'accueillir ceux qui, sans le contester, n'y parviennent pas : ils vivent mal les refus de rites au moment d'une nouvelle union, mais aussi les paroles malheureuses – on parle de « polygames » *(sic !)* à propos des divorcés remariés – ou maladroites qui les désignent comme des « blessés de la vie ». Un discours d'autant moins accepté que nous nous employons, à travers des règlements complexes, à brouiller les idéaux prônés. À force de ne reconnaître que le seul engagement religieux, nous nous mettons dans des situations tellement embrouillées qu'elles rendent totalement incompréhensibles les valeurs que nous disons vouloir défendre.

Combien de lettres ai-je reçues lorsque, en 1999, j'ai béni le mariage d'une personnalité du petit écran dont toute la presse rappelait les unions antérieures de son futur conjoint ? Le seul mariage à l'église contracté par l'époux s'était en effet terminé par un veuvage, et ceux conclus en mairie ne comptant pour rien, sa situation, au vu de nos règles, était parfaitement compatible avec une nouvelle cérémonie religieuse. Heureusement, avec l'accord des mariés, j'avais lu au début de la cérémonie un petit texte que j'ai pu ensuite envoyer à tous ceux qui m'accusaient d'avoir autorisé ce qu'à leurs yeux on ne permet qu'à des stars ou à des princesses : « Vous avez tenu à ce que ce moment qui joint vos vies soit exprimé dans cette église et béni par Dieu. C'est à la fois simple et compliqué. Simple, parce que le dédale de nos lois canoniques – qui n'expriment pas au mieux les idéaux que nous prônons – vous le permettent. Compliqué, parce que votre histoire – comme celle de beaucoup d'autres dont on parle moins – n'est pas une ligne droite vous menant sans détour de la première communion à la bénédiction nuptiale. »

D'autres courriers m'interrogent sur les motifs qui peuvent rendre un mariage « nul ».

Ces questions raniment les miennes propres : est-il légitime d'appeler ainsi des unions entachées d'un manque de liberté ou de maturité ? Certes, ce faisant, on veut faire comprendre que, puisqu'il ne peut y avoir une seconde union religieuse, la première ne remplissait pas les conditions requises pour être valide. Mais ne laisse-t-elle pour autant aucune trace ?

Et quand il y a des enfants, ceux-ci ne risquent-ils pas de se retrouver plus tard sur le divan d'un psychanalyste ?

Je n'ai pas oublié ce fringant sexagénaire m'expliquant avec assurance (et c'est cette assurance que je ne supporte pas) que, baptisé, et n'ayant épousé qu'en mairie il y a trente ans la femme dont il a eu cinq enfants, il a le droit de se marier en grande pompe à Saint-Eustache avec la très jeune femme qui l'accompagne. Comme ils ne sont pas de la paroisse, je lui rétorque que j'ai le droit de les renvoyer au curé de leur domicile. Ajoutant que je préfère, pour ma part, ne pas avoir à expliquer à sa première épouse – j'insiste fortement sur les deux mots – et à leurs cinq enfants qu'à nos yeux tout cela ne compte pour rien.

Plus nette encore dans mes souvenirs est la conclusion tranchante qu'un jeune candidat apporte à sa préparation au mariage. Quelques jours plus tôt, il a surgi dans mon bureau avec sa future épouse. L'un et l'autre ne totalisent guère plus de quarante ans. Elle est baptisée ; lui ne l'est pas. Je pose les questions traditionnelles, m'attendant à ce qu'ils me répondent par la négative quand je les interroge sur une éventuelle union antérieure. Après un moment d'hésitation, le jeune homme m'explique qu'il a contracté à la mairie un « mariage blanc » avec une collègue américaine en mal de régularisation. Il voulait ainsi l'aider à conserver ses droits au travail sur le territoire français. Aïe. Il me faut maintenant expliquer à quelqu'un que je ne sens pas très préparé, ni très bien disposé, qu'étant non baptisé, si jamais il a épousé une autre non baptisée, leur union civile est reconnue valide par l'Église catholique. Ce qui, pour une fois, témoigne d'une certaine cohérence interne dans laquelle je me sens plus à l'aise.

Me reste à le faire entendre à mon interlocuteur. Ce que je m'efforce de faire. Le jeune homme est persuadé que la jeune femme d'origine irlandaise à laquelle il a rendu service est baptisée. Mais nous sommes le matin, et il est trop tôt pour appeler New York afin de nous en assurer. Il m'appelle dans l'après-midi pour me le confirmer. Rebondissement : dix jours plus tard arrive le certificat de baptême, et je découvre que la dame irlandaise a été baptisée dans l'une des multiples branches de l'Église protestante. Un peu égaré moi-même, je téléphone au bureau des mariages de l'archevêché où un jeune prêtre, après s'être étonné de mon ignorance, m'explique que, le baptême de la jeune femme n'étant pas reconnu par l'Église catholique, il s'agit donc d'un mariage valide entre deux non-baptisés passés à la mairie. Mais que bien sûr on peut entamer des démarches d'annulation.

Et puisque j'ai parlé de mariage blanc, cela peut se faire assez vite.

Il me parle de quatorze mois…

Je rappelle le candidat au mariage, qui, comme beaucoup, n'est venu voir le prêtre qu'après avoir organisé toutes les festivités « annexes » de la noce, prévue dans… deux mois ! À mes explications un peu embarrassées, sa réponse sera plus claire : « Si je comprends bien », me dit-il avant de mettre brutalement un terme à mon appel téléphonique, « parce que je n'ai rien fait avec une protestante, je ne peux pas me marier à l'église, alors que je le pourrais si j'avais baisé *(sic)* avec une catholique ! »

La situation n'est pas plus simple pour une personne adulte qui se convertit au christianisme et vient demander le baptême. Si elle est divorcée et remariée, ou mariée avec un divorcé, elle ne peut recevoir le baptême sans renoncer à sa situation conjugale. Une demande qu'elle peut légitimement entendre comme le reproche, surprenant, de n'avoir pas vécu chrétiennement quand elle n'était pas encore chrétienne.

Rappelant la règle, un évêque (dont j'ai maintes fois apprécié l'accueil amical et l'attention aux personnes) en reconnaît volontiers le caractère singulier : « Nous sommes là devant une vraie difficulté, incompréhensible pour certains. » Mais plutôt que de s'interroger sur sa possible modification, il invite à « une charité inventive pour pouvoir ouvrir un chemin différent du baptême »… Une sorte de purgatoire avant l'heure. Ce faisant, on brouille une nouvelle fois le message essentiel du christianisme : l'amour de Dieu est donné sans condition préalable. Une « bonne nouvelle » qui a son corollaire : on ne peut accueillir cet amour en vérité sans qu'il interroge profondément notre mode d'être et d'agir. Mais ce chemin de conversion n'est pas le même pour tous : radical pour Paul sur le chemin de Damas, il a pour beaucoup ses méandres et ses ravins ou, tout simplement, ses étapes. Ainsi, quand Zachée, collecteur d'impôts à la réputation entachée, est bouleversé par la venue de Jésus en sa maison, il ne donne, au moins dans un premier temps, qu'une part de ses nombreux biens. Et saint Martin, officier romain affecté en Gaule, ne se dépouille que de la moitié de son manteau en faveur d'un pauvre transi de froid.

À ces imbroglios juridiques et à ces manifestations contradictoires s'ajoute le statut très particulier des catholiques divorcés remariés, qui non seulement se voient refuser toute autre bénédiction, mais en plus sont interdits de communion.

J'ai bondi dans mon demi-sommeil quand, une nuit, j'ai entendu un prêtre expliquant sur Radio Notre-Dame que nous donnions, dans ce domaine, des signes évidents d'ouverture : les divorcés remariés – comme les jeunes enfants n'ayant pas fait leur première communion – peuvent maintenant s'approcher de l'autel, mais en croisant les bras sur la poitrine pour montrer au célébrant qu'ils ne peuvent recevoir l'hostie. Il fallait y penser : les personnes que l'on exclut du repas commun sont ainsi invitées à étaler aux yeux de tous les fêlures de leurs parcours personnels ! Pas beaucoup plus délicat mais tout de même moins humiliant : on précise à ceux qui sont privés de l'accès au repas sacramentel qu'ils sont cependant « autorisés » à continuer de payer leur denier du culte !

C'est ce paysage excessivement complexe qui me fait regretter le temps où les époux s'engageaient hors des églises et n'y venaient qu'ensuite demander une bénédiction qui, je veux l'espérer, était moins conditionnée par leur itinéraire passé et plus tournée vers leur projet du moment. Il ne s'agit pas de taire les idéaux évangéliques qui, hier comme aujourd'hui, appellent chacun au meilleur pour lui-même et pour les autres. Mais, au contraire, de permettre aux chrétiens de retrouver une parole plus libre et, de ce fait, plus crédible. Car, encore une fois, ce n'est pas tant l'idéal prôné qui est refusé que les simplismes qui fondent tant de nos discours.

Nous y prenant autrement, nous pourrions sans doute être mieux entendus et compris quand nous disons que toute rupture est échec. Échec de mots trop vite utilisés, et ainsi abîmés ; échec de gestes trop vite posés, et ainsi dévalués ; échec d'engagements qui, trop vite pris, posent une ombre sur tous ceux qui suivront. Nous pourrions sans doute être mieux entendus et compris quand nous relevons qu'une rupture intervient rarement à la demande commune et simultanée des partenaires, et que lorsqu'un des conjoints annonce une séparation « parce que leur couple a évolué », force est de constater que l'un des deux est réduit le plus souvent à prendre acte – et parfois avec quelle souffrance ! – de l'évolution, voire de la trahison de l'autre. Comme l'exprime avec une pointe d'amertume Grand Corps Malade : « On s'est quittés. On était d'accord. Mais elle était plus d'accord que moi. »

Nous pourrions sans doute être mieux entendus et compris quand nous rappelons une évidence : les enfants – même dans les meilleurs des cas – ne ressortent pas indemnes de la séparation de leurs parents et ont parfois du mal à s'adapter à leurs nouveaux foyers. Depuis que j'ai repris un ministère dans des établissements scolaires (dont un internat), je n'ai pas besoin de solliciter leurs confidences pour qu'ils me livrent leurs soucis : les désaccords, parfois violents, entre leurs père et mère ; une relation extérieure (dont parfois on leur demande d'être complice) qui met en danger leur univers ; la quête d'une tendresse qu'un beau-père ou une belle-mère n'arrive pas à donner ; leur difficulté à savoir exactement où est leur chambre, et avec qui ils passeront le prochain week-end ou le réveillon de Noël…

Je ne crois pas le dialogue impossible avec l'essentiel de nos concitoyens si notre foi, et la vision des relations humaines qu'elle induit, font aussi appel au bon sens et au respect des difficultés individuelles. Sans doute faut-il commencer par éviter de proclamer de trop grosses sottises, comme celles que contient la conclusion remise en 2006 par Pierre Benoît, directeur de l'institut des sciences de la famille de Lyon, au terme d'une enquête sur la « dimension sociale du mariage » que lui ont confiée les AFC (Associations familiales catholiques) : « Il y a deux fois plus de séparations en union libre que de divorces chez les couples mariés. Le mariage apparaît dès lors comme un gage de stabilité. » Où voit-on un scoop et un argument dans le fait que ceux qui décident de s'engager – quelle que soit d'ailleurs la forme de cet engagement – forment un couple plus stable que ceux qui ont cru ne pas devoir le faire ?

Mais les nouveaux croisés du IIIe millénaire, qui ont fait de la thématique du couple un de leurs sujets favoris, ne font pas dans la nuance. Sur ce thème comme sur celui des vocations religieuses, leur réponse à l'affaissement numérique des demandes et aux difficultés des parcours réside dans l'idéalisation des modèles et la radicalisation du discours.

Dans leurs nouvelles fondations, comme sur de nombreux blogs et sites Internet, on trouve affirmations, conseils et propositions. On commence par y rappeler l'impérieuse exigence – dont je ne perçois toujours pas l'absolue nécessité – de ne pas avoir de relations sexuelles avant le mariage. Outre qu'une telle règle est plus facile à enfreindre, dans la discrétion, par les jeunes hommes que par les jeunes filles, je ne comprends pas bien pourquoi la meilleure connaissance mutuelle, préalable à tout engagement, devrait laisser de côté cette part de la relation. Sans pour autant en être une garantie, évidemment.

Le stress et les émotions d'une journée d'épousailles constituent-ils les meilleures conditions pour la première rencontre intime d'un couple, qui peut pourtant être lourde de conséquences en termes d'harmonie et d'équilibre de leur vie sexuelle ? L'insistance sur cet interdit – y compris durant la période des fiançailles, que les mêmes remettent à l'honneur – témoigne une nouvelle fois de l'embarras séculaire de l'Église lorsqu'il s'agit d'aborder la sexualité, qu'elle évalue à des aunes diverses voire contradictoires : elle néglige d'en parler dans l'éducation, et en fait plus tard l'élément fondamental de la rencontre entre deux êtres.

Autre sujet de combat : les méthodes naturelles de contrôle des naissances. Un petit détour par les sites des méthodes Ogino ou Billings est à cet égard très révélateur. Outre des informations sur les effets des acides aminés et antioxydants sur la fertilité (avec des accents bio pour être dans l'air du temps), on y trouve une liste des pèlerinages à effectuer et des saints à invoquer. Je suis, à vrai dire, mal placé pour dénoncer de telles pratiques puisque je tiens mon prénom de saint Gérard Majella, prêtre rédemptoriste du XVIIIe siècle qui, après guerre, était invoqué par les mères prévoyant une grossesse difficile !

« La famille, en avant, toute ! » pourrait être le commun slogan de tous ceux qui réaffirment haut et fort le lien absolu entre mariage et fécondité.

Pour eux, la famille nombreuse ne commence pas au troisième enfant, comme pour la SNCF, et la venue d'un enfant handicapé y est décrite comme une grâce particulière dont le premier intéressé ne peut évidemment rien dire. Ainsi ce père de trois enfants mongoliens sur sept, et auteur avec sa femme d'*Une expérience familiale*, écrit que « les handicapés révèlent à la société le péché originel » et que « l'infirmité sanctifie l'entourage ». Ajoutant dans sourciller : « Le handicap ne touche pas l'âme. Il y a très peu de conflits entre l'âme et le corps chez les handicapés. Il y a chez eux totale harmonie [...]. Les handicapés gardent leur libre arbitre. Le handicap n'est pas une garantie pour le paradis : c'est un tremplin. »

Dans des locaux de Saint-Eustache, puis à Cerise, j'ai tenu à accueillir le conservatoire de musique de Jacqueline Drouillet, ouvert aux handicapés. Déjà, à vingt ans, je m'occupais le dimanche après-midi d'un groupe de handicapés mentaux. Et, à chaque fois, j'ai été frappé par l'attention et des nombreuses qualités de cœur de beaucoup d'entre eux. Mais je me garderais bien de parler en leur nom (d'autant qu'il ne s'agit pas d'un groupe homogène), et si j'ai été témoin de l'extrême dévouement de leurs parents, je n'oublie pas que ceux-ci ont créé le Cercle d'Assas pour pouvoir, avec leurs autres enfants, souffler un peu le dimanche. Et ils venaient tous de milieux favorisés leur donnant accès aux aides indispensables !

Tant mieux si quelques-uns ont la force intérieure, les moyens matériels ou l'humour – insupportable pour certains – d'un Jean-Louis Fournier, dont le témoignage sur sa vie avec ses deux enfants handicapés, *Où on va papa ?*, lui a valu le prix Fémina. Mais rien ne saurait justifier ce qui reste une épreuve, comme rien n'autorise à « conseiller » à ceux qui en sont victimes, directement ou indirectement, une vision béate de l'existence !

Sa vision idéalisée de la famille contribue à éloigner de l'Église tous ceux pour qui ce mot est plus un rêve – ou un cauchemar ! – qu'une réalité. Quant à ses obsessions de morale sexuelle, elles creusent le fossé qui la sépare d'une évolution des mœurs qui n'est pas toujours condamnable. Ces obsessions ne datent pas d'hier. D'aucuns les font remonter à saint Paul, oubliant peut-être le contexte sociologique dans lequel celui-ci adressait ses lettres aux premières communautés.

Sans remonter si loin, en 2000 on a donné un cours à l'École cathédrale sur le thème « Histoire d'amour et relation à Dieu dans le roman ». Pour présenter sa problématique, l'enseignante a écrit à propos de Tristan et Yseult : « Depuis que, dans leur forêt, les amants de Cornouaille ont refusé la grâce et le pardon divins, il semblerait qu'ils aient engagé toute histoire d'amour vers l'idolâtrie. » À cette lecture on pressent que, dans les sombres bois de Bretagne, il s'est passé quelque chose de terrrrrrrrrible !

Il y a bien longtemps, mais c'était déjà dans un jardin, Adam et Ève ont pris conscience qu'ils étaient nus. Voilà qui nous amène à penser que, si les acides aminés ont de bons effets sur la fertilité, la chlorophylle est manifestement propice aux plus grandes dépravations !

Il est infiniment moins plaisant – compte tenu de ce que l'on apprend des désordres internes à l'Église – de constater que ces obsessions en interrogent plus d'un et en font sourire beaucoup. Elles leur donnent matière à nous désigner comme plus prompts à développer les interdits de l'amour qu'à rappeler les obligations de charité. Ainsi, lorsque *Loft Story* a inauguré ce que l'on a curieusement dénommé depuis – à propos de mises en scène tellement artificielles – la « téléréalité », les évêques de France ont cru bon de dénoncer ce déballage à forte consonance sexuelle (même s'il y avait des séquences « confessionnal » au cours desquelles certains des participants reconnaissaient leurs torts à l'égard d'autrui) ; mais ils n'ont pas dit un mot sur une autre émission qui connaissait pourtant, au même moment, un grand succès populaire. Certes, *Le Maillon faible* se situait au-dessus de la ceinture, mais il ne nous apprenait rien d'autre que la meilleure manière de se débarrasser du plus faible. Il ne s'est trouvé alors qu'un ministre de la Culture de notre France laïque et républicaine, Jean-Jacques Aillagon, pour dire que cette émission était exactement l'inverse de ce que nous enseigne la parabole du Mauvais riche qui n'avait aucune considération pour Lazare, le pauvre hère qui mendiait à sa porte.

Cette échelle de valeurs de l'Église s'inscrit dans une vieille tradition qui me faisait dire autrefois à mes élèves, lorsque je leur expliquais les priorités éthiques des dernières décennies : « Si, dans les années d'après-guerre, il y eut un bref moment où il était plus grave de mal payer sa bonne que de la séduire, ce fut plus souvent l'inverse qui prévalut, au théâtre comme à la ville, mais aussi dans les confessionnaux ! »

Plus récemment, lors de son voyage à Malte, le pape a contribué à entretenir le malentendu. Certes, il y a rappelé que « nous devons secourir le pauvre, le faible, le marginal ; nous devons prêter attention aux besoins des immigrés et de ceux qui cherchent asile sur nos terres ». Mais c'était après avoir déclaré aux jeunes qui l'accueillaient : « Vous devriez être fiers que votre pays, seul parmi les États de l'Union européenne, défende l'enfant qui n'est pas encore né et encourage la stabilité de la vie de famille en disant non à l'avortement et au divorce. » Il se trouvera des gens pour dire une nouvelle fois que ce sont les médias qui n'ont retenu que cette partie de son discours. Mais quelle parole majeure Benoît XVI voulait-il adresser aux jeunes insulaires ? Souhaitait-il vraiment que leur premier motif de fierté soit le souci de l'immigré échouant sur leurs rives ? Si tel était le cas, il eût été prudent de sa part de s'en tenir *hic et nunc* au message essentiel qu'il voulait faire passer.

Faute de quoi, le jour où un lecteur pressé lira dans un journal la déclaration ci-dessous, il pensera immanquablement qu'il s'agit d'un discours pontifical : « Aujourd'hui, nous constatons une invasion des ennemis de l'humanité qui cherchent à miner l'institution de la famille, qui mettent en avant la violence et la concupiscence et qui cherchent à diminuer la chasteté et la décence. L'existence si précieuse des femmes, qui est une manifestation de la beauté divine et qui est aussi l'excellence de la pureté, a été largement exploitée, ces dernières décennies, par les puissants, par ceux qui possèdent les médias et la richesse. Toutes les barrières de la chasteté et de la pureté ont été foulées aux pieds. La cohérence de la famille est remise en cause. »

Or il ne s'agit nullement d'un discours de Benoît XVI mais du président iranien Mahmoud Ahmadinejad à la tribune de l'ONU le 25 septembre 2007.

Ce n'est pas sur l'un des sites catholiques spécialisés que j'ai trouvé le plus beau témoignage sur l'amour. Comment lire sans émotion ni envie ces lignes où le philosophe et journaliste André Gorz évoque, dans *Lettre à D. Histoire d'un amour*, la passion qu'après tant d'années il porte toujours à son épouse, pourtant ravagée par la maladie :

« Tu vas avoir quatre-vingt-deux ans. Tu as rapetissé de six centimètres, tu ne pèses que quarante-cinq kilos et tu es toujours belle, gracieuse et désirable. Cela fait cinquante-huit ans que nous vivons ensemble et je t'aime plus que jamais. Récemment, je suis retombé amoureux de toi une nouvelle fois et je porte de nouveau en moi un vide débordant que ne comble que ton corps serré contre le mien [...]. Cette présence fut décisive dans la construction d'une œuvre dont la visibilité ne porte qu'un nom alors qu'elle fut celle d'un couple, le fruit d'un long dialogue [...]. Nous aimerions chacun ne pas avoir à survivre à la mort de l'autre. Nous nous sommes souvent dit que si, par impossible, nous avions une seconde vie, nous voudrions la passer ensemble. »

Est-ce parce que cette *Lettre à D.* a été écrite par un ancien militant communiste ? Est-ce parce que celui-ci a des doutes sur la vie éternelle ? Ou est-ce parce qu'André Gorz a choisi de ne pas rester seul sur la berge quand sa femme s'est éloignée du rivage ?

Ensemble, vous continuerez à témoigner
que tout ce qui fait la vie de Saint-Eustache
(son quotidien comme ses moments exceptionnels ;
ses liens avec le monde de l'art
et de la culture comme ses engagements de charité…)
a sa source au cœur de cette « nuit transfigurée »
par un amour plus fort que la mort.

À mes paroissiens, 21 mai 2000.

Dès 1997, je demande à mon supérieur de penser à mon départ de Saint-Eustache. J'y suis arrivé en 1984 ; j'y suis curé depuis quatre ans pour un mandat de six que je ne souhaite pas renouveler : j'aime le bâtiment, son environnement, ceux que j'y ai croisés, ce que j'y ai partagé avec tous ceux avec lesquels j'ai collaboré, et je ne suis pas près d'oublier certains combats que j'y ai menés. Mais je n'ai jamais eu envie, dans quelque fonction que ce soit, de jouer les prolongations. J'éprouve même le besoin vital de renouveler régulièrement mon énergie dans d'autres champs : je songe alors à une aumônerie d'hôpital.

En juillet 1999, alors qu'il m'a été demandé de rester une année supplémentaire pour mettre en place ma succession, je reviens à Saint-Martin de Pontoise, où les Oratoriens sont invités à se retrouver en assemblée pour, entre autres, élire un nouveau supérieur général. Quand j'arrive à l'école, il est clair que les quelques voix de sympathie que j'aurai sans doute me laisseront loin derrière celui que la rumeur désigne. Je dors très tôt et très bien la nuit qui précède le premier tour, ignorant des combinaisons diverses qu'échafaudent certains confrères, qui prolongent la soirée, et pas seulement autour de tisanes ! Car après que l'on a ensemble invoqué le Saint-Esprit, vient ensuite – comme sans doute lors des conclaves – le temps de considérations plus humaines, voire d'initiatives pas vraiment étrangères à celles d'un parti politique en campagne. Dès le premier tour, où j'arrive très loin derrière le présumé vainqueur, je comprends qu'avec le jeu des reports de voix les choses vont être beaucoup plus serrées que je ne l'imaginais. Il faudra six tours pour arriver à la fragile majorité qui me désigne comme vingtième supérieur de l'Oratoire.

Dans toute élection, si l'on veut bien être lucide, on sait que le nombre de suffrages que l'on obtient résulte autant du refus d'autres candidats que du choix enthousiaste de votre propre candidature. Un choix qui, en l'occurence, ne s'est pas fait sans malentendu : il ne me faudra pas longtemps pour comprendre que certains de mes confrères ont été plus sensibles à ce qui a pu être montré de mes engagements pastoraux à Saint-Eustache qu'aux options fondamentales qui les ont motivés.

Il ne m'échappe pas non plus que je devrai, dans ma nouvelle mission, composer avec des personnalités aux sensibilités fort diverses – ce qui, au sein de notre congrégation, relève d'une tradition.

Car, quitte à tordre un peu la vérité historique, l'Oratoire de France aime volontiers se réclamer de deux fondateurs (saint Philippe Néri, pasteur de terrain et Pierre de Bérulle, théologien en chambre), et ses membres privilégient l'un ou l'autre suivant leur tempérament et les circonstances. Depuis sa fondation, la congrégation a connu bien des lignes de fracture, souvent plus visibles que les lignes de force de son projet. Disparue un moment après la Révolution, elle connaît à nouveau lors de sa refondation l'opposition de deux courants, l'un conduit par le père Gratry et l'autre par le père Pététot. C'est ce dernier, moins audacieux, qui l'emporta, ce dont on n'aime guère se souvenir aujourd'hui.

215

À ces grandes querelles du passé s'ajoutent à chaque génération les rivalités, rancœurs et rancunes inhérentes à tout groupe humain. En particulier à tout groupe fragilisé qui sait, en raison de sa moyenne d'âge et de son peu de renouvellement, que son avenir est précaire. D'autant que l'Oratoire de France n'a pas essaimé hors du territoire national et ne peut donc s'enrichir, comme d'autres, de bataillons de séminaristes africains ou asiatiques. Je sais bien qu'il m'est demandé, en premier lieu – comme aux archiduchesses autrichiennes au temps de la monarchie –, « d'assurer » l'avenir !

Mais la clarté de vue et de projets qui m'a tant séduit à mon arrivée à la congrégation a été brouillée depuis par des compromis circonstanciels. Comment construire un avenir commun et appeler d'autres à y prendre part quand on n'a plus la même lecture du passé et les mêmes attentes au présent ? Cette situation n'est d'ailleurs pas propre à l'Oratoire : hantés par l'angoisse d'un effondrement des effectifs et faisant de la traversée du désert un thème de prédication plus qu'une éventualité à affronter dans leur diocèse ou leur congrégation, peu d'évêques et de supérieurs ont résisté à la tentation d'ajuster modalités d'accueil et promesses d'avenir à des orientations et des attentes individuelles.

Je saisis immédiatement qu'il sera difficile de faire comprendre à certains de mes confrères, inquiets pour la survie du corps, qu'il ne nous faut pas renoncer à une ligne d'horizon ni abandonner des précautions de bon sens lors de l'accueil d'un candidat. Je suis persuadé que la primauté absolue accordée à la liberté de chacun, si chère aux Oratoriens, porte la menace de notre disparition, et que nos sympathiques diversités et paradoxes, poussés à leurs limites, sont, plus sûrement que nos difficultés de recrutement, notre mortel poison.

Je sais donc dès le premier jour que le service qui m'est confié est « mission impossible ». Une mission qui pourtant durera sept ans. En raison de circonstances très particulières, j'accepte en effet ma réélection, tout aussi laborieuse, en 2004. Mais je préviens d'emblée que je veux limiter ce second mandat au temps nécessaire pour passer le relais à une génération plus jeune, que j'associe largement aux responsabilités du moment. Car je n'ai qu'une hâte : quitter ce service dont j'imaginais volontiers qu'il n'était pas une sinécure, sans penser cependant qu'il serait aussi éprouvant. Toujours « fine mouche », André Vingt-Trois m'avait pourtant adressé, en juillet 1999, un message qui malgré sa rédaction sous une forme interrogative laissait peu de place à l'ambiguïté :

« Mon cher Gérard,

« Je viens d'apprendre ton élection comme supérieur général de l'Oratoire. Je veux simplement te dire ma sympathie et mon union de prière pour une tâche sans doute importante. Mais est-elle exaltante ?

« Bien fraternellement. »

Comme mon élection a pris tout le monde de court, il est décidé, en accord avec l'archevêque, que je resterai curé de Saint-Eustache jusqu'au 1ᵉʳ septembre 2000. Je commence à ranger mon bureau en février : son apparent désordre est bien connu (un de mes visiteurs en a d'ailleurs fait quelques croquis très drôles) et, après avoir rempli un carton par jour de carême, je m'éloigne du quartier Montorgueil après Pâques.

J'y reviens cependant presque chaque jour jusqu'au 31 août ; et le dimanche 21 mai, sous le prétexte de fêter mes vingt-cinq ans d'ordination, j'invite, outre mes paroissiens, toutes celles et tous ceux qui, avec moi, ont tenté de donner quelques signes de la présence et de la tendresse de Dieu au cœur de Paris. Dans le dernier éditorial que je signe comme pasteur, je rappelle qu'au moment de ma nomination, sept années plus tôt, plusieurs paroissiens m'ont interrogé sur mes projets.

J'avais alors bien compris, derrière certaines questions, que l'on s'attendait de ma part à des initiatives pour le moins originales, qui allaient illustrer le fameux adage « Nul n'est curé de Saint-Eustache s'il n'est fou ». Ma réponse alors en a déconcerté plus d'un : « Préparer et célébrer la semaine sainte. » Je reprends les mots de Pedro Almodovar racontant la mort de sa mère, et j'en parle comme de « l'instant où tout se décide ».

Dans mon article, je rappelle aussi les questions fondamentales qui ont toujours motivé mes engagements : « Quel sens donner à ma vie… pour moi-même… pour les autres ? Sommes-nous aimés comme nous en rêvons et serons-nous un jour capables de répondre, sans limites, à cet amour-là ? La mort met-elle un terme ultime à cette rage de faire tellement mieux et d'aller tellement plus loin ? »

À la messe de onze heures, dans une église comble où beaucoup sont debout, je reviens sur mon propre itinéraire, les souffrances et les drames traversés et la soif qu'ils ont fait grandir en moi :

« Mes dégoûts, mes angoisses, mes peurs. Ces nuits profondes que nous traversons tous et où prend corps notre commune espérance. Ces dégoûts du temps gâché, des amours minables, des paradis perdus dès qu'on croit les avoir trouvés. Ces angoisses du temps qui nous échappe, des amours qui nous fuient, de celui que nous ne savons donner. Ces peurs du temps qui soudain s'accélère au soir d'une fièvre, au matin d'une tumeur, au carrefour d'une route, au hasard d'une violence, aux absences de ceux qui étaient une part de nos vies. Ces dégoûts, ces angoisses, ces peurs qui nous redisent à tous et à chaque instant qu'il n'y a pas d'avenir, qui crient soudain à tel ou tel d'entre nous qu'il n'y aura plus de lendemain. »

Ce chemin douloureux a croisé le témoignage des quelques disciples qui, au matin de Pâques, nous disent, à travers des expériences diverses mais avec la même conviction, avoir rencontré vivant celui qu'ils avaient vu mort trois jours auparavant. La foi née de cette rencontre mystérieuse, dont nous savons qu'elle a bouleversé leur vie et après eux celle de millions d'hommes et de femmes, m'a été transmise dès l'enfance, et j'y ai puisé l'audace de proclamer à mon tour le mystère pascal :

« Le mystère de Pâques, c'est le mystère de nos nuits transfigurées par un amour plus fort que la mort, un amour offert à tous par celui qui est riche en pardon, qui ne tient pas compte de la qualité des personnes, qui parle à la femme étrangère, qui relève la femme adultère, qui choisit le disciple qui pourtant le reniera, qui promet à son compagnon de mort, fût-il malfaiteur, qu'il partagera sa gloire.

« Le mystère de Pâques, c'est le mystère d'une nuit où sont brisés les liens de l'esclavage au pays d'Égypte, comme au cœur de Paris... où sont dissipées toutes les haines, qu'elles soient ressentiments à l'égard d'autrui ou, pire peut-être, aversion pour nous-mêmes. Le mystère de Pâques, c'est le mystère de la nuit où le ciel et la terre se rejoignent, où se retrouvent l'homme et Dieu. »

À la fin de la messe, l'église se vide lentement. Parmi ceux qui sont là, beaucoup ont accompagné un proche parti prématurément, victime du sida ; d'autres permettent à la Soupe Saint-Eustache de reprendre chaque hiver, et ont combattu pour que Cerise soit au cœur du quartier Montorgueil le signe de la solidarité de la paroisse envers d'autres démunis.

Nombreux sont aussi les partenaires civils, et non moins amicaux, qui ont soutenu ou rejoint les plus belles aventures que j'ai vécues ici. Sans leur collaboration, voire leur complicité, beaucoup n'auraient jamais vu le jour ; sans leurs compétences et leurs exigences, elles auraient rapidement échoué. Il y a enfin quelques passants d'un jour venus déposer un fardeau trop lourd au bureau d'accueil. Certains croient, d'autres doutent, beaucoup espèrent.

Avec la conviction commune exprimée par le théologien Eberhard Jüngel que « la foi refuse les garanties que la religion donne ».

Tous ces guetteurs d'espérance, respectueux de l'autre et soucieux de partage, ont permis que puisse être entendue ici l'essentiel du message évangélique : celui qui aime Dieu doit, de manière égale et en en assumant les risques, aimer son frère. Sinon, celui-ci ne comprendra jamais rien au Dieu dont nous lui parlons.

Dans les jours qui précèdent, j'ai reçu la lettre d'une paroissienne qui, curieusement, retrouve pour parler de Saint-Eustache certaines des expressions que Philippe Boggio avait utilisées à Noël 1993. Des mots qui rempliraient d'orgueil le curé de la paroisse, si son auteur n'exprimait pas que ce qu'elle a trouvé là vient d'un Autre :

« Puisque est venu le temps des au revoir, il m'apparaît qu'il est une chose dont je dois m'acquitter envers votre personne ou votre fonction je ne sais, c'est de reconnaître ma dette à votre endroit. Ce sont trois années de ma vie que je "boucle" en ce moment, trois années de crises, de bouleversements intenses, de remises en question de tous ordres et, de ce fait même, trois années parmi les plus douloureuses mais aussi les plus riches et les plus fécondes de mon existence. Or, s'il est une chose qui a bouleversé ma vie, c'est bien mon retour à l'église et à une pratique religieuse joyeusement consentie. Bien sûr, vous n'y êtes pour rien au fond, mais néanmoins, il me semble que c'est parce que j'ai senti que Saint-Eustache était une église différente des autres en ce qu'elle affichait très ostensiblement son accueil à tout le monde que j'ai pu m'y arrêter, et y trouver une place. Par ailleurs, il a été très important pour moi de percevoir les homélies sous forme d'interrogations et de questionnements personnels plutôt que de certitudes dogmatiquement assenées.

« Cela m'a permis, pour la première fois, d'entendre les Évangiles et de commencer à m'en approprier le message de façon plus féconde. C'est donc grâce à la possibilité de fréquenter ce lieu où l'on peut vivre la spiritualité et réfléchir librement que je vais mieux, beaucoup mieux qu'il y a trois ans…

« C'est donc, de façon indirecte, à vous que je dois l'apaisement que j'y ai enfin trouvé. Veuillez trouver ici l'expression de ma très profonde gratitude. »

Six mois après mon départ, le documentaire de François Chilowicz intitulé *Les Dessous d'une paroisse* ouvre sur France 3 une série présentée en prime time et consacrée aux coulisses méconnues d'un certain nombre de lieux et d'institutions publics. Pendant près de six mois, avec discrétion, tact et intelligence, François Chilowicz et son équipe sont venus et revenus partager, jusque dans la cuisine de Farida, la vie de toute l'équipe paroissiale. Le film passe le samedi soir 6 janvier 2001, veille de l'ordination épiscopale d'Hervé Renaudin (mon ancien condisciple de séminaire), qui devient évêque de Pontoise.

Je comprends ce jour-là, dans la sacristie grouillant de prêtres et d'évêques, que beaucoup ont regardé l'émission la veille. Mais pas un mot. Il faut dire que le film – qui, pendant des mois sera programmé sur KTO – présente un visage d'Église pas vraiment conventionnel et qu'à un moment le curé y émet une interrogation sur l'existence de Dieu. Il me vaudra pendant plusieurs années un abondant courrier.

M'arrive de New Delhi, en 2003, la lettre d'une femme dont je garde précieusement l'ultime conseil :

« À douze ans, "première" (!) en cours de catéchisme, des esprits avisés hésitaient à me laisser faire une communion solennelle tant déjà mon indépendance d'esprit gênait. Rien n'a changé à soixante-sept ans, au contraire, et m'être plus ou moins intégrée professionnellement et humainement dans une vingtaine de pays aux mœurs et aux religions apparemment très différentes n'a fait que fortifier mes doutes et mes rares convictions […].

« Pour qui vit les situations que je croise ou dans lesquelles je m'implique, il y a droit à la Révolte. Merci donc de m'avoir fait entendre ça…

« Faites-vous entendre sans vous perdre.

« Nicole C. »

De Montréal, je reçois un jour une très longue missive : « Je devrais commencer en vous disant que je suis athée – jusqu'au bout des ongles (un athée n'étant pas quelqu'un qui ne croit pas en Dieu mais a décidé, une fois pour toutes, que Dieu n'existe pas). Ceci étant dit, j'ai regardé avec le plus grand intérêt le programme qui se rapportait à la gestion de la paroisse de Saint-Eustache, et […] au début du programme j'ai regardé tout cela avec le cynisme crasse que vous pouvez imaginer, en ricanant. » Les raisons qu'il me donne ensuite de son choix ne sont pas très originales. Mais tout autre est la chute du courrier : « Voyez comme je suis large d'esprit :

j'accepte, comme prémisse, que Dieu existe. Ce Dieu est un Dieu qui est, a été, sera – éternellement. Ce qui détruit cet "être" (conscience pure) invisible, parfait, infaillible, pur, miséricordieux, immensément bon, c'est la faculté même de la PRESCIENCE intrinsèque à son être divin. Dieu ayant toujours été et ayant toujours su ce qui fut et qui sera, lorsqu'il eut cette idée saugrenue de "créer" un être à son image qui, lui ressemblant, devait être la perfection même, IL SAVAIT avant même qu'il ne la crée que cette œuvre de création allait sombrer dans l'échec, l'opprobre, la perversité, la déchéance…

« Si ce Dieu existait, il serait la pire des engeances que l'esprit humain puisse concevoir et il vaudrait mille fois mieux être athée que de croire à un tel dictateur divin…

« Voilà, monsieur le curé, de quoi vous irriter copieusement. Néanmoins, ne vous irritez point trop contre moi : j'ai vraiment aimé votre manière, votre désinvolture, votre belle foi, authentique, torturée, splendide à bien des égards. À bien réfléchir, je voudrais que vous continuiez à croire. C'est ce qui fait de vous ce que George Sand appelait un véritable "enfant de Dieu".

« Jean A. »

Près de dix ans plus tard, je croise près de la gare du Nord un ancien paroissien qui m'a entendu sur les ondes. Il me prend amicalement la main pour me dire, en me regardant droit dans les yeux : « Vous savez, mon père, Dieu existe ! »

À l'Oratoire, une sainte liberté fait un saint engagement :
on obéit sans dépendre, on gouverne sans commander,
toute l'autorité est dans la douceur,
et le respect s'entretient sans le secours de la crainte...

Bossuet,
oraison funèbre du père Bourgoing,
second supérieur général de l'Oratoire,
20 décembre 1662.

« Exaltante ? », m'avait écrit André Vingt-Trois à propos de la tâche de supérieur général. L'interrogation n'était qu'un procédé littéraire pour ce fin connaisseur des réalités humaines et des rouages institutionnels. Et tous ceux qui connaissent les Oratoriens et les mots de Bossuet, dans sa première grande oraison funèbre, ne manquent pas de me les rappeler avec un brin d'ironie.

Ils n'ont pas tort ; et les ennuis ne vont d'ailleurs pas tarder. L'exercice de la tutelle fait partie des tâches redoutables que l'on reçoit avec le mandat de supérieur général : celui-ci a en effet pour mission, entre autres, d'accompagner les réflexions et les décisions que les chefs d'établissement partagent avec leurs équipes éducatives dans les cinq écoles sous label oratorien.

Même si ces écoles accueillent le plus souvent des publics plutôt favorisés – au moins financièrement parlant –, elles ne sont pas épargnées par les soucis des jeunes d'aujourd'hui : situations familiales souvent complexes et parfois dramatiques, développement physique précoce des adolescents (surtout des jeunes filles) mais immaturité et fragilité de caractère faisant d'eux des proies faciles pour ceux qui proposent des faux remèdes. Ils sont en quête d'autorité, mais aussi rebelles, en même temps qu'inquiets pour leur avenir professionnel incertain, et peu armés pour développer l'énergie qu'il faut y investir.

Les beaux principes de la charte éducative de l'Oratoire, attentive à « aider l'enfant ou le jeune à se situer dans le monde réel et à être en sympathie avec lui », se révèlent certains jours difficiles à mettre en pratique.

Tout cela, je le savais ; et, après mes années d'enseignement, participer à la réflexion qu'appellent les situations nouvelles n'était pas pour me déplaire. Ce que je prévoyais moins, c'est à quel point j'allais retrouver là les dysfonctionnements humains qui ternissent l'image à laquelle l'Église prétend. Car, à l'Oratoire comme ailleurs, dans l'enthousiasme des assemblées, on ne manque pas de voter des motions de politique interne rappelant de grands principes auxquels on est indéfectiblement attaché et invitant au retour à l'ordre si l'on s'en est écarté.

J'hérite ainsi de la situation délicate de l'école Saint-Martin, à Pontoise. L'établissement a traversé des années difficiles et on en a confié le redressement à un directeur qui nous a déjà prouvé sa capacité à rétablir ordre et exigences. En même temps, par ses pratiques et ses propos, il s'est souvent montré aux antipodes de l'esprit d'ouverture humaniste que nous proclamons dans nos textes de référence.

Un récent reportage télévisé sur un autre collège oratorien, qu'il a dirigé auparavant, a fait quelque bruit. Le titre de l'émission, *SOS enfants*, était déjà tout un programme. Et s'il a pu y avoir au montage certaines coupes défavorables, les attitudes et les mots sont bien les siens et ont créé un profond malaise chez beaucoup d'entre nous. Je sais donc ce que l'on a voulu dire en votant à la quasi-unanimité qu'il est demandé « au supérieur général et à son conseil de mettre en œuvre une politique garantissant le caractère oratorien des établissements dans les projets et les choix pédagogiques, jusque dans leur mise en œuvre concrète ».

Comme je pressens que la mise à l'écart du directeur est plus facile à réclamer qu'à réaliser, je prends le temps de la consultation et de la réflexion. Et quand, quelques mois plus tard, je juge le temps venu d'exécuter la mission confiée, je ne tarde pas à m'apercevoir, non sans amertume, que les soutiens qui semblaient évidents se font discrets, voire disparaissent. Ceux qui ont émis les jugements les plus durs s'empressent, au premier obstacle, de m'inviter à un « prudent » repli. Ce qui est mal me connaître.

C'est la première occasion – mais ce ne sera pas la seule – où il me faut constater que l'on est autrement plus prompt à rappeler les initiatives éducatives visionnaires de nos aînés du XVIIIe siècle (la loi du 3 brumaire an IV sur l'instruction publique est souvent appelée du nom de l'oratorien Daunou) qu'à s'assurer que nos écoles d'aujourd'hui sont encore lieux d'audace pédagogique et d'ouverture à une jeunesse en situation d'échec ! Et que, malgré nos professions de non-élitisme, nous renonçons difficilement à perdre une étoile dans le Gault et Millau des établissements scolaires.

Même si je n'ai pas la naïveté de penser – mais alors, mettons plus de modestie dans nos déclarations – qu'il est facile de relever les enjeux éducatifs et sociaux de l'heure, ni que la sélection n'a aucunement sa place dans l'enseignement public.

Cette première tempête est riche de bien d'autres leçons : elle réveille les divisions qui se sont manifestées lors de mon élection et révèle que dans une société qui se dit fière de sa tradition démocratique on peut rapidement oublier les règles élémentaires de fonctionnement, comme la transmission totale et confiante des dossiers. Elle m'apprendra aussi que des évêques, quitte à renier leur propre parole et à désavouer leurs collaborateurs, peuvent, de façon inattendue, retourner leur veste face à certains groupes de pression. Heureusement, une vieille amitié, remontant à nos années communes à Issy-les-Moulineaux, permettra d'avoir avec l'évêque concerné une explication fraternelle... mais franche !

À l'image de cette première expérience, ces sept années à la tête de l'Oratoire seront le plus souvent un service obscur, ingrat et minant. Les heures passées à rencontrer et à écouter mes confrères renforcent mon sentiment qu'il est impossible de fédérer des personnes aux itinéraires, situations et objectifs si éclatés. Car si, individuellement, nous ne sommes pas pires mais pas forcément meilleurs que la moyenne du clergé français (ce dont nous ne sommes pas tous absolument convaincus), tout devient très compliqué dès qu'il s'agit de constituer une équipe en vue de renouveler un projet.

Toutefois, étant peu porté à la prise de risque pour les autres, je comprends qu'il va me falloir modérer mes ambitions. Et être prêt à avaler pas mal de couleuvres. J'ai préféré les périodes de ma vie où j'ai eu à rendre compte de mes propres décisions et à assumer moi-même mes contradictions comme mes erreurs. À défaut d'être les plus réjouissantes, ces années d'un service tellement inattendu me permettent cependant de prendre un peu de recul par rapport à l'immédiateté du terrain pastoral. Elles me font sortir du microcosme parisien et me donnent l'occasion de rencontrer les évêques locaux.

Il y aussi les réunions avec mes pairs, supérieurs généraux – même si, lors de nos rencontres au sommet, face à la Compagnie de Jésus, forte de quelque vingt mille religieux, l'Oratoire de France, avec sa soixantaine de membres, fait figure de principauté de Monaco face aux États-Unis d'Amérique ! Ces réunions romaines biannuelles me permettent d'apercevoir les coulisses d'un monde pour lequel, je dois l'avouer, je n'éprouve pas le même attrait que beaucoup de mes confrères.

D'ailleurs, depuis ma première visite à Rome, où j'ai été accueilli dans la petite maison du compositeur Thierry Machuel, sise dans les jardins de la Villa Médicis, je préfère la colline boisée du Pincio à la monumentale place Saint-Pierre, trop minérale à mes yeux pour être chaleureuse. Même aux heures où la fièvre saisit les pèlerins et où ils s'y pressent pour guetter une apparition papale. Dans ce décor conçu pour lui, le successeur de Pierre paraît plus important que Celui qui lui a confié les clés du Royaume ; et ce n'est pas, dans la basilique, la gloire de Bernin surmontant le siège de l'évêque de Rome qui leur suggérera le contraire.

Lors des rares visites que je fais aux dicastères (les ministères pontificaux), je sens bien que, dans les bureaux, je suis considéré comme une bête curieuse. Dans les longs couloirs, c'est un peu différent : aucun des nombreux religieux que je croise ne me prend pour un confrère. Je n'ai jamais cru devoir porter le col romain, fortement conseillé d'une manière générale et annoncé comme obligatoire pour une audience papale. Il ne s'agit pas de quelque refus adolescent et provocateur ; je tiens simplement à être vu – et éventuellement jugé (mais là, ce n'est plus mon problème) – tel que je suis habituellement. Je porte donc une cravate, comme pour toute rencontre officielle à Paris, et ici je la choisis stricte et sombre.

Des années troublées de l'après-concile j'ai conservé une détestation des « eucharisties domestiques » où le prêtre « en civil » prend place à la table collective pour être au plus près de la Cène originelle. Il ne me paraît pas juste – ni possible, en ce qui me concerne – de reprendre dans ces conditions les paroles qui font du pain et du vin les « vivres » du chrétien qui y reconnaît la présence du Christ. Il s'agit là pour moi d'un acte liturgique, c'est-à-dire de l'entrée dans un mystère (« Il est grand le mystère de la foi », proclamons-nous après avoir redit les mots du Christ à la consécration) qui nous déplace par rapport à notre univers habituel, sans pour autant y devenir étranger.

Donc, pas de célébration sans signes du ministère que j'y remplis alors. Mais pourquoi faudrait-il que, en dehors des offices liturgiques, j'affiche aux yeux de tous (je porte tout de même une discrète petite croix) ma fonction et mes convictions personnelles ? Ces manifestations vestimentaires empoisonnent notre vie publique dans la mesure où, le plus souvent, elles affirment une différence alors qu'à mes yeux il ne saurait y avoir de religieux respectable qui n'affiche en premier la proximité pour son frère. Quant à ceux qui me disent que je dois être reconnu si on recherche un prêtre qui puisse donner en urgence l'absolution à un accidenté sur la voie publique, je continue à leur répondre que je me présenterai volontiers en pareille situation – que je n'ai toujours pas connue. Mais je n'imagine pas un seul instant que l'accès au ciel de la victime soit dépendant du hasard de ma présence et de mon ultime bénédiction !

N'ayez pas peur !

Le Christ,
plusieurs fois dans les Évangiles ;
repris par Jean-Paul II en 1978.

Je me souviens encore parfaitement de ce soir d'octobre 1978 à Rome : au balcon de Saint-Pierre se découpe, sur un camaïeu de rouge et de violet, une impressionnante silhouette blanche qui capte la lumière du soleil couchant. Au moment de la première apparition d'un visage inconnu et anormalement jeune pour la fonction, j'oublie un moment ce que je sais de l'Église polonaise.

Celles de Hongrie et de Tchécoslovaquie se relèvent difficilement après les événements de 1956 et de 1968, mais rien de tel en Pologne, où j'ai vu un clergé important et clairement repérable dans la vie publique, des églises pleines et pas seulement le dimanche, des mariages célébrés en chaîne le samedi. De plus, si Solidarnosc n'existe pas encore lors de mes premières visites, il est clair que les catholiques constituent une force nationale avec laquelle l'État joue une curieuse partie d'échecs.

Cela me laisse une impression mitigée. Je suis de ceux que la chute vertigineuse de la pratique religieuse, après les changements de régime à Varsovie, n'a guère étonnés.

Si je me rappelle la première apparition de Jean-Paul II, je n'ai pas oublié non plus les mots qu'il a prononcés le dimanche suivant. Qui d'ailleurs pourrait oublier ce « N'ayez pas peur », tant il a été cité et utilisé depuis aux fins les plus diverses ? Je me suis souvent interrogé sur leur sens.

Être élu par ses pairs crée des sentiments très différents de ceux que l'on peut ressentir au moment d'une nomination, si gratifiante soit-elle dans l'échelle hiérarchique. J'en ai fait moi-même l'expérience, même si aucune fumée blanche n'a annoncé qu'il y avait un nouveau supérieur général de l'Oratoire de France.

Je comprends volontiers que s'impose à soi, comme première mission, celle de réconforter le corps qui vous a choisi. D'autant qu'au moment de l'élection de Jean-Paul II l'Église traverse un grand moment d'inquiétude. Paul VI a laissé le souvenir d'un homme scrupuleux et angoissé et son successeur, Jean-Paul Ier, décédé au bout de trente-trois jours de pontificat, n'a guère eu le temps de rassurer le troupeau. De plus, l'ouverture initiée par Vatican II porte des fruits contrastés : nul doute que l'Église est mieux perçue par la société de son temps. Mais, forts de ce qu'ils ont perçu comme de nouvelles libertés, ses fidèles prennent du champ par rapport à la pratique religieuse. En même temps, il y a une chute importante des vocations et un certain nombre de prêtres abandonnent le ministère. Dans cette atmosphère, la publication par Paul VI de l'encyclique *Humanae vitae* en juillet 1968 a créé un grand malaise. Elle déclare « intrinsèquement malhonnête » toute méthode artificielle de régulation des naissances. Ils sont nombreux, alors, à ne pas comprendre ce refus de nouvelles pratiques, rendues possibles par les progrès scientifiques et médicaux et qui ne déresponsabilisent pas les époux dans leur vocation de parents. Ils apprécient peu ce qu'ils vivent comme le retour à une intrusion, inacceptable et infondée, dans l'intimité des personnes, et comme l'expression renouvelée d'une relation très particulière de l'Église à la sexualité.

Dans les rangs les plus traditionnels de l'institution, mais pour d'autres raisons, l'heure n'est pas non plus à l'enthousiasme. Car, pour certains, le concile ne constitue pas tant un bouleversement spirituel qu'une nouvelle – et peut-être ultime – remise en cause de leur statut social.

Et puis il y a tout le « bon peuple chrétien ». Si de nombreux fidèles sont largement touchés par les manières d'être et d'agir du « bon pape Jean » (qui aime à dire que « l'Église doit être une fontaine de village »), ils sont moins convaincus par les changements dans leurs repères de foi et dans leurs modes de pratique. En fait, beaucoup d'entre eux sont en attente d'un Dieu qui, à travers la parole de la hiérarchie catholique, leur témoignerait plus de proximité et de compréhension pour les difficultés de leur quotidien, mais ils ne souhaitent pas pour autant que son royaume ressemble à une cité HLM ! Ils sont de plus en plus perturbés par la confusion d'un discours qui, au moment où il conteste comme démodées leurs dévotions populaires, les renvoie, avec *Humanae vitae*, à la méthode des températures. Ils en viennent à la conclusion que, décidément, cette institution ne comprend pas leur présent et semble peu sûre de l'avenir qu'elle leur annonce.

Beaucoup, d'ailleurs, dans les trente ans qui suivront, ne fréquenteront plus guère l'église que pour des circonstances exceptionnelles – quand ils ne la quitteront pas définitivement.

Rares sont ceux qui analyseront cette hémorragie aussitôt et avec autant de justesse que François Roustang, qui relève dès 1966, dans la revue *Christus*, « la naissance d'un troisième homme parmi les chrétiens (ni conservateur, ni réformiste), qui observe l'inadéquation croissante entre ce que dit l'Église et son expérience quotidienne, qui abandonne la confession faute de se sentir coupable, le langage de l'Église ne fait plus écho à sa vie et qui, s'il demeure croyant, c'est en dépit d'Elle. N'éprouvant pas le besoin de la défendre ni de la réformer, il s'en éloigne sans bruit ».

« Il s'en éloigne sans bruit » parce qu'il a le sentiment que l'Église s'éloigne de lui. Et, dans les pays occidentaux, n'épargnant pas les nations traditionnellement catholiques, l'hémorragie est terrible.

Dans ce contexte, on peut comprendre l'exhortation de Jean-Paul II. Mais que souhaitait-il provoquer exactement en reprenant – on semble l'avoir souvent oublié – cette apostrophe du Christ plusieurs fois répétée à ses disciples ? Voulait-il rassurer ses pairs ? Peut-être eût-il mieux valu alors qu'il s'exclamât : « N'ayons pas peur ! »

Voulait-il rassurer la Ville et le Monde qu'il se préparait à bénir ? Mais cela peut-il vraiment se faire depuis le balcon de Saint-Pierre, qui semble à tant de gens une planète étrangère ?

En tous les cas, s'il voulait rassurer le village, d'aucuns ne s'y sont pas trompés. Beaucoup l'ont entendu comme un appel à conforter des certitudes qu'ils n'avaient d'ailleurs jamais abandonnées, et ces paroles eurent pour eux la tonalité d'une agréable petite musique qui leur permettait bien des espérances.

Les fameux mots de Jean-Paul II rendent difficile toute remise en question en interne : la hiérarchie de l'Église – et en particulier son pasteur suprême – semblent devoir être reçus par les fidèles comme infaillibles en toute circonstance et dans tous les domaines. Et ce n'est pas le fait que la canonisation devienne maintenant le couronnement normal de la fonction qui contribuera à tempérer son statut d'exception. On prête peu d'attention aux voix qui s'élèvent pour émettre à ce sujet des interrogations, voire des doutes, quand on ne les accuse pas de participer au vaste « complot du monde », ramenant l'Église au temps des persécutions !

J'ai souvent eu le sentiment que quelques instants exceptionnels – et, il faut bien le dire, exceptionnellement réussis – exonéraient bien des commentateurs d'une estimation lucide du bilan interne du pontificat de Jean-Paul II. Une telle lucidité nous rendrait plus équitables sur la part de Benoît XVI dans la situation que nous connaissons aujourd'hui.

D'ailleurs, on peut penser que, au lendemain de l'ultime hommage rendu à ce pape hors normes, ceux qui étaient chargés de lui donner un successeur se sont aperçus que c'était là une tâche redoutable. Parce qu'il ne se trouve pas tous les jours un être de cette envergure, mais aussi parce la situation n'était pas aussi brillante qu'avait pu le laisser croire l'extraordinaire rassemblement de la veille sur la place Saint-Pierre. Ils savaient très bien que les esprits et les cœurs touchés par le message évangélique étaient en net recul ; particulièrement dans les nations traditionnellement catholiques, plus promptes à parler de leurs racines chrétiennes que de leur avenir comme peuples de croyants.

Il ne manquera pas de gens pour me trouver bien sévère à l'égard de Jean-Paul II, présenté par de nombreux catholiques comme une icône intouchable. « *Santo subito* », ont scandé des milliers de personnes dans les jours qui ont suivi sa mort. Ma réserve spontanée à l'égard de mouvements massifs d'enthousiasme n'est sans doute pas pour rien dans le regard critique que je porte sur cette admiration sans nuances et non dépourvue d'ambiguïté. Par la vigueur et la chaleur de son tempérament, Jean-Paul II a donné à l'Église un visage que d'aucuns ont considéré un peu vite comme l'expression d'une grande modernité. Alors que sur son temps il a porté un regard sévère, l'exprimant à travers les mots terribles de « culture de mort ».

Je sais bien que, en disant que le choix qu'il a fait de vivre publiquement jusqu'au bout (il y a eu, au moins une fois, une caméra dans l'ambulance le ramenant de l'hôpital Gemelli au Vatican) son chemin de croix physique m'a été insupportable, je ne fais qu'aggraver mon cas. Quelles que soient nos situations ou missions, il y a à mes yeux des souffrances personnelles qui doivent demeurer nos croix secrètes. Je suis donc de ceux qui préfèrent se cacher pour mourir ; et si je regrette qu'un trop grand nombre de mes contemporains achèvent leurs vies solitaires dans l'anonymat d'un hôpital, cet intime de l'intime ne saurait être vécu, pour moi, en dehors d'un cercle de proches.

Dans le cas de Jean-Paul II, son choix personnel nous a valu, un peu plus chaque mois, chaque semaine, chaque jour, une extraordinaire mobilisation des médias qui, pour des raisons diverses, en a irrité plus d'un. À mon souhait d'un peu plus de discrétion en ce domaine se sont ajoutés d'autres motifs d'agacements, notamment son refus catégorique, au nom d'impératifs spirituels, d'envisager d'abandonner la responsabilité d'une mission qu'il avait de plus en plus de mal à assumer. Pour ma part, j'ai la profonde conviction que la grâce ne supplée pas à toutes nos faiblesses.

D'ailleurs, n'est-il pas curieux que celui-là même qui recevait la démission des évêques lorsqu'ils atteignaient soixante-quinze ans et qui avait privé de leur droit de vote aux conclaves les cardinaux ayant passé les quatre-vingt soit demeuré lui-même à son poste jusqu'à près de quatre-vingt-cinq ?

Je préfère, pour ma part, réserver mon admiration à un geste de Jean-Paul II dont on a moins parlé : sa visite, en la prison de Rome, à Mehmet Ali Agca, qui, quelques mois plus tôt, avait tenté de l'assassiner place Saint-Pierre. Nos gestes les plus forts ne résident pas dans nos actes personnels les plus grands – dont nous ne savons d'ailleurs jamais trop bien à qui nous devons d'en avoir eu l'idée et l'audace – mais dans ceux qui dépassent nos limites humaines. Le pardon est de ceux-là.

Pour être capable de faire le don de soi,
il faut avoir pris possession de soi
dans cette solitude douloureuse
hors de laquelle rien n'est à nous
et nous n'avons rien à donner.

Louis Lavelle, philosophe, 1883-1951.

Je n'ai pas attendu d'avoir la redoutable responsabilité de présenter des séminaristes en vue de leur ordination sacerdotale pour réfléchir à ce ministère que j'exerce depuis trente-cinq ans. Les années à Saint-Eustache ont joué un rôle déterminant dans cette réflexion. De toute vraie rencontre on ressort différent, enrichi. Si d'aucuns ont pu penser que grande était la part que j'avais prise à l'évolution du visage de la paroisse, se sont-ils aperçus que celle-ci avait bien plus encore bouleversé mon itinéraire intérieur ? Modifiant le regard que je portais sur moi-même et sur les autres. Modifiant également mon regard sur le service pastoral qui m'était confié, sa grandeur comme mes limites. Une grandeur dont la liturgie solennelle d'une grand-messe, dans l'écrin de Saint-Eustache, est l'expression la plus visible. Mais encore faut-il que la communauté rassemblée pour faire mémoire d'un amour donné sans limite vive au quotidien le souci d'en témoigner auprès de ses frères les plus fragiles – comme le Christ nous a dit de le faire : « Tu aimeras le Seigneur ton Dieu de tout ton cœur, de toute ton âme, de tout ton esprit : voilà le premier et le plus grand des commandements. Le second lui est semblable : tu aimeras ton prochain comme toi-même », disait Jésus, citant la Torah. « La liturgie est le sommet auquel tend l'action de l'Église, et en même temps la source de toutes les vertus », rappelle en écho Vatican II. Quant aux limites, elles sont dans le grand écart entre cet amour reçu et celui que je suis capable de donner.

Je ne manquais jamais de m'exprimer sur ce thème à l'occasion du quatrième dimanche après Pâques, appelé « dimanche du Bon Pasteur ». On y relit alors ce passage de l'Évangile de Jean où le Christ se présente comme le berger scrupuleux qui connaît ses brebis, que ses brebis connaissent, et qui veille à ce qu'aucune ne soit victime du loup prédateur. Il est prêt pour cela à donner sa propre vie. Comme c'est aussi le jour traditionnel de quête pour les séminaires, il est en cette circonstance des raccourcis imprudents. Ainsi cette phrase, dans un tract de l'archevêché appelant les catholiques à la générosité : « Donnez pour ceux qui donnent leur vie à Dieu. »

Depuis que, supérieur général, je me trouve en situation de discerner parmi les candidats qui viennent vers nous, je continue à tempérer certaines emphases de vocabulaire entourant la personne du prêtre, bien persuadé qu'à trop sublimer les engagements proposés on prend le risque de graves désillusions. Cette réserve paraît bien décalée par rapport aux belles histoires que nous racontent certains séminaristes à la veille de leur ordination : leur émerveillement devant ce que Dieu a fait dans leur vie, les signes et les appels qu'ils ont reçus (aussi impératifs que pour Paul sur le chemin de Damas), l'oblation totale qu'ils font d'eux-mêmes… En général, ils ajoutent – prudence oblige en raison des trop nombreux scandales ayant touché leurs confrères ces dernières années – leur assurance que la grâce suppléera à leurs limites personnelles et aux éventuelles difficultés de parcours.

Ces propos, je les leur pardonne d'autant plus volontiers que je n'ai pas oublié les élans et les certitudes de ma jeunesse. Mais, entre-temps, mon propre cheminement m'a conduit à plus de modestie, et il me paraît important, dans le domaine de la vocation, de ne pas trop en rajouter sur la part directe prise par Dieu dans cette histoire. L'Esprit-Saint ayant sans doute, comme Dieu le père, quelques moments de repos ou de distraction, il arrive à ceux qui s'en réclament de se tromper dans leur décision. Le jour où ils appellent un séminariste comme le jour où ils le refusent. C'est pourquoi il me semblerait plus juste (je ne dis pas plus honnête, car je pense que les séminaristes interrogés s'expriment avec sincérité) de parler de sa propre vocation en disant plus simplement : « J'ai envie de servir l'Église ; je pense à être prêtre. » Resterait aux responsables à répondre, avec la même modestie : « Il nous semble que vous êtes fait pour cela. Mais, de toute façon, mon appel ou mon refus ne saurait vraiment rendre compte de ce qui se passe dans l'intimité de votre relation avec Dieu. »

Lorsque je regarde en arrière, je constate d'ailleurs que l'histoire de ma propre vocation est celle d'un itinéraire tortueux, contrarié, pas facile à déchiffrer au premier coup d'œil – et qui m'invite à adoucir certains mythes, sans pour autant tuer le mystère. C'est très beau, le don absolu, pour toujours, de ses biens, de son corps et de ses pensées. C'est si beau que certains disent en rêver encore au moment de leur troisième ou quatrième union ! C'est si beau que j'en ai moi-même rêvé longtemps.

Mes premières suspicions ont sans doute surgi lorsque, enseignant, je commentais la déclaration du Maréchal faisant le « don de sa personne à la France ». Et il me semble aujourd'hui plus réaliste de reconnaître que, étant donné nos limites humaines, il convient de s'engager avec prudence sur cette voie d'absolu.

Mais, dira-t-on, il ne s'agit pas de donner sa vie à une personne aussi médiocre que soi-même mais à Dieu, qui ne nous veut que le meilleur et ne peut pas nous décevoir. Je ne pensais d'ailleurs pas autrement il y a quelques années, lors d'un débat passionné avec des confrères, quand j'affirmais que la liberté était totalement superflue au paradis en raison de la qualité d'amour qui nous serait donnée là-haut ! Mais, hors cette circonstance exceptionnelle, je suis devenu très circonspect en matière de renoncements qui ne relèvent pas d'une libre motivation spirituelle et dont je perçois de moins en moins la nécessité pastorale.

La règle du célibat des prêtres fait partie de ceux-là. Battus en brèche par l'usage d'autrefois et bien des cas particuliers d'aujourd'hui, les arguments invoqués pour son maintien sont peu convaincants. D'ailleurs, même s'ils sont moins nombreux ces dernières années, il ne manque pas d'évêques pour demander que le célibat ne soit plus exigé pour les candidats au sacerdoce. Il en fut ainsi pendant des siècles quand l'Église, continuant l'époque apostolique, ordonnait des prêtres mariés, et elle le fait encore aujourd'hui pour les prêtres catholiques de rite oriental. Elle l'a aussi accepté pour plusieurs centaines de pasteurs anglicans devenus, ces dernières années, catholiques. Sans compter les situations plus originales que beaucoup ignorent : un homme marié, ayant élevé ses enfants, s'il est veuf ou que sa femme entre au couvent, peut demander l'ordination. L'Église précise bien alors que cela n'annulera pas le sacrement de mariage, mais qu'il sera demandé aux époux, lors de vacances communes par exemple, de vivre désormais comme frère et sœur ! Autant de contre-exemples montrant que l'on peut très bien, dans l'Église catholique, être prêtre et marié.

Mon propre souhait d'un retour au statut des premiers siècles ne tient pas seulement aux besoins en prêtres auxquels nous avons de plus en plus de mal à répondre. Car je ne suis pas de ceux qui s'imaginent que la levée de l'obligation du célibat remplira du jour au lendemain les séminaires. Mais elle permettrait une plus grande clarté – que l'on doit en premier lieu au peuple chrétien – et favoriserait, en même temps, un assainissement du corps. Que gagne-t-on à entretenir (voire à renforcer) la confusion entre deux vocations, le service pastoral et l'engagement religieux, sur lesquelles l'Église est juridiquement (canoniquement, comme on dit chez nous) bien au clair ? Je suscite presque toujours l'étonnement lorsque j'explique à de bons chrétiens que je n'ai pas prononcé de vœux et que l'engagement du célibat qui m'a été demandé est d'une tout autre nature que celui des religieux. Ces derniers se présentent (du moins devrait-il en être ainsi) parce que, saisis par une rencontre mystique, ils veulent engager toute leur vie sur un chemin de perfection dont témoignent les vœux (pauvreté, chasteté, obéissance) qui les mènent au dépouillement de tout bien propre : argent, corps, liberté. Le candidat à la prêtrise fait part, quant à lui, de son souhait de participer à la mission pastorale confiée aux évêques, successeurs des apôtres, pour rassembler le peuple de Dieu autour de la célébration eucharistique (la messe) qui constitue l'Église. Celle-ci lui répond : « Pour cela, nous vous demandons de vous engager au célibat. » Ce n'est pas là le choix du candidat, mais une conséquence qu'il lui est demandé d'accepter. Et c'est bien cette lecture que fait l'Église puisque – hors situation singulière – elle parle alors de prêtre « séculier », vivant dans le siècle, par opposition aux réguliers, qui choisissent un lieu ou un groupe spécifique pour y être fidèles à une règle particulière. D'ailleurs, pour un prêtre qui veut quitter sa fonction, le dossier (on utilise alors l'expression malheureuse de « réduction à l'état laïque ») est assez rapidement instruit, alors que pour un religieux qui veut revenir sur ses vœux la démarche est autrement complexe. Et c'est bien normal, car le contrat rompu est d'une nature profondément différente.

Dans son ouvrage *Les prêtres que Dieu donne* – un titre inspiré, je suppose, par le prophète Jérémie, mais qui sonne déjà comme un argument irréfutable –, le cardinal Jean-Marie Lustiger présente, au chapitre « Consécration de toute leur vie », la discipline de l'Église latine comme sa volonté « de ne choisir ses prêtres que parmi les hommes appelés par Dieu à lui consacrer toute leur vie dans le célibat ». Ce qui me paraît être une inversion de la réalité exprimée par le rituel. Il n'y a pas, me semble-t-il, de vocation première pour le célibat, et je ressens un certain malaise devant celle ou celui qui prétend avoir reçu cet appel avant même celui d'un service particulier dans l'Église. Comment ne pas avoir d'interrogations devant un tel élan naturel alors que, par ailleurs, l'Église ne cesse de rappeler qu'« à l'origine Dieu les fit homme et femme et qu'ainsi donc l'homme quittera son père et sa mère et que tous deux ne feront qu'une seule chair » ? Cette Église, attentive à ce qui pourrait entraver – fût-ce inconsciemment – la liberté de ceux qui veulent s'engager dans le mariage, l'est-elle autant à l'égard de ceux qu'elle accueille en vue du sacerdoce ?

Lors des ordinations à Notre-Dame en juin dernier – cérémonie qui concluait l'année du sacerdoce décrétée par Benoît XVI –, le cardinal Vingt-Trois a utilisé, au terme de son homélie, des mots beaucoup moins chargés que son prédécesseur pour évoquer les qualités nécessaires au ministère presbytéral : « L'Église qui est à Paris a besoin de prêtres passionnés par l'annonce de l'Évangile et le service du peuple des chrétiens. Vous pouvez être ces prêtres si vous acceptez tout simplement d'entendre l'appel de Dieu et d'y répondre. » Des mots proches de ceux que la liturgie a prévus pour le jour de mes obsèques : « Maintenant qu'il a rempli sa mission de rassembler ton peuple et d'annoncer l'Évangile, donne-lui de rencontrer dans la gloire celui qu'il a cherché avec ses frères. »

Pas de vœux, les prêtres ? Mais alors, libres de tout ? Non, bien sûr : pour le prêtre – comme pour tout chrétien – l'Église prône l'absence de relation sexuelle hors mariage. Une « recommandation » de moins en moins comprise, et dont s'affranchissent bien des « fidèles », avant et après leur mariage ! La même incompréhension de la règle par certains prêtres, sa contestation par d'autres, ce qui est vécu ici, ce qui est connu là, font se multiplier les entorses au règlement, les petits arrangements et les situations parallèles plus ou moins cachées. Avec parfois de douloureuses victimes quand, pour revenir à son engagement de célibat, le prêtre renonce à une relation qu'il pouvait avoir assortie d'une promesse, voire dont a pu naître un enfant. Des victimes dont le rappel au règlement fait peu de cas.

Et ces situations n'existent pas seulement en Afrique, où, plus qu'ailleurs, l'Église semble avoir renoncé à réellement exiger des conduites souvent culturellement impossibles. Comme il sera dit pudiquement dans *Le Monde* à propos d'un voyage du pape : « Là-bas, ses priorités sont ailleurs. »

Réfléchissant sur mes propres errements (et bien qu'étant par nature plutôt à cheval sur les contrats), je crois avoir, en mon temps de formation, assez peu entendu une autre présentation que celle d'une formalité nécessaire sur laquelle on ne s'attardait pas beaucoup. Pas plus au séminaire d'Issy-les-Moulineaux qu'à l'Oratoire, où le premier confrère qui m'avait reçu – et choqué – m'avait dit (et il aimait à le répéter) : « Jamais le dimanche ; jamais au presbytère. » Je devais découvrir ensuite qu'en dehors du jour et du lieu (sauf exceptions) il y avait une assez grande liberté de pratiques. Alors, pensera-t-on, tout va mieux, puisqu'à la crise des vocations on a jugé bon de répondre par un discours exigeant, correspondant d'ailleurs aux désirs du plus grand nombre des candidats séminaristes, soucieux ces dernières années d'une identité plus clairement affirmée. Ils inscrivent, à travers des engagements spécifiques, leur volonté d'une distinction avec des laïques de plus en plus présents dans les services d'Église. On voit ainsi de jeunes prêtres qui, à travers leur tenue, remettent chacun à sa juste place et arborent fièrement leur conscience des droits et devoirs qui en découlent.

Mais l'homme n'en est pas moins homme. La voie étroite des vœux ne pourra jamais être autre chose qu'un engagement très exceptionnel auquel seuls certains sont appelés. Car les tentations sont nombreuses, et l'environnement sociétal prônant enrichissement sans limite et liberté absolue, en particulier de son corps, est à l'opposé d'une vie de pauvreté, de chasteté et d'obéissance. Bien avant Internet, on parlait de la bonne du curé dont le dévouement pouvait aller un peu plus loin que les seuls services du ménage. Sans que d'ailleurs cela choque excessivement des paroissiens souvent compréhensifs : un certain bon sens leur disait que la stricte observance de la chasteté constituait pour leur curé, qui n'était pas pour autant un héros, un prix trop lourd à payer. Ce bon sens des paroissiens, celui qui devient un jour responsable d'un groupe religieux ne doit pas le perdre, car il aura forcément à gérer les revers qu'occasionnent les renoncements auxquels on a consenti : alcool, déprime, caractère prématurément aigri. L'argument selon lequel le célibat garantit un meilleur service rendu par les pasteurs à leurs fidèles n'est pas imparable. Il faut – je parle d'expérience – n'avoir jamais tiré la sonnette d'un presbytère à l'heure des jeux télévisés pour se rendre compte que la disponibilité ne dépend pas forcément d'un état de vie singulier !

Tout cela nous ramène à la même question : où est donc l'intérêt de lier le service pastoral à un statut particulier ? Celui-ci enferme le prêtre – comme les plus traditionalistes aiment le faire – dans le rôle d'unique acteur et médiateur de la reconstitution d'un culte sacrificiel, s'abîmant dans un face-à-face avec Dieu qui lui fait tourner le dos à l'assemblée, parler une langue que celle-ci ne comprend pas, et marquer un attachement maniaque au respect d'attitudes et de rubriques qui nous égarent sur l'essentiel. Cela n'est pas sans conséquence sur l'idée que le prêtre peut se faire de lui-même. Les responsables s'en trouvent moins attentifs aux étrangetés de comportement de candidats qui pensent trouver là le nid où abriter ou sublimer certaines difficultés de leurs itinéraires personnels.

Mais il y a un risque plus grave. On décrédibilise le témoignage de l'offrande totale de leur vie pour le Christ que d'aucuns, même en dehors du martyre, ont donné dès les temps apostoliques. Et ceux qui, séduits par une rencontre intérieure qui a bouleversé leur existence, vivent avec droiture, bonne humeur et ouverture à l'autre leurs engagements méritent le plus grand respect. L'amour fidèle et fécond, qu'il soit humain ou mystique, est une richesse qui n'a pas perdu de son actualité et que beaucoup envient lorsqu'eux-mêmes en sont privés. Protéger cela, c'est permettre son rayonnement.

N'ayons pas cependant la naïveté de penser que de tels engagements sont à la portée de tous ; pas même de tous ceux qui souhaitent s'orienter dans cette voie. Avoir autorité pour confirmer ces choix appelle donc à s'assurer de critères de discernement qui ne soient pas totalement étrangers aux réalités ecclésiales et sociétales. Cela impose surtout d'avoir la lucidité de reconnaître que la répétition de scandales récents n'est pas le fruit de manifestations d'anticléricalisme et d'avoir la volonté et le courage d'en tirer de salutaires enseignements. Par exemple quand un candidat, après une première expérience dans une autre communauté, frappe à votre porte, il serait avisé de ne pas ignorer l'avis de ceux qui l'ont écarté ; non pour s'y soumettre (je n'aurais alors moi-même jamais été ordonné !), mais afin d'œuvrer en confiance et en conscience pour le bien de chacun. Une élémentaire prudence que j'ai vue trop souvent bafouée.

Les grands fondateurs d'ordre, hier saint Benoît, l'un des pères du monachisme, ou Thérèse d'Avila, initiatrice des carmels, ou, plus proches de nous, Mère Teresa ou frère Roger Schutz, pionnier de l'aventure de Taizé, avaient les pieds sur terre. Et leur expertise de l'âme humaine, qui a inspiré les règles qu'ils ont laissées, tient autant à ce sain réalisme qu'à leur vie spirituelle ; à moins que l'une n'ait inspiré l'autre ! « *Entre las cacerolas tambien esta Dios* (Dieu est aussi au milieu des casseroles) », disait sainte Thérèse.

Est-ce en réaction à des engagements trop souvent remis en cause aujourd'hui que l'on multiplie les propositions de « consécration » non seulement pour des religieux, mais aussi pour des laïques, des vierges, des veuves ? N'étant pas épargnés par les difficultés du moment, nous devrions inviter à des engagements moins absolus, respectant davantage les fragilités humaines, les nécessaires étapes de maturation, et ne plaçant pas trop vite les personnes dans des situations d'exception normalement irrévocables. Évidemment, une telle vigilance rendrait plus rares les belles envolées sur le don total de soi auquel certains, honnêtes dans leurs intentions mais pas forcément très lucides sur eux-mêmes, se pensent prédestinés. Cela ferait aussi sérieusement baisser des statistiques déjà inquiétantes. On croiserait moins de jeunes religieuses dans leur robe de toile écrue, les cheveux cachés sous un petit foulard, moins de jeunes moines en sandales, pieds nus par tous les temps, arborant pour beaucoup un perpétuel et extatique sourire (l'ensemble pouvant suggérer une vitalité et une sérénité des nouvelles vocations).

Las ! Ces belles images sont définitivement brouillées quand on apprend les multiples vies du père Maciel : le charismatique fondateur de la Légion du Christ, officiellement reconnue en 1965, est apparemment père de plusieurs enfants qui n'ont pas tous la même mère et vivent sur plusieurs continents. Il est par ailleurs accusé d'abus sexuels, et son attention très particulière aux riches veuves expliquerait les nombreux biens de sa nouvelle fondation. Ne sont surpris que ceux qui le veulent bien. Car les profils sont quasiment toujours les mêmes : ce sont des hommes ou des femmes attachés aux liturgies les plus traditionnelles, prônant le retour au bon catéchisme d'autrefois et aux patronages d'antan, soutenant l'alliance entre le trône et l'autel, prompts à dénoncer la dégradation des mœurs, de l'art contemporain, et à pourfendre des médias qui veulent la peau de l'Église catholique et de tous ceux qui s'y dévouent... Si les tenues et trains de vie sont généralement modestes, les biens immobiliers et les revenus financiers de ces nouvelles communautés le sont beaucoup moins, épargnant ainsi à leurs membres le souci de bien des mortels dont l'avenir est nettement moins garanti.

Si l'on ne tire aucune leçon des petites médiocrités, gros mensonges et dramatiques dérapages qui viennent abîmer les plus beaux idéaux, on en viendra vite à ne considérer les plus grands mystiques que comme d'étranges « allumés », voire de dangereux mystificateurs.

Difficile, quand on ne quitte guère Paris, de voir les conséquences de la chute des vocations sacerdotales en France : 37 555 en 1970 ; 15 341 en 2007. En plus des quelques ordinations qui ont lieu dans la capitale chaque année, il y a encore là un contingent important de prêtres ayant passé l'âge de la retraite (normalement soixante-quinze ans) et assurant toujours des services. Il ne faut cependant pas aller très loin pour découvrir le désastre – il suffit de passer le périphérique en direction du nord-est de l'Île-de-France. Pendant mes années de supériorat, qui m'ont amené à sillonner l'Hexagone, j'ai plusieurs fois proposé mes services dans des secteurs défavorisés de province ; en particulier lors de semaines saintes. Une année, ce fut dans une sous-préfecture s'honorant d'une ancienne cathédrale mais où il n'y avait plus de curé. Je ne pensais pas qu'on en était arrivé là.

Mais si, là et ailleurs, je prends conscience des pauvretés du presbytérat local, j'y fais aussi d'excellentes découvertes : des églises parfaitement entretenues que l'on tient ouvertes (comme le fait cette femme du Gers, rencontrée à Paris lorsqu'elle venait au chevet de son fils), des cloches sonnées trois fois par jour (leur soudain silence devrait sans doute davantage inquiéter les chrétiens que la construction de minarets) et des cérémonies préparées avec le plus grand soin liturgique par des paroissiens en l'absence de prêtre. Parmi ces fidèles, ne pourrait-on pas en ordonner certains ? Les ordonner prêtres, pas leur confier je ne sais quelle mission de substitution qui ne permet pas aux croyants de se rassembler régulièrement. Il s'agit de répondre au commandement que le Christ a laissé à ses apôtres lorsque, la veille de sa mort, il les a réunis pour un dernier repas : « Faites cela en mémoire de moi. » Ce repas pascal auquel, chacun et en communauté, nous sommes invités à venir nous ressourcer est un besoin essentiel rappelé par Jean-Paul II dans l'encyclique qu'il a intitulée L'Église vit de l'Eucharistie ; autre manière de redire les mots du père de Lubac, lui-même reprenant l'adage très ancien que d'aucuns attribuent à saint augustin : « C'est l'Eucharistie qui fait l'Église. »

Pourtant, la remise en cause de la pratique de l'Église latine en matière d'ordination des prêtres (uniquement des hommes célibataires) ne semble pas à l'ordre du jour. En raison d'un même manque de discernement, les chrétiens perdirent Constantinople pendant que leurs théologiens discutaient du sexe des anges ! Il n'est pas besoin d'être docteur en théologie pour commenter l'Évangile du dimanche, et les douze Apôtres, même s'ils avaient bénéficié d'un enseignement particulier et exceptionnel, ne l'étaient pas. Pas plus que ceux qu'ils ont ordonnés par la suite pour que se perpétue le commandement qu'ils avaient reçu de Jésus, et l'on voit même que, pour bon nombre d'entre eux, subsistèrent longtemps questionnements et même malentendus. Aujourd'hui, ce ne sont pas toujours les prêtres les plus diplômés qui font pour leurs fidèles les homélies les plus adaptées, et je n'ai pas oublié ceux de mes paroissiens qui me disaient que le partage de mes interrogations favorisait tout autant leur réflexion que le partage de mes connaissances.

Et pourquoi pas des femmes ? Une perspective encore plus bloquée dans l'Église catholique que celle de la levée du célibat. Jean-Paul II a même tenté un moment de refermer définitivement le sujet en écrivant, dans une lettre apostolique de mai 1994, que « l'Église n'a en aucune manière le pouvoir de conférer l'ordination sacerdotale à des femmes et que cette position doit être définitivement tenue par tous les fidèles ». Certes, autour de la table de la Cène, il n'y avait que des hommes. On pourrait même ajouter qu'il n'y avait que des Juifs. Qu'il n'y avait que ceux qui y avaient été précisément invités... même si tous – en particulier un certain Judas – n'étaient pas vraiment à la hauteur de l'honneur qui leur était fait. Mais il ne manque pas d'autres attitudes ou paroles de Jésus qui sont inscrites dans la société de son temps et qu'on ne songerait pas un instant à tenir « pour parole d'Évangile ». Pendant des siècles, l'ensemble des Églises chrétiennes n'a appelé que des hommes au sacerdoce. Mais il est bien d'autres fonctions, dans d'autres institutions, qui n'étaient pas accessibles aux femmes jusqu'à ce que l'on en vienne à penser autrement. Et je demeure de ceux que ne convainquent pas les arguments invoqués pour refuser la prêtrise aux femmes.

Sommes-nous si différents de nos frères protestants qui, depuis quatre siècles, ont des femmes pasteurs ? Sommes-nous si éloignés de nos voisins allemands, qui n'ont pas hésité à élire le 28 octobre 2009 Margot Kässmann, évêque de Hanovre, présidente de leur conseil ? Une femme divorcée, mère de quatre filles ! Certes, outre-Rhin, les Églises font face à une désertion particulièrement forte de leurs pratiquants avec, pour elles, des conséquences financières immédiates. En effet, les citoyens sont invités, lors de leur déclaration d'impôt, à préciser leur religion s'ils en ont une, et ce sont ensuite les États qui reversent le pourcentage prévu à chaque communauté. Or il est si facile de cesser de cocher une case un jour de mauvaise humeur ! Est-ce en raison de la gravité de la situation, et ne sachant plus à quel saint(e) se vouer, qu'ils en sont arrivés à cette solution extrême, voire désespérée ? En tout cas, ils ont été largement unanimes : Mme Kässmann a été élue par 132 voix sur 142 votants. Et il semble bien que ce soit en raison de ses engagements de proximité, de sa chaleur, de la qualité de ses prédications ; autant d'atouts qui la font également apprécier par bien des catholiques. Évidemment, il ne manquera pas de monde pour dire que si, quelques mois plus tard, Mme Kässmann a cru devoir démissionner de sa nouvelle charge après avoir été arrêtée pour conduite en état d'ivresse, c'est un signe de la Providence.

Dans l'Église catholique on est actuellement bien loin de telles audaces, et l'on préfère n'opposer à la crise du clergé que des solutions palliatives. J'aurais volontiers tendance à y ranger la restauration du diaconat permanent – tout prêtre étant d'abord ordonné diacre –, proposé depuis quarante ans aux hommes mariés. Certes, un diacre peut célébrer des baptêmes – comme chaque chrétien en cas d'urgence –, bénir un mariage – alors que l'échange d'engagement des époux (en certaines circonstances sans prêtre ni diacre) suffit à en faire un acte sacramentel –, présider des obsèques – ce que font déjà souvent des laïques dans bon nombre de diocèses – et prêcher le dimanche. Retrouvant, dans un contexte nouveau, l'esprit ayant présidé à l'institution du diaconat dans la primitive Église, l'assemblée plénière des évêques de France a insisté en 1968 sur leur fonction missionnaire, dont la priorité était de répondre « aux appels que constituent l'incroyance, la misère et le sous-développement ».

Ce que l'on peut en voir à Paris donne le sentiment que l'on s'est écarté de l'intention originelle. Certains messieurs très chics, issus majoritairement des beaux quartiers, portent un très grand intérêt au bon drapé de leurs tenues de cérémonie et aux quelques gestes que la liturgie leur permet, mais ne sont pas les meilleurs témoins de l'impérieuse nécessité d'assister le plus pauvre ; pas plus qu'ils ne peuvent répondre au besoin essentiel de la communauté chrétienne de se rassembler pour la messe dominicale. La restauration du diaconat aurait-elle pour motivation première de fournir un argument supplémentaire à ceux qui souhaitent remettre à plus tard le débat sur l'ordination d'hommes mariés ? Elle n'en favorise pas la clarté, et les documentaires télévisés qui veulent rendre compte de ce sujet délicat ne peuvent que laisser perplexe le spectateur lambda. Par exemple lorsqu'on voit une cérémonie se déroulant dans une église présidée par un homme habillé comme un prêtre, sauf l'écharpe (« l'étole », qui change de couleur avec les temps liturgiques) qu'il porte en travers tandis que le prêtre la porte autour du cou : on pense bien sûr qu'il s'agit d'une messe, nom générique pour tout ce qui se passe à l'église, qu'il y ait ou non célébration de l'eucharistie. Combien de fois, au terme d'une cérémonie d'obsèques, n'est-on pas remercié pour « cette belle messe », alors qu'il n'y en a précisément pas eu ? Dans ce genre d'émission on entend aussi des « femmes de prêtre » qui disent leur colère de devoir vivre en la cachant leur situation maritale ; puis des fils ou des filles de prêtre qui disent leur douleur de n'avoir pas été reconnus officiellement par leur père. Arrive enfin le témoignage d'une femme de diacre qui dit « partager le ministère de son mari ». Et l'on voit tous leurs enfants réunis joyeux autour de la table familiale, après que leur père a fait son sermon du dimanche ! Comprenne qui pourra.

Parmi les autres solutions palliatives, il y a les multiples redécoupages paroissiaux qui confient à un seul prêtre une ou plusieurs dizaines de clochers : on les appelle « pôles », « secteurs », ou « zones pastorales », et on leur donne ensuite un nouveau nom. On n'hésite pas, en la circonstance, à puiser dans un passé local oublié : ainsi saint Armentaire, premier évêque d'Antibes en 442, devient le patronyme sous lequel sont rassemblées la cathédrale et les paroisses qui y ont été rattachées. Peut-être cela vaudra-t-il à certains enfants d'avoir un prénom original – qui ne soit pas celui d'un modèle automobile –, mais ce n'est pas sans perturber leurs parents qui, en termes de repères religieux, en sont restés à leur communion solennelle. Comme ces nouveaux découpages ont voulu anticiper la crise à venir, ils n'ont pas toujours été bien compris dans les diocèses où le clergé avait certes vieilli mais restait encore en nombre. Cela a parfois conduit à empêcher certains prêtres âgés de continuer leur service, afin d'habituer les paroissiens à un manque… qui n'existait pas encore. Là encore, comprenne qui pourra.

Mais, dans bien d'autres diocèses où le nombre de prêtres – même en intégrant ceux qui sont encore en activité après leur quatre-vingt-dixième printemps – est chaque année plus insuffisant, reste à savoir, une fois qu'on a regroupé plusieurs églises, qui pourra aller y célébrer la messe. Certains évêques disent avoir trouvé une heureuse issue à ce problème en faisant appel à des prêtres étrangers, d'autant qu'un certain nombre sont déjà présents en France et pas forcément pressés (qui pourrait leur jeter la pierre ?) de retourner vivre dans des pays privés de tout et en particulier de paix. « C'est le juste retour des efforts faits par les missionnaires européens au siècle précédent », théorise-t-on parfois, confondant un peu vite une période où il y avait un indispensable besoin d'aller vers des régions ignorantes du christianisme et oubliant que, récemment encore, on rappelait là-bas l'importance de passer aussi vite que possible la main à un clergé local.

Même s'il est beaucoup d'endroits où cela ne se passe pas si mal grâce aux efforts de chacun, je n'en suis pas moins fort interrogatif. Car on semble oublier le magistral enseignement de l'Incarnation, et ce ne sont plus là « des pasteurs qui connaissent leurs brebis et que leurs brebis connaissent ». Ils n'ont plus grand-chose à voir avec ce berger idéal que Jésus donnait en exemple après trente années d'immersion silencieuse parmi les siens : une « insertion » – comme on disait autrefois au séminaire d'Issy-les-Moulineaux – à ce point réussie que, la première fois qu'il prit la parole en la synagogue de Nazareth, la ville où il avait grandi, et qu'il laissa entendre qu'il pouvait être le Messie attendu, on tint ce fils du charpentier local pour un illuminé.

Les paroles de son dernier repas – que le prêtre reprend à chaque messe – ne furent pas la transmission d'une sorte de formule magique permettant que le pain devienne son corps et que le vin devienne son sang : devenues sacrées, elles s'inscrivent et ne trouvent leur sens que dans cette relation intime, ce compagnonnage de destin jusqu'à la mort où Dieu, en son fils, rejoint le plus tragique de la vie humaine. Ce que son Église ne saurait oublier lorsqu'elle se préoccupe de donner des pasteurs proches et attentifs – et non des sorciers – à ses fidèles. S'ajoutent à ces principes des problèmes de langue et, plus largement, d'expression de la foi et de ses rites. Comprenne qui pourra… et cette fois, au sens propre.

Conclusion de tout cela : il devient difficile au pratiquant occasionnel de trouver le lieu où, lorsqu'il est saisi d'un soudain besoin spirituel, il peut aller. Il lui faut d'abord trouver dans quelle église du secteur la messe est célébrée ce jour-là. S'il n'a pas trop de temps à perdre pour la recherche d'un numéro de téléphone, il vaut mieux qu'il connaisse le nouveau nom de son ancienne paroisse. Si, par chance, il arrive à obtenir le renseignement souhaité, il lui faudra vraisemblablement prendre sa voiture (en espérant qu'il en ait une) et faire un certain nombre de kilomètres. Une fois arrivé, il assistera à une célébration où le prêtre semblera bien faire les gestes habituels, mais dont, quoiqu'il ne parle pas latin, on ne comprendra peut-être pas la moitié des mots.

Toutefois, comme le relève dans *La Croix* la journaliste Claude Plettner, ce paroissien de passage risque d'être encore plus dérouté et rebuté s'il tombe sur un jeune prêtre, bien franco-français celui-là, mais semblant « sorti d'un autre siècle ». Et d'ajouter que si, par hasard, on ne se retrouve pas dans une assemblée de personnes âgées, il n'est guère plus aisé de se sentir en phase « avec certains de ces jeunes croyants ressemblant si peu à l'ordinaire de la jeunesse qui, elle, ne se marie plus, ignore tout de Dieu, cherche des repères mais pas des certitudes ». Dans combien de temps ce paroissien reviendra-t-il ?

La façon dont Claude Plettner parle des jeunes prêtres conduit évidemment à s'interroger sur leur origine, leur profil et leur formation. En une trentaine d'années de ministère en Île-de-France, j'ai pu voir évoluer le paysage. Lorsque j'arrivai à Issy-les-Moulineaux dans les années 1960, on y affichait clairement le souci particulier de rejoindre une classe ouvrière dont, depuis un siècle, l'Église (même s'il y eut de notables exceptions) n'avait pas compris les engagements et les luttes, préférant le plus souvent inviter à des actions de charité à l'égard des pauvres et donnant le sentiment de contribuer à faire perdurer des inégalités qui ne trouveraient leur terme qu'au paradis. Cela engendra un modèle de prêtre ayant un ancrage idéologique fortement marqué à gauche et n'envisageant guère son ministère que dans des banlieues rouges où on le reconnaîtrait davantage à ses engagements solidaires qu'à un quelconque signe distinctif, fût-ce la plus discrète petite croix. En France, l'expérience des prêtres ouvriers, puis plus tard en Amérique latine celle de la théologie de la libération, restent les symboles forts de ce retour de balancier d'après-guerre qui, comme souvent dans ce cas, fut excessif – entrer riche au royaume des cieux n'étant plus seulement, comme l'a dit un jour le Christ, « difficile » mais carrément indécent.

Les choses ont bien changé depuis. Ceux qui se présentent aujourd'hui dans les séminaires – d'où ils sortiront avec au moins un col romain, quand ce n'est pas une soutane – viennent le plus souvent de familles nombreuses des arrondissements ou des diocèses privilégiés de l'Ouest parisien. Il suffit de feuilleter la revue *Vocations en Île-de-France* pour comprendre qui seront ces prêtres de demain. Leur milieu d'origine n'est à aucun moment présenté comme un peu « particulier », que ce soit du point de vue de la stabilité, de la fécondité, des revenus ou du style de vie qu'ils permettent. Bien au contraire, tout cela semble aller de soi. Dans son éditorial, un responsable de cette publication déclare : « La pastorale des vocations relève en premier lieu de la responsabilité des familles. » Et de conclure qu'« il n'est pas déplacé de laisser cette revue bien accessible à tous pendant l'été dans la maison familiale ». Il est clair que, parlant ainsi, il pense peu à des jeunes élevés par une mère célibataire et devant partir l'été en colonie de vacances, mais plutôt à ceux dont les parents ont, depuis plusieurs générations, une propriété sur la côte vendéenne ou dans l'arrière-pays varois. Évidemment, de ces particularités familiales et sociales les nouveaux séminaristes ne sont nullement responsables et encore moins coupables. Reste qu'ils ressemblent peu aux populations – infiniment plus complexes et plus diverses – auxquelles ils seront envoyés. Et, comme me le confiait un jour un évêque auxiliaire, il est maintenant de jeunes prêtres qui « craignent de s'aventurer dans le Nord-Est parisien ».

Je n'ai rien oublié de mes années de formation au séminaire. Je me souviens de mes incompréhensions d'alors, de mes blessures aussi. Et de la façon dont l'Oratoire m'accueillit ensuite, en m'invitant à ouvrir les yeux sur la diversité du monde et de ceux qui y cheminent. Il est vrai que, par son histoire aux visages aussi divers que ceux de ses membres (bon nombre d'entre eux flirtèrent avec les idées des Lumières après les liaisons – dangereuses – de leurs prédécesseurs avec le radicalisme janséniste), l'Oratoire était mieux armé pour aborder, de manière moins rigide et doctrinaire, les temps mouvementés d'après-guerre et d'après-concile. Il l'était aussi par son attention portée au mystère de chaque destin. Comme il est écrit au début de la charte à laquelle se réfèrent les écoles oratoriennes : « Pour Pierre de Bérulle, fondateur de l'Oratoire, la condition humaine est placée sous le signe de l'énigme, de la complexité, de l'imperfection. »

Mon expérience passée m'invite à écarter toute suspicion première et à avoir compréhension et indulgence à l'égard des personnes. Et j'espère avoir vécu l'une et l'autre quand j'ai été responsable de la congrégation, et donc du recrutement de ceux qui voulaient la rejoindre. Car l'important n'est pas d'où l'on vient et ce que l'on est, mais ce que l'on peut en faire si l'on ose l'aventure de chemins nouveaux. Alors que l'Oratoire, fidèle à sa tradition, ne me demanda rien d'autre que de « prendre chair », on semble aujourd'hui, dans beaucoup de congrégations et diocèses, vouloir employer les sept années du temps de séminaire à former des extraterrestres qui au mieux seront des êtres spirituels (mais qu'est-ce que cela veut dire exactement ?), au pire les conservateurs attentifs d'un patrimoine théologique et liturgique. De plus, ils sont soigneusement sélectionnés. D'ailleurs, présentant la biographie d'un futur prêtre qui a consacré son mémoire de maîtrise de lettres aux « Auberges et cafés dans les romans de Giono », *Paris-Notre-Dame* précise… et rassure : « C'était, bien sûr, avant d'entrer au séminaire. »

Dans un tel contexte, je comprends volontiers qu'on me dise souvent que je suis un prêtre atypique. J'ai l'habitude de répondre que je pense tout simplement être resté un homme normal. Avec les mêmes centres d'intérêt que mes contemporains, les mêmes envies, les mêmes limites, les mêmes questions, les mêmes angoisses. Une « normalité » apparemment inquiétante pour beaucoup de responsables d'Église qui, dans les années 1970-1980 auscultaient la chute radicale des vocations, amorcée bien avant l'ouverture du concile. Et l'on entendit alors des évêques dénoncer chez ceux que l'on appelle les « séculiers » (prêtres vivant dans leur siècle et en épousant les dangers) une « dangereuse sécularisation ». Invoquant alors, comme moi-même autrefois, la préférence donnée par Jésus à Marie la méditative plutôt qu'à sa sœur Marthe l'agitée, on privilégia l'idée d'un prêtre voué au service de Dieu plutôt qu'à celui des hommes. Et même si les choses furent rarement dites de façon aussi radicale, on vit renaître des expressions hiérarchisant, voire opposant ces services, dont tant d'autres paroles évangéliques nous disent pourtant qu'ils ne font qu'un.

Tout au long de l'année 2009, déclarée par Benoît XVI « année des prêtres », on ne manque pas de rappeler l'urgence qu'il y a à restituer l'identité profonde de ceux qui, à l'image du saint curé d'Ars, représentent le Christ lui-même dans son œuvre de salut. Le choix de saint Jean-Marie Vianney comme protecteur de cette année particulière nous ramène davantage à l'esprit du concile de Trente (1518-1563) qu'à celui de Vatican II. Car de ce prêtre exerçant en pleine ruralité post-révolutionnaire – au demeurant pasteur pieux et dévoué dont la biographie par Mgr Trochu fut une de mes lectures de jeunesse préférées – la ferveur populaire a surtout retenu un esprit de sacrifice qu'il s'appliquait d'abord à lui-même, mais qu'il conseillait aussi énergiquement à ses paroissiens. Il mena en particulier une lutte féroce contre les bals populaires, propices aux mauvaises rencontres. On n'a pas oublié non plus sa lutte de tous les instants contre le démon qui hantait sa maison comme le cœur de ses nombreux pénitents.

Autre aspect de cet esprit de « restauration » : on a créé pour ces nouveaux séminaristes, que l'on semble considérer comme autant de plantes fragiles dont il faut sauver l'espèce en raréfaction, un véritable cocon intellectuel. Ils y sont peu exposés au risque du choix de la foi mais y acquièrent au contraire la sécurité d'évidences qui leur font parler avec beaucoup d'aplomb des miracles, des mystères et de points dogmatiques qui ne cessent pourtant d'interroger bien des chrétiens. Leur manière d'argumenter n'est pas sans me rappeler celle de mon enfance, où étaient proclamés les droits du Tout-Puissant d'où découlaient, tout naturellement, les devoirs de ses créatures. Le premier étant de ne pas demander d'explications sur un ordre des choses et une organisation de l'univers en tous points satisfaisants.

Ce mode de pensée est bien dans l'esprit du nouveau catéchisme : à toute question que chacun peut se poser il y a une réponse. L'Évangile nous rapporte pourtant qu'il arriva au Christ de rester muet devant ses interlocuteurs, de répondre à leurs interrogations par une autre question, et que lui-même s'en posa. Comme au pire moment, quand, reprenant le psaume 22, il s'écrie sur la croix : « Mon, Dieu, mon Dieu, pourquoi m'as-tu abandonné ? »

Dédaignant les centres universitaires existants, où enseignent des professeurs dont la qualité des travaux tient autant à leur culture humaniste qu'à leur réflexion théologique et qui font grandir chez leurs étudiants le goût du débat, on a préféré créer des serres nouvelles. Ceux qui s'en étonnent trouveront réponse dans la lettre que le secrétaire de la congrégation (ministère romain) pour l'Éducation catholique a adressée, en juin 2009, aux supérieurs des séminaires pontificaux. Il y oppose deux courants dans l'Église : « Le premier [qu'il situe à la fin des années 1960 et pendant la décennie suivante] conduit à penser qu'il y a, dans la sécularisation, des valeurs à forte matrice chrétienne comme l'égalité, la liberté, la solidarité et qu'il doit être possible de trouver un accord avec ce courant et de définir des domaines de coopération. Le second courant, au contraire, invite à prendre ses distances. Il considère que les différences ou les oppositions, surtout dans le domaine de l'éthique, vont devenir de plus en plus marquées. Il propose donc un modèle alternatif par rapport au modèle dominant et accepte de tenir le rôle d'une minorité conservatrice. »

Ce faisant, il ne cache pas sa préférence pour le second positionnement, ajoutant qu'il est indispensable de faire précéder ces années d'études ainsi orientées d'un temps préparatoire qu'il n'hésite pas à appeler « période de rééducation ».

La nouveauté, ces dernières années, c'est que ces idées – et le vocabulaire qui va avec – sont maintenant énoncées sans nuances ni complexes. D'où la nécessité d'ouvrir de nouveaux lieux de formation, confiés souvent à de tout jeunes prêtres, frais émoulus d'une « bonne université ». Confirmant en l'espèce « qu'aux âmes bien nées, la valeur n'attend pas le nombre des années » ! Pas étonnant que, dans un tel environnement social et intellectuel, où Kant, Marx, mais aussi Freud n'ont de place que pour être dénoncés, et où tant de sujets de notre temps sont tabous, on passe à côté de nombreuses fragilités psychologiques. Comment peut-on à la fois dénoncer, à chaque nouveau scandale, les dérèglements du monde environnant et le manque de foi des coupables sans s'interroger sur l'absence de clairvoyance des responsables de séminaire et, plus profondément, sur de possibles causes institutionnelles ? Le fait par exemple que ceux qui se présentent au séminaire, et qui ont très souvent passé la trentaine, tiennent des discours aussi angéliques sur le célibat que je tenais moi-même quand j'avais quinze ans, ne devrait-il pas interpeller les formateurs ?

Ceux-ci, même vivant en vase clos, ne peuvent ignorer que bien des jeunes ont leurs premières relations sexuelles en pleine adolescence, y compris parfois lors des JMJ ou du « Frat », le rassemblement annuel des jeunes chrétiens d'Île-de-France. Apparemment il n'en est rien, puisqu'un évêque aux armées en recherche de personnel écrivait récemment, sans aucun humour, à ses confrères et aux supérieurs de congrégations religieuses : « Je sais combien le ministère auprès des forces armées, c'est-à-dire auprès de jeunes à majorité masculine, peut être un moment épanouissant dans la vie des confrères » !

La candeur des attitudes et la maladresse des propos pourraient faire sourire s'ils n'émanaient de ceux qui ont reçu ou recevront mission d'éclairer la conscience des fidèles. D'autant que ceux-ci les aideront peu à s'interroger sur certains décalages. Trop heureux sont-ils d'avoir « leur prêtre », comme ils aiment à le dire, l'enfermant dans leur petit monde qui regarde désormais « l'autre » à distance, comme le suggérait le texte de la Congrégation romaine pour l'éducation catholique. « Leur prêtre » qui veut bien bénir leurs maisons, qui prend le temps de visiter ses paroissiens malades ou âgés en leur apportant de l'eau de Lourdes, qui propose le mercredi des activités à leurs petits-enfants, qui remet dans leur église les statues de tous les saints auxquels ils aimaient brûler un cierge... Toutes choses qu'il eût été précieux de considérer, en d'autres temps, avec un peu plus de délicatesse et de pédagogie, en reconnaissant des médiations diverses dans notre rapport au sacré, même si tout croyant en Jésus-Christ est sans cesse appelé à passer de la superstition à la foi. Ce ne sont pas non plus ces paroissiens-là qui se plaindront que « leur prêtre » les remette (plus ou moins gentiment) à leur place. Pas plus qu'ils ne seront choqués que, lors de très belles cérémonies religieuses où ils retrouvent les cantiques et les odeurs d'encens de leur jeunesse, on distingue désormais les « servants d'autel », qui entourent le célébrant dans le chœur, des « servantes d'assemblée », pour lesquelles on essaie de trouver quelques marches plus bas des activités plus ou moins utiles.

Pourquoi s'étonneraient-ils ? Ce qui se passe à l'église est en harmonie avec ce qui se passe à la maison. Comme le dit si bien un responsable d'une de ces nombreuses formations issues des courants traditionalistes, l'Université de la vie : « La femme est celle qui reçoit ce que Dieu donne à l'humanité à travers les gestes et l'autorité du prêtre, l'homme est celui dont Dieu se sert, la femme est celle qui sert. » Ce n'est pas bien grave non plus si, au cours du prêche, on rappelle que les âmes des méchants iront forcément en enfer puisque le prêtre parle de ceux qui ne sont pas là. Et c'est déjà bien d'imaginer que les méchants puissent avoir une âme !

Pas modernes, « leurs prêtres » ? Allons donc – et cela fait illusion pour certains –, ils sont à la pointe des technologies nouvelles. Ceux de cette génération, qu'il m'arrive souvent d'appeler « col romain/téléphone portable », sont en effet loin d'être les derniers à utiliser mails et textos, voire à traiter les façades de leurs églises comme des espaces publicitaires. Grâce à leur pastorale du monde numérique, vous pouvez très bien faire votre carême par Internet, y régler vos intentions de prière par carte bleue et trouver, sur leurs nombreux sites, toute réponse « satisfaisante » à vos questions de morale et de foi. Ce sont bien là des prêtres de la « génération Jean-Paul II », sachant parfaitement utiliser les médias du XXIᵉ siècle pour y diffuser, sur bien des sujets, la pensée conservatrice du XIXᵉ siècle finissant.

Reste qu'ils donnent une leçon de proximité à beaucoup de leurs aînés qui, durant la grande époque de l'Action catholique, après la guerre, couraient de réunion en réunion et n'avaient plus le temps de visiter leurs paroissiens. Car, s'il peut se trouver dans cette nouvelle génération des technocrates qui mènent leurs paroisses comme de parfaits managers et ont en tête un véritable plan de carrière, il n'en manque pas (et en particulier dans les zones rurales) qui témoignent d'une réelle sollicitude envers « leur » troupeau.

Ultime paradoxe : ce retour à un paternalisme ambigu et désuet et à certaines formes liturgiques traditionnelles peut aussi séduire des publics éloignés d'une pratique dominicale.

La proposition d'une procession à l'ancienne le 15 août, comme la bénédiction de la mer et des bateaux de pêcheurs, pourront constituer un bon moment, parmi d'autres manifestations plus spécifiquement folkloriques, d'un temps de vacances. Dans la même veine, il y a le succès de « The Priests » en Irlande et celui des trois prêtres du diocèse de Gap qui, pourtant, font fort dans la ringardise. Même succès garanti pour le jeune prêtre en soutane accueillant des parents en quête d'une jolie église pour le mariage de leur progéniture : ils sont sous le charme lorsqu'ils apprennent que, outre le cadre, ils pourront avoir comme autrefois un bedeau en uniforme pour conduire le cortège nuptial. Les mêmes seront vite refroidis quand le curé, après avoir rencontré les futurs époux et constaté que la jeune femme est manifestement enceinte, décrétera que la cérémonie doit avoir lieu dans la plus stricte intimité. Sans bedeau et sans cloches !

L'argent, c'est des obligations et des actions.
Des actions pour bâtir la richesse,
des obligations pour moraliser sa détention.

Marc Roche, journaliste au *Monde,*
à propos de l'application
en politique économique du précepte
« Nul ne peut servir deux maîtres ».

Au moment où je quitte mes fonctions de supérieur général, j'écris un très long courrier à mes confrères sur une question probablement encore plus taboue dans l'Église que celle de la vie affective et sexuelle des religieux : celle qui touche au domaine de l'argent. J'aborde ce sujet tardivement car j'ai perçu peu d'empressement, individuel et collectif, pour que nous les traitions avec confiance et clarté. Il est évident que l'Oratoire n'a pas l'exclusivité de l'embarras sur cette question. Et si ce que j'aperçois de la vie des prêtres me laisse penser que la plupart d'entre eux ne sont ni riches ni pauvres, leur situation financière recouvre des réalités aussi diverses que leur statut de célibataire, elle est souvent source de bien des malaises internes et laisse beaucoup d'entre eux ignorants des réalités matérielles du commun des mortels.

D'une manière générale, les catholiques ont un rapport à l'argent plus complexe que les protestants, dont l'enrichissement peut être le témoignage d'une capacité à faire fructifier un don de Dieu. C'est encore plus vrai pour les prêtres et les religieux. Car, à moins d'annoncer clairement la couleur comme les moines mendiants, on assume difficilement que l'on vit d'un service cultuel ou compassionnel. C'est particulièrement difficile lorsqu'on accueille des personnes peu pratiquantes venant pour une demande de sacrement et, plus encore, lorsqu'il s'agit d'une famille en deuil. À la rigueur on ose dire qu'il faudra payer les chanteurs et sacristains, mais on peine à mentionner (cela pourrait pourtant se faire avec délicatesse et respect des différences de moyens de ceux qui viennent à nous) que le prêtre n'est pas réglé directement par les anges. Et si, au moment d'envoyer ses disciples en mission, le Christ leur recommande : « N'emportez ni bourse ni besace », il ajoute : « Mangez et buvez ce que l'on vous donnera, car tout travail mérite salaire. »

Faute d'être bien informés, les chrétiens eux-mêmes n'ont souvent aucune idée du coût des services qu'ils peuvent demander dans une église et de ce qui sera fait de leurs dons. Beaucoup font à la paroisse une offrande qui, dans leur esprit, comprend les frais de son entretien et les prestations éventuelles de musiciens, mais aussi évidemment la rétribution du temps de celui qui a préparé et célébré la cérémonie. Or rien n'est moins sûr, si celui-ci n'est pas lui-même destinataire de l'enveloppe ou du chèque global. Lisant ces lignes, certains amis découvriront que le très beau livre d'art qu'ils m'ont offert pour me remercier d'être venu célébrer un mariage en province n'était pas, comme ils l'ont sans doute pensé, un supplément par rapport à ce que j'avais dû percevoir sur l'enveloppe remise au curé local. C'est de cela et d'autres « détails » similaires que je parle à mes confrères :

« Ayant été moi-même responsable et curé, je sais d'expérience que l'on a une plus "juste" idée des frais de fonction quand on en décide soi-même ! Qu'il est plus facile d'inviter à déjeuner la responsable des catéchistes, d'aller aux obsèques d'un confrère [...] quand on a le carnet de chèques ! Ayant été vicaire, je sais aussi qu'il est moins agréable de devoir justifier des remboursements, pourtant tout à fait normaux (timbres, déplacements...). Ces questions-là sont-elles suffisamment éclaircies, partagées entre les personnes, mettant bien à l'aise les uns et les autres ? Franchement, je ne crois pas qu'il en soit toujours ainsi. Je rentre dans ces détails car je sais qu'ils peuvent empoisonner les rapports entre les personnes, voire être ressentis comme humiliants par certains. »

J'aurais pu ajouter que, lorsque j'étais curé, j'ai toujours refusé d'avoir une facture détaillée de téléphone. Je ne voulais pas être ainsi en mesure de commettre une intrusion dans la vie de chacun, et me contentais d'un rappel général lorsqu'il y avait manifestement des « dérapages ». La situation existante génère inévitablement débrouilles, petites mesquineries, grosses rancœurs. Car, pour les prêtres qui n'enseignent pas dans une université, ne sont pas aumôniers dans un hôpital ou dans un collège et n'ont pas de biens personnels, l'achat de livres ou d'un appareil audiovisuel, le renouvellement de leur garde-robe et un éventuel départ en vacances relèvent d'une générosité particulière. Et celle-ci se manifeste le plus souvent à l'occasion d'une cérémonie que l'on célèbre pour une famille amie.

À Paris, beaucoup de prêtres donnent le sentiment de vivre bien au-dessus des moyens annoncés. Ils doivent sans doute à une mystérieuse Providence leurs vêtements de la meilleure coupe, et leurs destinations lointaines lors de leurs congés : une Providence qu'il faut croiser, accepter. Il y a aussi ceux qui ont un véritable don pour la provoquer...

Je ne suis pas parmi les plus à plaindre. Et j'espère, à ma retraite, ne pas avoir à dépendre de ceux de mes confrères qui tiennent maintenant les cordons de la bourse. Une situation pas toujours agréable (elle me rappelle le temps où ma mère devait régulièrement rendre des comptes à mon père) ni vraiment rassurante, et dont s'accommode mal la fameuse liberté oratorienne.

Signes de cette réalité des temps, plusieurs reportages télévisés ont récemment présenté les doléances et inquiétudes de religieux âgés qui comprennent mal la façon dont les plus jeunes générations – sans doute légitimement inquiètes de la charge particulièrement lourde que fait peser sur leur petit groupe la moyenne d'âge de leurs aînés – honorent leurs années de service. Aux difficultés des chiffres s'ajoutent en effet de grandes différences de mentalité. Et parmi ceux qui, quarante ou cinquante ans plus tôt, ont rejoint une communauté dans un climat de fraternité confiante, nombreux estiment être l'objet de décisions arbitraires et de jugements critiques sur leur manque de prévoyance, voire leur peu de débrouillardise ! Heureux sommes-nous, dans le diocèse de Paris, que le cardinal Lustiger ait eu à cœur, avec plusieurs de ses confrères d'Île-de-France, d'assurer un lieu de qualité pour ses plus anciens serviteurs. En attendant cette possible perspective, je retrouve, en même temps que le plaisir d'un service en collèges, la joie de payer des impôts. Ce qui ne m'était plus arrivé depuis que j'avais quitté l'enseignement : cette époque où j'expliquais à mes élèves (j'espère que certains s'en souviennent) pourquoi et comment on pouvait le faire avec plaisir !

Il était sans la moindre défense ;
il était exposé à tout ce dont nous sommes protégés.
Il était nu parmi les habillés.

Rainer Maria Rilke,
Le Livre de la pauvreté et de la mort.

Ce matin du 7 novembre 2001, je suis revenu à l'institut Curie avant six heures. Au sortir de l'ascenseur, à l'étage où est hospitalisé Bertrand, je l'entends râler. Malgré un ultime combat, son souffle, sa vie lui échappent.

C'est un même 7 novembre, en 1993, que je l'ai accompagné à l'hôpital du Kremlin-Bicêtre pour une seconde opération de sa tumeur au cerveau. Il avait alors vingt-cinq ans. Lorsqu'il a subi une première intervention, deux ans plus tôt, on a parlé de tumeur bénigne. Cette fois, elle ne l'est plus. Suivront de longs mois de chimio- et radiothérapie, et les cheveux ne repousseront jamais normalement du côté de son impressionnante cicatrice. À peine a-t-il un peu de répit quand, à trente ans, il soutient avec succès sa thèse de médecine. Très vite reviendront les céphalées, puis les crises d'épilepsie, que mieux que tout autre il peut interpréter. Il sait alors ce qu'il pressent depuis longtemps. Il a lu *Mars* de Fritz Zorn, et, comme pour le jeune Suisse, son cancer n'est pas pour lui le fruit du hasard. Dans la ville de province où il a grandi, il a mal vécu les tabous et les hypocrisies. Pressentir puis assumer sa différence a été trop douloureux pour sa sensibilité. Pas plus qu'il n'accepte son impuissance à porter remède aux drames de chacun. Il se sent trop fragile face à un monde dont il vit mal les intolérances, les haines, les menaces, les agressions. Les visions d'horreur du 11 septembre l'ont particulièrement impressionné. Il approche alors de ses trente-trois ans. Son heure est venue : il a rendez-vous avec la mort, comme celui dont il aime voir et revoir la vie tragique dans *L'Évangile selon saint Matthieu* de Pasolini. Ce cheminement avec son destin n'a pas, pour autant, fait taire sa révolte contre l'inacceptable, mais, après des années de lutte, le mal est devenu plus fort que lui. C'est cette ultime bataille, maintenant perdue, que j'entends à plusieurs mètres de sa chambre, et je peux lire une immense tristesse dans son regard. Après avoir passé le dernier relais à ses parents, je rentre chez moi.

Je reprends une nouvelle fois *Le Livre de la pauvreté et de la mort* de Rilke, qu'un ami m'a offert en 1983, à la mort de ma mère. Je relis ces vers que je connais par cœur :

« Car ce qui fait la mort étrange et difficile
c'est qu'elle n'est pas la fin qui nous est due,
mais l'autre, celle qui nous prend
avant que notre propre mort soit mûre en nous. »

La mort de Bertrand est une mort de trop. Elle creuse une faille dans une foi que, jusque-là, rien n'avait vraiment ébranlée. Elle fait vaciller une paix que je n'ai pas retrouvée depuis.

Six ans après ma mère, mon père est mort lui aussi dans la tradition chrétienne et familiale : entouré de ses proches, ayant reçu les « secours de la religion », animé par une conviction que renforçait l'impérieuse nécessité d'un ultime témoignage. Durant l'une de ses dernières nuits, que je passe seul auprès de lui, il mène très loin – morphine aidant – sa volonté de maîtrise absolue des situations : je dois composer les numéros des parents et amis qu'il veut prévenir de son « départ », préparer la chemise et la cravate qu'on devra lui mettre au matin qu'il pense ne pas voir, rayer des listes de faire-part les personnes décédées depuis le départ de ma mère... Contrairement à ce qu'il pensait, il se réveille le lendemain matin, et les trois jours qui suivent, non prévus par lui, lui paraîtront interminables. Mais, aux derniers moments, nous serons toujours auprès de lui, dans la chambre parentale, comme on le voit dans certains tableaux des siècles passés. Cela devient si rare que ce n'est plus pour beaucoup qu'une scène de musée. Auprès de lui comme auprès de ma mère, j'ai compris le sens profond d'un cérémonial qui m'avait beaucoup choqué lorsque, âgé d'une dizaine d'années, j'avais pour la première fois visité Versailles. On nous avait alors expliqué, dans la chambre du roi, que celui-ci devait mourir en public. Cet usage protocolaire signifiait que, jusque dans sa mort, le roi se devait à ses sujets, imposant une valeur d'exemplarité au dernier acte de son règne. Jean-Paul II ne pensait sans doute pas autre chose.

Après avoir vu mes parents, chacun à leur manière, animés envers nous d'un tel état d'esprit, j'ai compris que cette volonté d'être jusqu'au bout au service de leurs enfants témoignait certes de courage, mais aussi qu'elle leur permettait de ne pas être confrontés, solitaires, au drame de leur situation personnelle. Et quand ma mère, à ses ultimes heures, nous disait : « Ne pleurez pas, je suis prête », je ne suis pas sûr du tout qu'elle l'était – qui est prêt à mourir ? – mais je suis sûr qu'elle voulait que nous ne pleurions pas. Elle exerçait ainsi, jusqu'au dernier souffle, sa protection maternelle.

Pour Bertrand, confronté à son destin prématurément brisé, les choses sont tout autres. La maladie revient quand il pouvait l'espérer vaincue. Quand, comme ses amis autour de lui, il fait des projets professionnels. Et en demandant la confirmation, alors que certains symptômes annoncent une rechute, il espère peut-être un miracle. À l'article de la mort, il aurait su vivre, il aurait aimé vivre. Ce matin de novembre 2001, quand je le rejoins à Curie, il est, au sens précis du terme, « dés-espéré ». Le terrible désarroi de son dernier regard porte une fêlure définitive à ma propre espérance. Après avoir lu tant de fois, lors d'obsèques, ces vers du livre de la Sagesse : « Aux yeux des insensés, ils ont paru mourir [...]. On les croyait anéantis, alors qu'ils sont dans la paix », son ultime détresse fait de moi un insensé.

Ce n'est pas faute pourtant d'avoir croisé la mort. Ce n'est pas faute d'y avoir songé pour moi-même, et depuis longtemps. Je ne sais pas à quoi je dois, depuis l'enfance, d'avoir conscience de ma finitude. D'autres ont décrit la précocité de ce sentiment. Ainsi Julien Green, dont je lis le journal pendant mes premières années de séminaire, raconte comment un jour, à dix-huit ans, alors qu'il se promène dans le verger d'un de ses oncles en Virginie, il s'avise soudain que la mort n'est pas seulement pour les autres mais aussi pour lui. Pour ma part, je suis toujours partagé entre soumission devant l'inévitable et rébellion devant l'inacceptable, ce qu'exprime si justement Simone de Beauvoir dans le petit bijou d'une centaine de pages (*Une mort très douce*) qu'elle a consacré à la mort de sa mère : « Tous les hommes sont mortels : mais pour chaque homme sa mort est un accident et, même s'il la connaît et y consent, une violence indue. » Et je déteste ce texte attribué à Scott Holland, à saint Augustin ou à Charles Péguy : « La mort n'est rien, je suis seulement passé dans la pièce à côté », trop souvent choisi par les « survivants » pour parler du départ d'un proche.

Très tôt, j'écris mon premier testament, même si je n'ai que quelques « trésors » sans valeur à partager, et je n'ai pas beaucoup plus de vingt ans quand je tente – sans succès – de négocier une dernière demeure dans le petit cimetière qui, au cœur du vignoble alsacien, entoure l'église fortifiée d'Hunawihr. Autre symptôme de cette préoccupation précoce, à tous ceux que j'ai rencontrés, parfois très furtivement, j'ai demandé un numéro de téléphone permettant d'envisager un lendemain. Et mes plus proches m'ont – non sans raison – souvent reproché ma difficulté à profiter du meilleur d'un jour tant que je n'ai pas assuré les suivants. Un souci qui n'est pas vraiment dans l'air du temps, où l'on montre plus de goût pour l'immédiateté que pour une quelconque éternité. Quant à la mort que nous voyons si souvent massivement, mais anonymement, à la télévision, elle se fait particulièrement discrète dans nos villes.

Aucun décès n'interrompt plus les programmes habituels des médias audiovisuels. Beaucoup surviennent dans l'anonymat des hôpitaux, sans qu'aucun des proches soit là au moment de l'ultime passage. Finis les jours (et les nuits) de veille dans des maisons où l'on parle bas. Quand la mort frappe une famille, on en écarte les enfants, et on en témoigne à peine dans ses tenues pour ne pas attrister « la vie qui continue ». Les convois funèbres ne ralentissent plus la circulation. On leur impose certains horaires et itinéraires, et même les fourgons mortuaires ont troqué le noir pour du gris, du bleuté ou du mordoré. Je me suis souvent demandé, en attendant des obsèques sur le parvis de Saint-Eustache, d'où ils pouvaient bien surgir, puisqu'on n'en voit pratiquement jamais dans les rues.

L'Église n'est pas étrangère à ce mouvement général. Dans mes années de prime jeunesse, l'accompagnement de la mort et la prière pour les défunts constituaient une activité essentielle du clergé. Scrupuleux sur les honoraires d'intentions de messes recueillis lors des obsèques, les prêtres devaient quasi quotidiennement célébrer – en chasuble noire avec enfants de chœur assortis – des messes particulières pour les défunts. Comme souvent, la réaction à cet excès fut elle-même excessive. Désireux d'être plus près du quotidien des hommes et des femmes de leur temps – y compris dans leur travail et leurs engagements –, les prêtres semblèrent oublier que la mort était aussi un moment de la vie et que leur présence aux côtés de ceux qui y étaient confrontés devait demeurer une priorité. L'aumônerie des hôpitaux fut ainsi souvent confiée à des prêtres âgés et, quand commença à se faire sentir la baisse des vocations, les obsèques (qui ne sont pas un sacrement) furent l'un des premiers services confiés à des laïques. Certains d'entre eux ne comprennent pas bien que le sacrement des malades (l'« extrême onction » en phase terminale) demeure réservé au prêtre : « Nous avons accompagné les malades dans les bons et les mauvais jours et voici qu'au dernier moment il nous faut appeler quelqu'un d'autre. C'est dommage. » C'est oublier la fonction essentielle de « passeur » qu'a tout ministre ordonné pour accompagner de gestes rituels les grandes étapes de la vie, dont l'ultime qui conduit vers l'autre rive. Et j'ai récemment rencontré, au fond d'un vallon normand, un homme qui, un an après avoir fait de son mieux pour conduire dignement – mais sans la présence d'un prêtre – son épouse au cimetière, m'a demandé de venir célébrer une messe dans leur village, afin que soient sacralisés les mots : « Qu'elle repose en paix ! »

Dès ma nomination à Saint-Eustache, je tiens pour un premier devoir d'accompagner les malades en fin de vie (qu'elle se passe ou non sur le territoire paroissial) et d'être présent auprès de leurs proches. Quand je suis prévenu d'un décès, je propose une visite, et chaque fois que je le peux – à la grande surprise des services funéraires – j'accompagne les familles au cimetière après la célébration religieuse ainsi qu'au moment de convivialité qui, souvent, réunit ultimement les proches : moment privilégié pour les rencontrer toutes générations confondues.

Plus récemment, la responsable d'une école où j'interviens comme aumônier a osé m'appeler au moment du décès de sa mère. Il se trouve que dans la commune où vit sa famille, à une vingtaine de kilomètres de Grenoble, il n'y a pas de prêtre disponible pour célébrer les obsèques. Un laïque a dit qu'il pouvait présider la cérémonie, mais l'idée qu'il puisse ne pas y avoir de prêtre – ni de messe autour de cette fidèle pratiquante – est très mal vécue par son entourage. Par amitié et par conviction, je réponds immédiatement que je viendrai. Cette femme est décédée le jour même de son hospitalisation à Grenoble. Contrairement à ce qui se fait habituellement à Paris, l'hôpital a proposé le retour du corps au domicile. Lorsque j'arrive la veille au soir des obsèques, je demande si je peux passer quelques minutes auprès du corps et l'on me dit : « Bien sûr, nous allons tous régulièrement dans sa chambre lui dire un petit mot et l'embrasser. » Nous prions quelques instants auprès d'elle, puis nous remontons pour dîner. Il y a là les enfants, les petits-enfants. Tous ensemble, nous préparons la cérémonie du lendemain autour de la table familiale, et l'on boit peut-être un peu plus que d'habitude. En tout cas, il y a beaucoup d'éclats de rire à l'évocation de tous les bons moments partagés avec celle qui, d'où elle est et à sa manière, est encore ce soir-là la maîtresse de maison. Cette maison où nous revenons sans elle après les funérailles pour un ultime moment de souvenir. Comme cette soirée, après les obsèques de ma mère, où quelques-uns de mes anciens élèves s'emploient à consoler mes nièces. Un usage d'autrefois favorisant mieux que le passage à un funérarium ce « travail de deuil » dont on parle si souvent, mais qui semble tellement à part de nos parcours de vie que l'on fait appel pour cela à des « spécialistes ».

Le développement en France de la crémation participe certainement à modifier la place et le temps que nous consacrons au départ et au souvenir de ceux qui nous ont quittés. Le sida m'a souvent amené au crématorium du Père-Lachaise : désir de purification pour certains, de brûler l'épidémie pour d'autres, et, pour d'autres encore (qui pensaient qu'elle l'interdisait toujours), dernier pied de nez à une Église dont ils s'étaient sentis rejetés. Il m'est arrivé d'y retourner depuis. Sans enthousiasme : son décor est celui d'une église désaffectée.

Je continue à penser qu'il est précieux d'avoir des étapes qui respectent le temps nécessaire à la séparation. Les moments où l'on recueille le dernier souffle, où l'on ferme les yeux désormais sans regard, où l'on clôt le cercueil sur celui que nous ne pourrons plus voir, toucher, enlacer, où il est mis en terre dans une parcelle à sa taille qui permet de dire qu'il y repose, sont certes autant d'étapes douloureuses, mais qu'il vaut mieux franchir sans les fuir ni les brusquer.

La foi chrétienne dans la résurrection, qui part de la découverte du tombeau vide, s'accommode mal des quelques poignées de cendres d'une urne funéraire. Je n'y vois pourtant aucun obstacle à la manière – tout à fait mystérieuse – dont Dieu nous permettra une vie nouvelle. Mon peu de goût pour la crémation n'a rien à voir avec le destin de mon propre corps mortel, et je reconnais volontiers que l'idée d'un plus ou moins rapide pourrissement en terre n'est pas vraiment plus enthousiasmante que celle d'une hâtive réduction par le feu. La réserve que l'Église a longtemps eue à l'égard de la crémation a participé au déficit des rituels qui l'accompagnent. Faute de traditions ou de convictions qui pourraient leur donner sens, ceux-ci sont imaginés par des maîtres de cérémonies funéraires qui, même s'ils sont porteurs des meilleures intentions du monde, se retrouvent grands prêtres d'un dieu inconnu. Avec empathie mais en prononçant des paroles généralistes sur un avenir improbable, ils inventent de maladroites mises en scène qui se terminent souvent par la lente fermeture d'un rideau : théâtralisation de mauvais goût et frontière tellement fragile qui préparent mal au choc que constitue, deux heures plus tard, la remise de l'urne.

En fait, l'usage de la crémation, venu des pays anglo-saxons, s'est développé en France sans que beaucoup de ceux qui aujourd'hui en font le « choix » aient eu l'occasion d'une réflexion ou d'un échange à ce sujet. Elle est maintenant souvent présentée à des familles dans la peine et le désarroi comme la solution la plus hygiénique et la moins onéreuse, mais l'acquiescement obtenu n'est pas pour autant adhésion à une démarche à laquelle ces personnes n'avaient jamais songé auparavant. S'y ajoute l'embarras concernant le devenir de l'urne. C'est ainsi qu'un jour un paroissien vient me voir après la crémation de son épouse. Me rappelant qu'elle aimait beaucoup Saint-Eustache, il me demande si je veux bien l'héberger un moment à l'église jusqu'à la dispersion de ses cendres, prévue plus tard sur l'île de Ré. De sa visite a surgi l'idée d'organiser un espace dans le bâtiment rappelant le temps où les sépultures se trouvaient à l'ombre des églises. Mais, au-delà de cette disposition pratique, je vise à travers ce projet une réflexion largement ouverte à tous ceux qui partagent le souci de l'accompagnement de la mort dans nos grandes cités.

Quant à moi, je continue à préférer être conduit en terre vers un joli petit cimetière. À ceux qui voudront bien m'accompagner ce jour-là, j'espère que le prêtre ne parlera pas trop de l'enfer et que, dans l'attente du banquet prévu au royaume éternel, ils passeront un moment chaleureux dans une petite auberge voisine – prélude à des retrouvailles dont, depuis les premiers siècles de la vie de l'Église, les chrétiens ont l'espérance.

C'est précisément cette espérance qu'a mise douloureusement à l'épreuve la mort de Bertrand. Le plus souvent, jusqu'à ce jour, ceux qui partaient m'avaient fait don de leur attente d'un au-delà ou m'avaient invité à partager la mienne avec eux. Rien de cela dans le dernier regard qu'il m'adresse. Même si ce coup-là est terrible, ce n'est bien sûr pas le premier porté à mes croyances d'enfant au sujet du miracle pascal, et plusieurs fois, remontant au presbytère après la célébration d'obsèques, il m'est arrivé de douter des mots que je venais de prononcer. Mes représentations de notre avenir céleste ont déjà subi un choc face aux questions de Jean-Gabriel (six ans) après le décès de sa petite sœur, survenu quelques jours après que ses parents l'ont inscrite à Saint-Eustache pour son baptême. J'avoue que je ne m'étais jamais interrogé auparavant sur la façon dont se passeraient ces retrouvailles, probablement encore plus attendues que la rencontre avec le Dieu qui les permet. Mais, en me demandant si sa petite sœur va grandir, Jean-Gabriel me fait prendre conscience de la complexité des choses : quel visage aura ma mère, qui nous a quittés à soixante et onze ans, au moment de retrouver des parents qu'elle a perdus quand elle était encore enfant ?

Il ne manque pas de personnes – et de confrères – autour de moi pour rire de préoccupations aussi naïves. Sans compter ceux qui me disent que la résurrection est déjà dans notre vie d'aujourd'hui quand nous participons, au nom de Jésus-Christ, à construire un monde meilleur. À eux, je ne manque pas de répondre que leur « bonne nouvelle » laisse totalement de côté le gamin de trois ans qui saute sur une mine au Moyen-Orient ou disparaît dans un tremblement de terre en Haïti. Comme aussi tous ceux dont j'ai accompagné la mort en pleine jeunesse. Autant de destins absurdes qui creusent mon attente d'un jour et d'un lieu où se rétablirait enfin un peu de justice.

Avoir achevé une grande œuvre ou donné naissance à de nombreux descendants (même si avoir transmis la vie aide sans doute à accepter l'idée de la quitter) épuise-t-il tout désir d'éternité ? Est-il si ridicule d'espérer plus ? Même si je scrute toujours le message de ceux qui, de Jan Van Eyck à Jérôme Borel, nous font apercevoir le jardin transfiguré par la grâce d'un amour hors du commun, j'ai maintenant renoncé à toute représentation d'un monde complètement différent du nôtre. Je n'abandonne pas pour autant l'espérance d'une vie éternelle qui ne soit pas totalement étrangère à ce que je suis aujourd'hui, ni totalement sans lien avec celles et ceux que j'ai croisés ici-bas. Ce que nous savons de la résurrection du Christ par les Évangiles, comme de la foi des premiers disciples, ne contredit en rien cette espérance et j'ai été heureux, lors de la célébration rassemblant aux aurores sur le parvis de la Défense catholiques, protestants et orthodoxes pour la dernière fête de Pâques, d'entendre le cardinal Vingt-Trois oser proclamer, au milieu des temples d'une société matérialiste, que nous, chrétiens, croyons « en la résurrection de la chair et en la vie éternelle ». La liturgie des morts ne s'exprime pas différemment lorsqu'elle nous invite à prier auprès d'un défunt « jusqu'au jour où nous serons tous ensemble auprès de Toi ».

Jean Delumeau, au terme d'une étude savante de près de cinq cents pages sur les croyances et les représentations concernant l'au-delà, et après nous avoir invités à en accepter le mystère, n'en conclut pas moins avec une grande simplicité : « À la question "Que reste-t-il du paradis ?" la foi chrétienne continue de répondre : grâce à la résurrection du Sauveur, un jour nous nous donnerons tous la main, et nos yeux verront le bonheur. »

Pour que rien ne change,
il ne faut surtout pas changer quelque chose !

Revu et corrigé d'après Tancredi,
neveu du prince Salina,
dans *Le Guépard*, de Giuseppe Tomasi,
prince de Lampedusa.

Ce matin d'octobre 2002, à la lecture de *Paris-Notre-Dame*, bien des choses me deviennent plus claires. Un de mes anciens collègues y salue le quarantième anniversaire de l'ouverture de Vatican II. Il est d'une génération de jeunes curés de Paris qui, habituellement, ne manifestent pas d'enthousiasme excessif pour le dernier concile. Aussi son article, intitulé « Notre reconnaissance est immense », suscite-t-il ma curiosité :

« Né en 1962, ordonné prêtre en 1991, j'appartiens à une génération qui a toujours vécu dans l'Église "après Vatican II". Nos aînés, sans doute, ont été marqués par le concile, en ce qu'il a changé la vie concrète de l'Église. Ma génération a pu apprendre ce que le concile a continué… »

Le ton est donné : le mot « rupture », qui a parfois ses chances en politique, n'appartient pas au vocabulaire de la foi judéo-chrétienne, qui repose sur l'Alliance éternelle. Ainsi, l'intérêt du concile pour l'Église ne tient pas aux innovations et réformes qu'il a mises en œuvre et encore moins à une volonté de se rendre « sympathique à un monde qui ne veut toujours pas d'elle ». Une hostilité fondamentale que l'on aime à rappeler ces dernières années. L'audace, précise-t-il, n'est pas celle qu'on avait alors saluée. Elle tient dans « la liberté avec laquelle les évêques unis au pape ont osé présenter l'homme et les œuvres de ses mains comme le champ où l'Esprit de Dieu ne cesse de travailler pour lui faire porter du fruit pour la vie éternelle ».

Voilà, c'est dit : l'Église n'a pas cédé à la tentation du modernisme d'autrefois ni à celle de la modernité d'aujourd'hui. Et il enfonce le clou :

« Ce que l'Esprit-Saint a voulu faire dépasse de loin les intentions des pères du concile. Et les chrétiens d'aujourd'hui n'ont pas fini de renouveler leurs façons d'être, de penser et d'agir pour être vraiment des membres de cette Église-là que le Seigneur a fait naître sur la croix, l'Épouse qui travaille avec lui pour le salut de tous les hommes. En quoi notre tâche ici-bas se conjoint à celle des chrétiens d'hier et de demain. »

À mesure que j'avance dans ma lecture, je suis de plus en plus troublé. Je me méfie toujours des tentatives de mainmise sur les visées de l'Esprit dont d'aucuns connaîtraient mieux que d'autres les cheminements intimes. Une appropriation qui permet, en l'occurrence, de dire que les pères conciliaires n'ont pas compris ce qu'ils faisaient. En tout cas beaucoup moins bien que ceux qui relisent leurs textes aujourd'hui. Mais surtout, c'est la première fois que je trouve aussi clairement exprimé l'état d'esprit d'une nouvelle génération de prêtres et de chrétiens à l'égard de Vatican II : l'Église n'avait alors nullement le souci d'être mieux comprise de son temps ; elle voulait simplement que son temps la comprenne mieux. Cela fait un moment que je sens monter cette petite musique ; mais là, ce sont les grandes orgues qui saluent une volonté de reprise en main après les « égarements » des années 1960.

Pendant une trentaine d'années, le concile a eu ses adversaires irréductibles qui, à l'instar de Mgr Lefebvre, disaient clairement pourquoi ils n'en acceptaient pas les textes et encore moins les évolutions qu'il avait permises. Ce combat frontal a amené les traditionalistes à quelques contorsions pour expliquer que leur naturelle soumission à Rome trouvait là nature à exception. Cette fois, la critique se fait plus subtile : le concile est merveilleux, simplement ceux qui y ont participé n'ont pas bien compris le sens des textes qu'ils ont votés, et ceux qui ont tenté de les mettre en pratique se sont totalement fourvoyés quant à l'esprit qui les animait. Ainsi, cette « immense reconnaissance » porte un coup de grâce à la conversion de fond que l'Église, quarante ans plus tôt, a entreprise avec courage et modestie. Dans le cadre de cette nouvelle vision des choses, une expression s'est imposée : la « réception du concile » ; il faudra des dizaines d'années pour « recevoir » des textes conciliaires et bien les comprendre. Nous n'en sommes donc qu'au début de l'exploration de toutes leurs richesses. Et notre « reconnaissance » ne va cesser de grandir avec les années !

On n'en finit plus d'argumenter sur ce thème, rappelant qu'il a fallu plus d'un siècle pour que les directions et décisions prises au concile de Trente puissent être mises en œuvre. On oublie de dire que son travail répondait à d'autres circonstances, soucis et nécessités, et ce dans un tout autre univers spatial, culturel et religieux, et sans les multiples moyens de communication modernes.

Si cette relecture conciliaire rassure les nostalgiques de « bonne volonté », elle permet aussi le retour aux avant-postes – comme des châtelains retrouvant leurs biens après la Révolution – de tous ceux qui se réclament de la tradition dans ce qu'elle a de plus conservateur. Un « pain bénit » qu'ils n'espéraient plus. Une relecture qui met un point final à cet « heureux temps » que saluait en juin 1967 non pas un petit curé gauchiste d'une banlieue rouge mais l'archevêque de Paris, le cardinal Pierre Veuillot :

« Les problèmes aujourd'hui soulevés sont difficiles. Qu'il s'agisse de Dieu ou de l'homme, de la morale conjugale, de l'interprétation de l'Écriture ou de la théologie sacramentelle, la pensée contemporaine est exigeante. Elle ne refuse pas la réponse chrétienne, mais elle demande qu'on lui parle son langage ; et ce langage, souvent imprégné d'une philosophie étrangère à la foi, ne se prête pas toujours aisément à l'expression de la doctrine.

« Il faut travailler ; il faut chercher ; il faut progresser dans l'intelligence de la foi. Et cet effort collectif doit se poursuivre avec optimisme, sérénité et persévérance, malgré les écueils ou les oppositions. Impossible, en effet, de se dérober à ce devoir. Il s'impose à la conscience des pasteurs et des théologiens par les questions que le monde pose à l'Église, par les interrogations souvent douloureuses et inquiètes des incroyants ou des croyants eux-mêmes...

« Heureux temps, qui nous provoque à parler de Dieu et de l'homme, même si les questions soulevées exigent un surcroît de recherche avec tous les aléas que celle-ci comporte ! »

L'éditorial de *Paris-Notre-Dame* pose des mots sur des attitudes et des pratiques que je vois évoluer autour de moi depuis ma nomination comme vicaire à Paris. Ici, l'Église n'est pas en reste en matière de retour en arrière. Un ami antiquaire au Louvre me signale que, depuis quelques années, on ne vient plus guère lui proposer d'objets et de vêtements de culte, mais qu'à l'inverse certains religieux (souvent jeunes) viennent racheter beaucoup plus cher ce que leurs prédécesseurs ont bradé vingt ans plus tôt. Ce retour à l'ancienne mode concerne également les grands lieux de dévotion. Ainsi, mon malin voisin de Notre-Dame-des-Victoires a l'idée de convier en mai un public d'étudiants à une messe dite à l'intention de leurs épreuves de fin d'année. Le carton d'invitation s'inspire d'un des nombreux ex-voto dont sont couverts les murs de la basilique : « L'étudiant pauvre a eu recours à vous. Le jeune docteur vous remercie. »

Si j'ai une réelle sympathie pour mon confrère, j'apprécie moins la méthode, et j'évite ce genre à Saint-Eustache. C'est d'ailleurs l'un des sujets que j'aborde dans la première lettre qu'en 1993 j'adresse comme curé à mes paroissiens au sujet du denier du culte. Si franche qu'André Vingt-Trois, alors évêque auxiliaire de Paris, et qui a vu passer cette longue missive, m'adresse un de ces petits mots dont il a le secret :

« J'ai été très sensible au langage direct et à la clarté de l'exposé. À l'occasion, je serais intéressé de savoir si tu as eu des réactions et de quel type. Ce pourrait être un indicateur pour d'autres situations. »

Sur la demi-page consacrée aux produits des dons pour les cierges, je précise les obligations qu'ils nous créent : « Il y a derrière ces milliers de petites flammes des personnes malades, au chômage, d'une façon ou d'une autre malmenées par la vie. Il est bon de nous souvenir de cela quand nous faisons des projets dans la colonne dépenses. »

Ce sont en effet souvent les plus pauvres (comme autrefois l'étudiant en médecine) qui viennent, en allumant une petite flamme, confier un souci ou une épreuve. Il nous faut accueillir leur générosité avec une double prudence : elle ne doit pas les mettre sur la paille ; elle ne doit pas non plus les engager dans une relation avec Dieu qui pourrait les décevoir, voire les révolter. Car tous ne seront sans doute pas exaucés comme Henri Tisot, qui raconte sur Radio Notre-Dame que son ange gardien lui trouve toujours une place de parking quand il accompagne sa mère à l'hôpital.

Cette radio, je l'écoute presque chaque matin. Je trouve là des échos de la vie de l'Église en Île-de-France, où j'ai toujours exercé mon ministère. Une assiduité qui, cependant, ne va pas sans irritations tant j'ai le sentiment de me retrouver dans une tribu particulière qui a ses règles, ses codes, ses références... son village à défendre. Je m'agace particulièrement du discours critique, tellement convenu, sur le monde médiatique. Comme si ces ondes catholiques étaient préservées des limites et des travers que leurs journalistes et invités dénoncent chez les autres.

Ici, quand le pape voyage, il déplace toujours les foules. Aux soirées avec les jeunes, il est toujours en pleine forme. Quand il essuie une critique, il est victime d'un complot anticlérical. Et il faut passer sur d'autres ondes pour être informé du peu de diversité du public qui l'accueille à son ambassade à Paris : « Ici, toutes les petites filles portent les mêmes robes ; on dirait une publicité pour Bonpoint ». Chaque matin, on présente le saint du jour. Sur un ton toujours passionné, le chargé de cette rubrique vante les mérites du mariage forcé comme du veu-

277

vage précoce : bien sûr, si la victime sait retourner l'épreuve en consécration au Seigneur ! Il n'en demeure pas moins que l'enthousiasme de l'expression tranche bizarrement avec ce qui nous est dit du sort de tant de femmes. Il y présente aussi le handicap ou une naissance dans un milieu peu prédisposant (par exemple une famille de militants communistes) comme pouvant être des grâces particulières, favorisant un destin paradisiaque.

Les initiatives nouvelles d'évangélisation tiennent une large place dans ces programmes et, à l'occasion de la relation d'un week-end missionnaire autour de Notre-Dame de Paris, je peux mesurer l'évolution des mentalités. Rendant compte du succès de l'opération, on évoque un couple qui, passant par là avec son bébé, a subitement décidé de le faire baptiser. Une telle précipitation, il y a trente ans, aurait rendu le clergé plus méfiant qu'enthousiaste. Aujourd'hui, au contraire, le caractère spontané de la demande témoigne, pour le commentateur, que « la foi ne se prouve pas, mais qu'elle s'éprouve ». Et, mettant en garde contre les démarches trop rationnelles ou intellectuelles, il ajoute dans un langage réservé aux auditeurs les plus initiés : « À travers l'hostie consacrée, Dieu en sa Trinité s'offre à une rencontre du cœur plutôt que de la raison. »

En novembre 2002, on présente comme un événement d'importance l'« initiative missionnaire » du père H., vicaire à la paroisse Saint-Philippe-du-Roule, qui s'engage résolument dans la contre-offensive « Holy wins », n'hésitant pas à entraîner une pâtissière de l'avenue Franklin-Roosevelt dans l'aventure du « gâteau de la Toussaint ». Et, dans l'hebdomadaire du diocèse de Paris, on peut voir à côté de la photo du prêtre et de la commerçante celle d'une « génoise pistache-noisette avec des framboises et une crème de citron caramélisée ». Pour de plus amples informations, on est renvoyé au site Internet www.gateaudelatoussaint.com, qui s'ouvre sur une citation de Jean-Paul II : « Soit une communauté chrétienne est une communauté missionnaire, soit elle n'est pas une communauté chrétienne. »

« Bien sûr, cela interpelle… » commente le père H. Et, pour que nous prenions mieux conscience des périls qu'il affronte en ces temps de suralimentation sucrée, il ajoute : « En matière d'évangélisation, que l'on soit en première ligne ou non, il faut souvent mener un combat spirituel et tenir bon contre les obstacles. » Je ne suis pas sûr que les prêtres partis dans les années 1970 partager la pauvreté des favellas de Rio de Janeiro aient jamais osé des mots aussi forts…

Refermant la parenthèse d'immersion des années d'après-guerre, et dans l'esprit de la manifestation projetée pour le 1ᵉʳ janvier 2000, ce sont tous les services d'une société parallèle, labellisée « catho », qui sont présentés matin après matin. On trouve là : un psychologue patenté, grand apôtre de la maîtrise de soi – « je veux, je promets, à partir d'aujourd'hui je m'engage » ; des coachs qui vous permettront d'allier plan de carrière et – ce qui n'existe bien sûr nulle part ailleurs – le respect de repères éthiques ; des services particuliers (avec prières) pour les personnes en recherche d'emploi – même si la paroisse de Paris, qui a été un temps particulièrement engagée dans ce domaine, semble maintenant se replier sur la prière pour les malades, dont elle vante les nombreux résultats et à laquelle vous pouvez vous associer par le biais de votre MP3 ; des conseillers conjugaux et des propositions pour fêter, en milieu protégé, la Saint-Valentin ; un délégué syndical spécialement engagé sur la question du travail dominical ; une liste d'artistes inspirés par leur foi, ayant leurs galeries et leurs jugements sur l'œuvre des autres et, plus particulièrement dans le domaine musical, des ensembles comme « Rock Glorious » et des festivals comme « Entre rock et reliques » animé par Théobitume. Dans le domaine sportif, on présente la Clericus Cup de football du séminaire français de Rome et la Padre Cup, championnat de karting à Trappes. On est également informé sur les écoles vraiment catholiques et, fait plus surprenant, le directeur diocésain de l'Enseignement catholique doit, des jours de rentrée, céder sa place sur les ondes à la fondatrice de « Créer son école », qui milite pour des établissements hors contrat avec l'État.

Enfin, sans qu'il ait jamais été précisé qu'il vous épargnait le purgatoire, il y a aussi maintenant un service catholique des funérailles, « prodigué avec délicatesse » et « au service de l'homme et de sa dignité », où il ne saurait être question « de l'enrichissement personnel de dirigeants ou d'actionnaires ». Difficile de se plaindre, après cela, que les autres services de pompes funèbres ne parlent pas assez aux familles d'une possible cérémonie religieuse. La publicité – où il est souvent question de bonnes maisons pour revendre son or ou passer sa retraite – complète le paysage, ainsi que des remarques sur la vie politique et un choix d'invités pour la commenter. Fond et forme concourent à vous donner le sentiment de fréquenter un club de personnes un peu âgées, plutôt aisées, votant largement à droite et où, sur le monde (passé et actuel) et les événements environnants, on pense « correctement ».

À force d'être « entre soi », il y a d'inévitables dérapages. Le 6 novembre 2008, au moment où des millions de personnes se réjouissent du succès d'Obama, l'invité du matin, faisant allusion à certaines positions éthiques du nouveau président, déclare : « Avec l'élection de Barack Obama commence le temps de l'épreuve pour les catholiques américains. » Il est, bien sûr, des points de la pensée et du programme d'Obama que d'aucuns peuvent ne pas partager ; mais se démarquer à ce point de tant d'hommes et de femmes qui voient dans cette victoire le symbole d'un monde plus fraternel a quelque chose de pathétique.

Pour tous ceux qui, comme moi, n'ont pas beaucoup d'autres moments pour écouter la radio, les matinales rendent peu compte des nombreux autres moments de qualité que propose Radio Notre-Dame. Il y a en particulier, chaque dimanche, un moment que je ne connais nulle part ailleurs : pendant une heure des familles de prisonniers peuvent converser avec ceux de leurs proches qui sont en détention. On est transporté là dans un univers de tolérance et de miséricorde qui ose bouleverser et irriter nos conceptions de la justice humaine et témoigner ainsi – enfin ! – du mystère de nos vies.

*

L'évolution de l'Église au cours de ces dernières années ne se manifeste pas qu'à Paris. À Rome, Benoît XVI a succédé à Jean-Paul II. Dès le second jour du conclave la fumée a été blanche. Et il n'y a guère que quelques confrères, particulièrement rétifs au réel, pour s'étonner que l'on vienne annoncer que le nouveau pape porte le prénom de Joseph. Ce ne peut donc être que le cardinal Ratzinger, seul parmi ses pairs à avoir pour saint patron le discret époux de la Vierge Marie. Que pouvait faire d'autre ce collège de cardinaux électeurs partagés entre l'hommage planétaire rendu auparavant à Jean-Paul II et des réalités internes infiniment moins glorieuses ?

Un mois plus tôt, remplaçant le pape au plus mal pour le traditionnel chemin de croix au Colisée, le cardinal Ratzinger a prononcé une homélie particulièrement sombre dans laquelle il dénonçait la situation dramatique de la barque de Pierre : « Seigneur, je te confie ton Église qui ressemble à une barque prête à couler, une barque qui prend l'eau de toute part ! » La métaphore choisie et son commentaire, « Nous sommes en train de te trahir un peu plus chaque jour », disent clairement le regard que le préfet de la congrégation pour la Doctrine de la foi porte sur les causes du naufrage. Quelques jours plus tard, présidant la messe d'ouverture du conclave, il revient dans son prêche sur la gravité et la nature du péril : « Combien de vents de la doctrine avons-nous connus au cours des dernières décennies ? » Concluant : « Après le grand don du pape Jean-Paul II, nous prions le Seigneur pour qu'il nous donne à nouveau un pasteur selon son cœur, un pasteur qui nous guide à la connaissance du Christ, à son amour, à la joie véritable. »

Il fait peu de doute que beaucoup ont entendu ses paroles comme un véritable discours-programme auquel, si ce n'était déjà fait, ils se rallient sans tarder. Et quoi de mieux, pour prolonger l'hommage à Jean-Paul II, que de choisir celui dont il a fait son bras droit et qui, dans l'ombre, dispose de très grands pouvoirs dans la curie romaine ? Sa rigueur de pensée est connue, saluée par les uns, honnie par les autres. Mais si l'homme est conservateur, c'est aussi un théologien fin et brillant. Qu'importe si ses expériences pastorales ont été brèves (après son ordination en 1951, il a été un an vicaire à Munich, dont, un quart de siècle plus tard, il sera archevêque pendant quatre ans) et n'ont pas révélé de goût ni de talents particuliers ? Pour beaucoup, l'urgence est ailleurs : il faut tourner la page de ce concile que d'aucuns désignent maintenant – non sans dédain – comme « pastoral » (et donc, pour eux, faillible), en opposition à d'autres (plus sérieux et contraignants) qu'ils appellent « dogmatiques ». Et ils s'estiment entendus et compris par le cardinal Ratzinger, qui n'a pas caché ses craintes devant certaines initiatives des années 1970. Qu'importe donc aussi le fait qu'il arrive à un âge de la vie où l'on peut légitimement, quand cela ne nous est pas physiquement imposé, aspirer à un rythme de vie apaisé ? À moins que, comme l'ont écrit certains commentateurs, les électeurs, embarrassés par leur mission de donner un successeur à Jean-Paul II, aient fait un choix qu'ils estimaient « temporaire »…

Quelques mois plus tard, ce qui devait arriver arrive. En effet, en homme scrupuleux et en érudit passionné de liturgie, Benoît XVI ne tarde pas à effectuer un rapprochement (déjà amorcé à la fin du pontificat de Jean-Paul II) avec les milieux traditionalistes conduisant à l'été 2007 au fameux *motu proprio* intitulé *Summorum pontificum* sur la messe tridentine. Une démarche guidée également par sa mission pastorale : le Christ a, dans plusieurs paraboles, défini le bon berger comme celui qui a pour premier souci la brebis égarée, et qui prend pour la sauver le risque d'abandonner un moment les quatre-vingt-dix-neuf autres. Mais, au XXIᵉ siècle, on peut se demander si la brebis égarée a bien le visage de ceux qui attendent le retour d'une messe en latin, ou de tous les autres qui guettent l'annonce d'une parole, compréhensible et audacieuse, pouvant donner sens à leur vie.

Il faut vivre en milieu bien clos et avoir peu interrogé les évêques français (et non des moindres) pour penser que les retours en arrière attendus par les groupes traditionalistes ne concernent que des questions de rituel : « Soyons clairs – écrit Claude Dagens, évêque d'Angoulême et académicien français –, la question "Qui est Dieu pour nous ?" n'est pas une question secondaire. On ne peut pas se servir du nom très saint de Dieu pour des combats secondaires, surtout si ce nom passe par le sacrifice, la Passion et la Pâque de cet homme nommé Jésus, qui est son Fils. »

J'ai été, il y a deux ou trois ans, témoin d'un succulent épisode qui résume assez bien cette accumulation de malentendus. Participant à la messe d'ouverture d'un doyenné à l'est de Paris, je vois arriver le curé (sans doute ordonné dans les années 1970) arborant un superbe T-shirt orange et flanqué de ses deux vicaires en col romain : un Polonais et un Africain. Comme le *motu proprio* ne date que de quelques semaines, le curé, qui pense sa communauté totalement acquise à ses propres idées, croit bon de plaisanter sur le sujet du moment, et il interpelle ses paroissiens en leur disant : « Vous comprenez le latin, vous ? » La cérémonie s'achève. Au moment des annonces, le même curé présente le nouvel orchestre de l'aumônerie du lycée voisin, ajoutant : « Je crois d'ailleurs qu'ils veulent nous dire eux-mêmes le nouveau nom de leur ensemble. » Je ne peux retenir un éclat de rire quand j'entends les jeunes annoncer que, désormais, leur orchestre s'appellera « Laudate et gaudete » !

Le Fils de l'homme, quand il viendra,
trouvera-t-il la foi sur la terre ?

Luc, XVIII, 8.

Depuis bientôt quatre ans, comme j'en avais prévenu mes confrères, j'ai mis un terme anticipé à mon second mandat de supérieur général. Mon âge n'est pas totalement étranger à ma décision, que j'ai annoncée peu après avoir passé le cap des soixante ans. Car, malgré toutes les choses aimables et réconfortantes que l'on vous dit en pareille circonstance (sans manquer de vous rappeler que l'on vit maintenant tellement plus vieux), je n'en continue pas moins à regarder cet âge avec les yeux que j'avais pour ma grand-mère à la même étape de sa vie. Les départs prématurés, en particulier de malades du sida, m'ont certainement conforté dans cette manière de voir les choses. Et puis certains signes physiques (douleurs installées, taches sur la peau, trous de mémoire, fatigues qui me font perdre la voix) me répètent, discrètement mais sûrement, que je n'ai plus vingt ans.

Il y a aussi les impatiences mal maîtrisées, les agacements, qui parfois frisent l'intolérance, à l'égard des communautarismes religieux et des démonstrations ou signes qui vont avec : non que les femmes portant une burqa, ou les jeunes prêtres une soutane, soient eux-mêmes spécialement agressifs, mais je ne supporte pas les idéologues qui les leur font porter. Pas plus que je n'ai supporté le propos d'une jeune employée maghrébine de la boulangerie où je suis client depuis des années : à ma question concernant de possibles changements d'horaires d'ouverture pour les fêtes de fin d'année, elle me répond benoîtement : « Chez nous, les fêtes sont passées. » Un « nous » dont je ne fais manifestement pas partie, et qui n'empêche pas que l'on propose tout un choix de bûches de Noël !

Je n'attends pas beaucoup d'un arsenal législatif, et encore moins de déclarations musclées, destinés à nous faire retrouver un art de vivre ensemble, et il y a des moments où je me dis que je ne suis plus fait pour un monde aussi compliqué et aussi individualiste. Un monde où des évangélistes veulent brûler le Coran, où des Flamands ne veulent plus partager leur richesse avec les Wallons, où l'on n'a pas encore compris les conditions d'attention à l'autre qu'impose le port d'un sac à dos dans le métro !

J'écoute un peu moins Jean-Sébastien Bach. J'aime pourtant toujours sa musique harmonieuse et sereine. Elle a accompagné mes certitudes tranquilles : celle des aubes pacifiées d'un matin de Pâques. Hôte insoumis d'un monde que je trouve souvent absurde, je ressens maintenant Schumann, Brahms ou Schubert comme étant plus proches de mes nostalgies, de mes angoisses et de mes révoltes.

C'est l'heure d'autres renoncements – détachements, plutôt. Et s'il est certains remords qui guident ma façon d'être aujourd'hui, je ne me pourris pas l'existence avec des regrets inutiles : regardant mon passé avec une certaine indulgence, il m'arrive de l'évoquer avec les mots d'une chanson des années 1980, « J'ai tout mangé le chocolat ». J'ai toujours en tête les mots d'Arthur Adamov dans son introduction à sa traduction du *Livre de la pauvreté et de la mort* de Rilke : « La mort perdrait sa hideur triviale, si l'homme y avait au moins une fois pensé dans sa vie ; elle ne tomberait pas alors sur lui comme un pavé, bêtement. » Et puisque j'ai la chance d'être encore là pour les relire, je me dis qu'il est maintenant temps de passer aux choses sérieuses. Ce qui apaisera un peu mes craintes qu'un banal accident de la route ou la rupture d'un anévrisme cérébral me fasse complètement passer à côté de ce moment essentiel de mon existence.

Je prends cependant quelques précautions. En même temps que grandissent mes agacements grandit mon désir de réconciliations. Bien sûr, certaines ne dépendent pas que de moi, et il est, de part et d'autre, des préalables indispensables pour que des « fraternités en Christ » ne viennent pas ajouter une nouvelle illustration aux comédies humaines. Et l'adage populaire : « Je pardonne, mais je n'oublie pas » dit fort justement ce que peut Dieu, lui qui échappe à nos catégories de temps. Ce qu'il peut, mais que nous ne pouvons pas. Nous reste la possibilité de tenter ce qui est à notre portée. Proche, à plusieurs titres, des parents de Sophie T., j'ai beaucoup appris d'eux depuis l'assassinat de leur fille en Irlande à la veille de Noël 1996 : si, depuis des années, ils combattent pour que justice soit faite, je ne les ai jamais entendus exprimer un désir de vengeance à l'égard du possible coupable.

Pour me donner le temps de songer à tout cela, j'ai fait part à mon successeur de ma disponibilité pour un service, mais sans responsabilités patrimoniales, ni financières, ni hiérarchiques. Je suis en effet bien persuadé que, en attendant le Royaume, il ne manque pas au quotidien de gestes simples susceptibles de participer modestement à rendre notre terre un peu plus fraternelle : il m'arrive d'arrêter ma course pour aider une personne âgée à traverser un carrefour difficile ou, encore plus simplement, je contribue parfois à faire naître quelques sourires dans l'univers glauque du métro du matin. Et, collectionneur de nature, je renonce maintenant volontiers aux biens encombrants : ainsi, *L'Homme aux pieds orange*, la petite gouache de Talcoat acquise un jour de folie à la Fiac, partira bientôt au musée d'Antibes. Je préfère me consacrer à une quête nouvelle : je recherche les gens qui portent spontanément sur l'autre un regard bienveillant. Et il m'arrive d'en trouver. Ils illuminent mon présent.

En réponse à ma proposition, il m'est demandé d'assurer une présence d'aumônier à Massillon, école oratorienne installée dans une boîte à chaussures baroque entre Seine et Marais, et une présence hebdomadaire dans notre antique collège de Juilly, où étudièrent La Fontaine, Montesquieu et, plus récemment, Noiret, Polnareff et... Mesrine. Dans l'un et l'autre établissement, les activités religieuses rassemblent des groupes chaque année moins nombreux. La profession de foi (autrefois communion solennelle) réunit à peine un tiers des élèves des classes concernées, dont 5 % seulement vont à la messe pour la fête de Noël ! Quelques-uns, dont la famille est de tradition chrétienne mais n'ont pas été baptisés bébés, en font la demande entre huit et dix ans. Leurs parents (qui doivent l'un et l'autre donner leur accord) traînent plus ou moins les pieds, mais leurs grands-parents voient là le juste fruit de leurs prières et la récompense de leur action plus ou moins militante. Je suis bien conscient (et ne manque pas de le rappeler à ceux qui s'extasient sur le fait que je puisse célébrer, depuis plusieurs années, une bonne douzaine de baptêmes par an au centre de Paris) que ce sont évidemment là autant d'enfants qui n'ont pas été baptisés plus tôt et qui, pour bon nombre d'entre eux, une fois arrivés au collège rangeront souvenirs et photos pour s'éveiller à d'autres centres d'intérêt assez éloignés des préceptes et valeurs évangéliques. Peut-être manifesteront-ils parfois une fascination pour certaines pratiques ésotériques, voire, comme cela devient la mode, porteront-ils un chapelet autour du cou sans avoir la moindre idée de son usage originel...

Les enseignants de l'école primaire et moi, nous partageons nos histoires de vie et les questions qui en découlent. Comment parler à ces enfants, qui n'ont plus un environnement culturel favorable ni le bagage des mots, d'un Dieu sur lequel ils ont des idées pour le moins confuses, quand ils en ont ? D'année en année les difficultés se font plus grandes, et je ne suis pas sûr que nous soyons vraiment aidés par la publication du troisième tome (*La Mutinerie*, qui raconte la Genèse et l'Exode) de la Bible en manga ! Nous sommes bien loin de l'univers dans lequel j'ai grandi : il y avait alors beaucoup de chrétiens ; les autres étaient « les anticléricaux ». Une appellation qui, même si la brouille semblait grave, leur conservait un air de famille – ce qui au fond n'était pas tout à fait faux. Notre histoire aux uns et aux autres ne pouvait faire fi du baptême de Clovis. Sur ce sujet-là et pas mal d'autres les deux camps ne portaient pas le même regard, mais on ne manquait pas de souvenirs communs, et on parlait peu ou prou la même langue.

Aujourd'hui, beaucoup d'enfants ne font plus spontanément le lien entre les illuminations du cœur de l'hiver et la célébration de la Nativité. Et pour leurs parents, même s'ils ont autrefois demandé une bénédiction pour leur mariage, l'Église est devenue une planète étrangère où l'on parle de sujets qui ne les intéressent plus, où se prennent sans aucune concertation des décisions qui les ramènent à un passé pour lequel ils n'ont aucune nostalgie, et où l'on campe sur des positions morales qui ne font aucune place aux réalités du temps. Quand des circonstances particulières – le plus souvent des funérailles – les font revenir à l'église, ils doivent maintenant subir le rappel de tous ceux qui sont interdits de communion : les divorcés remariés et tous ceux qui, après une faute grave, ne sont pas passés au confessionnal. Ce qui finit par écarter pas mal de monde, à commencer par les scrupuleux et naturellement angoissés (pas forcément les plus pécheurs), sans compter les personnes qui ne se sentent plus « en communion » avec de tels propos qui précèdent la parole liturgique : « Heureux les invités au repas du Seigneur. »

Maintenant que nous avons enterré sœur Emmanuelle et l'abbé Pierre (en ayant pris soin de préciser, pour celui-ci, que la confession de ses « égarements » l'empêcherait sans doute d'être canonisé), qui porte encore au plus grand nombre le message d'un christianisme selon lequel « celui qui dit j'aime Dieu et qui n'aime pas son frère est un menteur » ? Avec la montée en force de groupes intégristes qui accompagnent la défense de la messe en latin de déclarations souvent acides envers leurs frères égarés, reconnaîtra-t-on encore longtemps les chrétiens comme ceux qui « ont de l'amour les uns pour les autres » ? Combien de temps encore y aura-t-il un Ivan Levaï pour lire sur France Inter, un matin de Pâques, l'Évangile de la résurrection comme s'il relatait un événement survenu la veille ? Il faut s'adresser à des enfants de milieux bien préservés pour ne pas se rendre compte que, au moment où l'on prépare ceux qui demandent encore à faire leur première communion, on ne sait plus comment leur parler d'un Dieu fait homme et de la vie éternelle.

Il y a soixante ans, mon cœur d'enfant a été conquis par un Dieu si proche qu'il avait voulu naître et mourir parmi nous et qu'ainsi, à travers sa vie, nous connaissions le visage et l'amour de son père. Mes projets de jeunesse ont été éclairés par cette humanité fraternelle, révélée et vécue sur les routes de Galilée où il annonçait le royaume auquel nous étions tous conviés. L'un de ces derniers cris, « J'ai soif » – qui permet à chaque homme, dans la même douleur, d'avoir sur ses lèvres une parole de Dieu –, est plus précieux pour moi que n'importe lequel de ses miracles. Je me rends bien compte que ce Dieu-là n'est plus vraiment au goût du jour. À certains cette fraternité sans limite ni frontières paraît même inaccessible, voire dangereuse. Beaucoup de ceux qui ont encore envie de croire aujourd'hui sont plutôt déconcertés par ce Dieu qui a eu la bizarre idée de se faire mieux connaître des hommes en abandonnant un moment sa toute-puissance. Ils lui préfèrent un maître absolu et permanent des éléments et de leurs destins – un maître capable de les envoyer en enfer ou au paradis !

D'où l'attraction des chapelles traditionalistes, avec la somptuosité de leurs liturgies, la simplicité (biblique !) de leurs raisonnements et leur fraternité très sélective, qu'elles préfèrent d'ailleurs appeler « charité », ce qui n'enrichit pas particulièrement ce précieux concept. D'où aussi le succès des églises évangélistes : les propos y sont également primaires, mais les rites plus folkloriques et chaleureux. Pour ma part, je ne suis pas conquis par les paroissiennes de ces communautés, que l'on reconnaît aisément dans le métro : toujours chapeautées, elles lisent la Bible (dont chaque verset a pour elles valeur d'horoscope) en jetant des regards souvent peu amènes sur leurs voisins.

À l'opposé, d'autres cherchent sens pour leur vie, écartant toute idée d'intervention divine et privilégiant un travail sur soi, et sont davantage séduits par la sagesse bouddhiste. Avec en prime un Dalaï-lama tellement plus charismatique que Benoît XVI !

Dans ce paysage nouveau, animés des meilleures intentions du monde – mais avec quelques décennies de retard sur les réalités du terrain –, d'aucuns développent de belles théories sur la richesse et la complémentarité des diverses cultures et croyances, et appellent à répondre à une soif spirituelle évidente (au moins pour eux) par des propos aux accents mystiques et largement rassembleurs. Je les renvoie au livre récent de Rémi Brague *Du Dieu des chrétiens et d'un ou deux autres*. Son ton est modeste et non dépourvu d'humour ; il n'en porte pas moins un coup sévère à ceux qui vont un peu vite dans leur volonté de promouvoir le dialogue. Dénonçant l'usage en vogue des expressions « les trois monothéistes, les trois religions d'Abraham, les trois religions du Livre », il démontre que, à masquer les vraies différences sous une harmonie de surface, on suscite plutôt la confusion que la clarté, et il conclut : « Si l'on souhaite un véritable dialogue, il faut commencer par respecter l'autre. Ce qui implique : le comprendre comme il se comprend lui-même, prendre les mots dont il se sert dans le sens qu'il leur donne, accepter la situation initiale de désaccord pour tenter de la faire évoluer vers une meilleure compréhension. »

Je ne pense pas – et j'y veille aussi bien à Massillon qu'à Juilly – que le respect du choix de l'autre passe par une égalité de traitement rendant illisible l'identité du lieu qui l'accueille. Certes, il est important que, au nom de leur particulière attention au vivre ensemble, des établissements privés d'inspiration religieuse soient attentifs à ce que l'enseignement de l'histoire, de la littérature, de la philosophie (même si c'est, en tout premier lieu, le devoir de la Direction des programmes de l'Éducation nationale) donne sa place légitime à une information sur la diversité des croyances et des pensées. Comme aussi doivent être encouragées toutes les initiatives permettant respect et compréhension mutuels. Il n'est cependant pas anormal que des parents ayant fait le choix – même si les préoccupations qui les ont guidés, surtout vers un internat, ne sont pas d'abord religieuses – d'une école catholique soient informés que, dans ce cadre, seront privilégiées l'histoire et la culture chrétiennes, que l'on y facilitera l'engagement de ceux qu'animent les valeurs de l'Évangile, et qu'autour des fêtes chrétiennes seront proposés à tous des signes permettant de s'y associer. Ce qui n'empêche d'ailleurs pas, le moment venu, de souhaiter « bonnes fêtes » à ceux qui viennent d'autres communautés. Mais je refuse l'idée de mettre des jeunes, et en particulier des enfants, devant un panel de traditions religieuses de la même façon que, chaque soir, ils se retrouvent devant un panel de chaînes télévisées. À mon sens, le refus d'être identitaire ne conduit pas au renoncement à toute identité.

À nous d'être inventifs afin de donner à nos fêtes chrétiennes un sens pour la cité aujourd'hui. Par exemple, un chef d'établissement des Yvelines, lors de l'ouverture de l'année jubilaire 2000 (une célébration qui a lieu tous les cinquante ans et dont le Lévitique nous indique l'esprit et les formes qu'elle peut prendre), a rassemblé tous les élèves de son école et leur a annoncé que pour eux le nouveau départ auquel chacun est appelé à cette occasion prendrait la forme d'une remise générale des sanctions pour les jeunes et des dettes de paiement pour leurs parents. Une initiative qui ne me semble pas moins judicieuse que les ventes de viennoiseries pendant le carême au profit d'enfants souffrant de sous-alimentation !

Mon retour sur le terrain pratique d'une école ne constitue pas mon seul champ d'observation. Autour de moi un groupe d'amis, souvent anciens, évoluent avec la société de leur temps. Certains de manière assez radicale. Je n'ai pas oublié une très belle soirée d'été dans l'agréable et paisible jardin de Francis, à Saint-Cloud. Notre amitié remonte à 1970, lorsque j'étais surveillant au collège Stanislas, où il était en classe terminale. Parmi nos grands souvenirs communs, il y a la découverte de quelques-unes des meilleures tables de France ; un plaisir décuplé par son coût alors totalement extravagant par rapport à nos ressources. Avec les années, nos rencontres se sont espacées. Notre manière de voir les choses aussi : sa femme et lui portent sur ce monde un regard infiniment plus optimiste que le mien. Cela ne tient pas seulement à la prestigieuse situation professionnelle de Francis et aux moyens qu'elle leur offre (y compris en matière de projets généreux), mais ils semblent prêts – même si c'est pour eux encore assez théorique – à accepter bien des fatalités de l'existence. Je sais qu'ils ne vont plus à la messe et regardent d'un œil très critique l'évolution de l'Église. Je n'en suis pas moins désarçonné quand, au moment où nous sommes en train de déguster un whisky presque aussi vieux que moi, Francis me glisse sur un ton complice : « C'est vraiment très bien toutes ces œuvres sociales auxquelles tu donnes beaucoup de ton énergie et de ton temps ; car, bien sûr, tu sais comme nous que toutes ces histoires de religion ne sont qu'invention pour nous faire mieux accepter les limites de notre condition humaine. » Un peu plus tard, à table, ils me parlent de leur lecture enthousiaste des œuvres de Michel Onfray. Autant je comprends les interrogations d'un André Comte-Sponville, qui refuse d'être rassuré par un dieu que l'on s'inventerait pour résoudre ses angoisses existentielles, autant j'ai peine à rejoindre les affirmations, si convenues et si peu respectueuses de la conviction des autres, du grand maître de l'université populaire de Caen. Dogmes pour dogmes, je préfère les miens.

D'autres ont pris leurs distances sur un mode moins radical. Marie-Claire, aînée de onze enfants dont j'ai croisé plusieurs frères pendant mon année à Courbevoie, a épousé Michel dans la merveilleuse église romane de Talmont-sur-Gironde. C'était là une concession qu'ils faisaient à leurs parents, mais ils ne sont pas allés ensuite jusqu'à faire baptiser leurs enfants. Lorsque leur aîné, encore petit, a commencé à parler baptême, ils lui ont proposé en premier lieu de se choisir un parrain. Il s'est tourné vers moi, et je l'ai baptisé alors qu'il était adolescent, quelques années avant qu'il ne rencontre une jeune Polonaise à Taizé ! Les funérailles du père de Marie-Claire me donneront l'occasion de m'interroger, devant elle et ses frères et sœurs, sur les raisons qui les ont maintenus tous si attachés aux valeurs de solidarité qui leur ont été transmises, alors que la plupart d'entre eux ont abandonné la foi qui les animait. À la fin des années 1960, beaucoup ont rejeté un christianisme qui par ailleurs restait chevillé au corps de leurs parents, comme on quitte une terre vers laquelle on sait qu'il sera toujours possible de revenir, comme on part aujourd'hui du domicile parental où l'on sait pouvoir rapporter son linge à laver !

Heureusement, parmi quelques autres, il y a Claire. Elle ne change pas depuis que j'ai fait sa connaissance. Jeune artiste venant présenter ses toiles à la galerie du Forum Saint-Eustache, elle s'habille toujours comme une étudiante des Beaux-Arts, avec quelquefois une petite pointe gothique. Souriante et d'un abord apaisé, on ne peut imaginer que la mort, sur fond de sapins noirs couvrant les montagnes de son Auvergne natale, est tellement présente dans sa peinture tourmentée. Mariée à l'Église, mère de deux enfants baptisés, elle a longtemps pratiqué seule la messe dominicale. À Milan, où elle habite actuellement, elle s'est engagée pour faire du catéchisme dans sa paroisse. Et, même si elle a été très en colère le jour où son curé a remercié la responsable parce qu'il venait d'apprendre qu'elle était divorcée et remariée, elle n'a pas quitté son service pour autant. Dans une communauté catholique tellement monochrome, Claire est lumineuse. Elle est, avec quelques proches, de ceux avec lesquels je peux parler des « choses sérieuses », de ceux qui, le moment venu, quand mon corps sera épuisé, au bout du rouleau, pourront me permettre d'entendre le message de la résurrection.

Après avoir quitté ma charge de supérieur, j'ai pu m'inscrire comme étudiant à l'institut supérieur de liturgie de l'Institut catholique de Paris. Belle occasion pour moi de vérifier combien, dans le domaine religieux comme dans beaucoup d'autres, la formation permanente est nécessaire. Un souci que j'avais déjà eu pour mes paroissiens à Saint-Eustache. Pendant le carême, l'habituelle prédication dominicale était remplacée par une demi-heure de conférence donnée par un universitaire sur un sujet essentiel de notre foi. Ainsi, Claude Duchesneau vint nous parler avec beaucoup d'intelligence et de modestie des rites de la messe. Plusieurs paroissiens prenaient des notes, et j'ai moi-même gardé de lui une leçon : respectant d'ordinaire méticuleusement les termes du missel, je me permettais cependant une petite « fantaisie » que je pensais pertinente. Lors de l'invitation au repas eucharistique, j'avais coutume de dire : « Heureux sommes-nous d'être invités au repas du Seigneur. » Il me fit gentiment remarquer qu'en n'utilisant pas les mots prévus, « Heureux les invités au repas du Seigneur », je faisais l'impasse sur tous les invités qui n'étaient pas présents. En voilà un qui avait plus le souci d'appeler ceux qui n'étaient pas là que d'écarter une partie de ceux qui avaient fait la démarche de nous rejoindre.

Si mes deux années à l'institut de liturgie rafraîchissent sérieusement mes connaissances, elles me permettent aussi de mesurer l'abîme culturel dans lequel on laisse (ou auquel s'abandonnent) tant de chrétiens aujourd'hui. Ne restent plus guère de grands intellectuels catholiques pour les stimuler, et bien peu de pratiquants consacrent une part de leur temps à l'approfondissement des dogmes, de l'histoire de l'Église et de ses rites.

N'ayons pas l'illusion de penser que l'assemblée prestigieuse qui a longuement applaudi le pape aux Bernardins a été totalement conquise par son brillant exposé sur le monachisme au Moyen Âge, et encore moins acquise à la phrase qui le concluait : « Ce qui a fondé la culture de l'Europe, la recherche de Dieu et la disponibilité à l'écouter, demeure aujourd'hui encore le fondement de toute culture véritable. »

Certes, il y a chaque jour dans *Direct Matin* ou *Direct Soir* une brève présentation du saint du jour ou des grandes fêtes telles que Noël ou la semaine sainte. Si les informations qu'on y trouve sont plutôt de bonne qualité, elles demeurent cependant limitées. Et la plupart des lecteurs retiennent sans doute uniquement que saint Gilles « guérit la stérilité des couples, les jambes enflées et l'eczéma », et que la bienheureuse Odette

« préféra se couper le bout du nez pour que personne ne veuille d'elle et, ainsi, devenir religieuse »... Comme sur la même page on présente la vedette du moment, ils pourront préférer l'acteur Rupert Everett au bienheureux Aymar, dominicain, inquisiteur luttant contre l'hérésie cathare et massacré par les albigeois !

Au moment où je me lamente de ce désert intellectuel, le réconfort me vient d'où je ne l'attendais pas. Un de mes proches confrères a la très bonne idée de m'offrir le coffret des émissions d'Arte intitulées *L'Apocalypse*. On peut certes contester certaines thèses soutenant le propos historique, mais, tout de même, quelle bouffée d'air frais ! Quel plaisir de découvrir autant d'intelligences (chrétiennes ou hostiles) s'interrogeant et débattant sur ce qui a abouti au contenu de notre foi aux conciles de Nicée (325) puis de Constantinople (380) – notre foi telle que nous la proclamons encore aujourd'hui ! Et aussi de faire la connaissance d'un certain Marcion qui, au IIᵉ siècle, jugeait impensable que le Dieu de l'Ancien Testament, qui laisse sa création face à tellement de souffrances et de drames, soit aussi celui avec lequel nous devrions passer une éternité qu'on annonce bienheureuse. Il en arrivait à la conclusion qu'il ne pouvait s'agir du même.

Certaines rencontres et la reprise d'études m'ont convaincu que le fossé qui se creuse – du moins dans le monde occidental – entre tant de mes contemporains et la religion catholique tient tout autant aux affirmations dogmatiques qu'aux positions de sa hiérarchie en matière d'évolution des mœurs. Au demeurant, celles-ci confortent notre discrédit dans des domaines plus essentiels : notre manque d'expertise en humanité ne rassure pas vraiment sur notre expertise en éternité.

Ce que m'expriment très bien les parents de Massillon et de Juilly accompagnant la démarche de leur enfant vers le baptême. Paradoxalement, en pareille circonstance, s'ils me disent que l'Église est « infréquentable », ils ajoutent souvent que la foi chrétienne est tout simplement « incroyable » – tout en précisant qu'ils demeurent attachés à certaines valeurs évangéliques ! Lors de ces rencontres ou des cérémonies qui les suivent, je répète inlassablement que le christianisme tient en deux propositions « simples » et indissociables : une manière d'être avec les autres pour aujourd'hui ; une espérance, pour chacun et pour tous, pour demain. Et je les renvoie sans cesse aux Actes des Apôtres : « C'est avec une grande force que les apôtres portaient témoignage de la résurrection du seigneur Jésus [...]. Aucun autour d'eux n'était dans la misère, car ceux qui possédaient des biens les vendaient et redistribuaient leur part à chacun des frères, au fur et à mesure des besoins » (IV, 33-35).

Aujourd'hui comme hier, le message pascal ne saurait être entendu s'il ne s'accompagne d'une fraternité vécue. C'est pourquoi j'ai apprécié la clarté d'un récent message de Benoît XVI allant dans ce sens. Son invitation générale à l'« accueil de légitimes diversités humaines » était assortie d'une parole directe aux fidèles catholiques : « Chers parents, puissiez-vous éduquer vos enfants à la fraternité universelle. »

Ce que vous faites au plus petit
d'entre les miens...

Matthieu, XXV, 40.

Fin 2007, je suis convoqué comme témoin à la cour d'Assises de Versailles, qui juge un enseignant mis en cause, quatre ans plus tôt, dans un scandale pédophile. Responsable de la tutelle de l'établissement scolaire où exerçait le professeur, j'ai alors pris des décisions qui n'ont pas été du goût de tout le monde, et j'ai fait la rude expérience de ce qu'il peut vous en coûter quand vous refusez de participer à la conspiration du silence.

L'enseignant concerné n'est pas un religieux, mais beaucoup, autour de lui, admirent son dévouement « hors du commun » – qui entretient cependant bien des murmures dans une commune de l'Ouest parisien.

Au nom de « cela n'arrive pas chez nous », ces rumeurs, nombreuses et anciennes, ne semblent pas troubler trop de monde et encore moins inciter les responsables à la plus élémentaire des prudences – à laquelle j'ai pourtant, mais en vain, invité le chef d'établissement. Car, à côté des rumeurs, il y a aussi certaines étrangetés de comportement de l'éducateur que, à moins d'être aveugle ou de vouloir l'être, on ne peut que repérer. Le scandale finit par éclater au grand jour avec l'arrestation de l'enseignant. Je me rends alors moi-même à la gendarmerie, où je passe de longues heures. J'y apprends que l'enquête dure depuis plusieurs années et je ressors abasourdi par le manque de lucidité de certains, mais aussi le silence et l'amnésie de beaucoup d'autres. Les officiers de gendarmerie ont eux-mêmes du mal à comprendre le comportement de tant de familles qu'ils ont rencontrées : celles-ci restent, jusqu'au bout, plus soucieuses du sort de ceux que peuvent éclabousser les faits que des dommages causés aux jeunes. Et certains parents qui se décident enfin à parler s'inquiètent de possibles représailles sur leurs enfants.

J'ai alors trop d'éléments en main pour ne pas demander des comptes à ceux qui, par leur silence et leur négligence, ont permis que perdure cette situation dramatique : j'exige le départ immédiat du chef d'établissement, ce qui est loin d'être du goût de tous.

Le maire et le curé font immédiatement alliance « pour l'honneur » de leurs institutions respectives et de leur commune cité. L'un propose la médiation d'un de ses anciens collaborateurs, qui, lors d'une réunion publique dans l'établissement, affirme péremptoirement que son expérience professionnelle lui avait appris que « la plupart de ces histoires sont sans fondement et que les chefs d'établissement ont tout de même autre chose à faire que... ». Le second, encouragé par des membres actifs de son équipe paroissiale, s'agite dans des démarches « d'apaisement » qui sont, elles aussi, autant d'invitations pressantes à refermer le couvercle.

Autour d'eux se font aussi entendre des responsables de mouvements habituellement prompts à dénoncer les persécutions dont peut être victime l'Église. En la circonstance, ils font preuve d'une singulière cécité à l'égard des souffrances dont celle-ci est complice, voire coupable. Je ne suis pas vraiment surpris : j'ai déjà eu l'occasion d'observer que ces mêmes groupes qui, à Bordeaux, ont dénoncé la perversité d'une exposition intitulée *L'Art contemporain et l'enfance* sont capables de se mobiliser, unanimes, pour défendre le premier chef scout mis en cause dans une affaire de pédophilie. Pour ma part, je comprends vite que je ne me comporte pas « comme il faut » : incompréhension et hostilité de mes propres confrères, pétitions, lettres anonymes, déchaînement sur Internet (qui permet toutes les lâchetés) et même manifestations publiques avec des pancartes proclamant : « Bénéteau, ton bateau prend l'eau ! »

Une délicate attention m'est réservée à la fin d'une messe que je concélèbre avec le cardinal Lustiger et le nonce apostolique. Celui-ci – aimablement alerté par les comités de soutien des personnes mises en cause – m'a d'ailleurs, quelques semaines auparavant, courtoisement « invité » à venir lui rendre compte de mes réactions aux événements en cours. À l'issue de l'office, après l'échange des gestes de paix fraternelle, je suis attendu à la sortie par une délégation brandissant des lettres qui forment les mots « Bénéteau : démission ». Se rappelant peut-être cette scène « sympathique », le nonce m'enverra, à l'issue du procès, un courrier reconnaissant le « bien-fondé » de mon attitude dans cette affaire. Il sera le seul ! L'évêque, dont le soutien est passé par des hauts et des bas en fonction des responsables paroissiaux ou des notables locaux rencontrés, préférera un coup de fil rapide ne laissant pas de traces. Sans doute a-t-il oublié depuis longtemps le matin où, blessé par certains comportements, je lui ai dit : « Si la charité chrétienne peut faire beaucoup de bien, la méchanceté catholique, soigneusement pratiquée, peut faire très mal. »

Mes souvenirs personnels (y compris celui des quelques soutiens que j'ai reçus – d'autant plus précieux qu'ils étaient rares) sont encore bien vivaces quand s'ouvre aux assises un procès que j'attends depuis quatre ans. Il y est beaucoup question de religion : on s'interroge sur les méthodes d'accompagnement humain et spirituel existant dans les foyers de charité où l'enseignant a grandi, et, plus largement, sur le peu de clairvoyance de trop d'ecclésiastiques. Par exemple, lorsqu'une jeune femme s'étonne des attitudes de l'éducateur lors de séjours en Afrique, un prêtre lui rétorque à la barre qu'il s'agit là de

« rites locaux d'initiation » ! À la présidente qui essaie de comprendre dans quelle mesure la fréquentation de certains de ces milieux religieux a pu pervertir le jugement et le comportement de l'accusé, je peux enfin dire ce que j'ai sur le cœur : « Il y a des mouvements d'Église où l'on pense que la prière permet de se passer de la psychologie, de la justice... et, tout simplement, du bon sens. »

Le procès se déroule au cœur d'une actualité judiciaire chargée : début d'un des procès d'Yvan Colonna ; celui de trois jeunes qui ont tué un homme en train de photographier un des réverbères qu'il avait conçus pour leur ville de banlieue ; mise en examen du président Chirac. Cela arrange bien tous ceux qui ont souhaité que cette affaire fasse le moins de bruit possible. Seul journal national à y faire un large écho, *Libération* titre : « La religion du silence fissurée par les plaintes des élèves ». Mais ce quotidien compte sans doute peu de lecteurs parmi ceux qui continuent, envers et contre tout, à soutenir l'insoutenable. Au terme de longues heures de délibéré, la présidente annonce la condamnation de l'ex-professeur de sport à huit ans de prison. Celui-ci comparaissant libre, je ne peux retenir un sentiment de pitié quand les gendarmes l'entourent brusquement pour lui passer les menottes. Depuis des années, je n'ai jamais douté de la dangerosité de l'homme et de la nécessité d'en préserver les jeunes, mais ce que j'ai entendu de son histoire personnelle m'a permis de mieux comprendre sa personnalité troublée.

À ce sentiment de pitié s'ajoute un profond écœurement, car il n'est pas le seul coupable. Plusieurs autres sont là dans la salle : ce comité de soutien qui a tellement œuvré à l'omerta générale, permettant qu'il y ait de nouvelles victimes et enfonçant l'accusé dans ses malfaisances et ses mensonges. Ceux-là sont présents, jusqu'au bout conséquents dans leur aveuglement. Mais il y a aussi ceux qui sont déjà repartis, et ceux qui ne sont jamais venus : d'aucuns avaient pourtant toutes les informations nécessaires et n'en ont rien fait.

Après tant de scandales, on voudrait croire à un réel désir de changement de la part de l'institution. Ne devrait-elle pas procéder à une analyse lucide de leurs causes internes afin d'en tirer les conséquences ? En la circonstance, force est de constater qu'on assume d'évidentes contradictions sans embarras particulier.

Un curieux hasard de l'existence m'a amené à suivre avec intérêt une affaire similaire close en justice, quatre ans plus tôt, devant la même cour d'assises des Yvelines. Elle concernait un ancien responsable de la culture et des loisirs du grand collège privé parisien où j'ai été autrefois surveillant. À la fin des années 1960, des rumeurs couraient déjà sur ce charismatique animateur qui ne manquait aucun pèlerinage. Cela ne l'a pas empêché, en 1980, de tenir le parapluie blanc qui abritait Jean-Paul II pendant la grand-messe au Bourget ! J'ai conservé l'article du *Monde* rendant compte de ce procès. C'est exactement, et encore une fois, la même histoire. Elle se termine d'ailleurs, à une année de distance, par le même verdict.

On y retrouve le rappel des propres difficultés de jeunesse des accusés. Ce qui, bien sûr, doit être entendu et compris, mais ajoute à la responsabilité de ceux, plus favorisés, qu'ils ont croisés sur leur route et qui, dans ces deux affaires, ont fait peu de cas des repères qu'ils aiment invoquer par ailleurs. L'un et l'autre reconnaissent des tendances et des gestes regrettables, mais refusent d'admettre des actes plus graves, qui pourraient leur coûter plus cher. Comment d'ailleurs pourraient-ils être encouragés à la lucidité quand vous découvrez ébahi (comme ce fut mon cas) que des gens du meilleur monde, après avoir entendu l'enseignant reconnaître que sa main s'égarait parfois dans le caleçon de ses élèves, suivent ensuite sans sourciller vingt minutes de débat cherchant à préciser si la main baladeuse était plutôt à l'avant ou à l'arrière du sous-vêtement ! Après l'aveu de l'éducateur, ces parents qui le soutiennent depuis des années n'ont-ils pas encore compris qu'il y avait eu un problème ? Combien de détails leur faudra-t-il encore pour qu'ils reconnaissent leur aveuglement ? Enfin, dans les deux situations, leurs responsables hiérarchiques ont fait preuve de la même discrétion et de la même passivité. Et *Le Monde* de rapporter les propos de l'avocat général qui, dans son réquisitoire, fustige cette situation : « Cela fait un peu lâche, pour une institution aussi prestigieuse, d'avoir laissé monsieur X comme responsable du catéchisme et des camps de vacances. »

Quatre ans plus tard, probablement dans les mêmes murs, l'avocat général aurait pu clore par exactement les mêmes mots.

Comment croire, après cela, que les choses vont enfin changer ? Certes, Benoît XVI, après avoir plusieurs fois assorti ses excuses d'une dénonciation de « l'abus d'alcool et de drogue, l'exaltation de la violence et la dégradation de la sexualité, qui sont souvent présentés par la télévision et Internet comme un divertissement », a courageusement reconnu que le scandale n'était pas d'abord dû à un complot, mais à des faiblesses internes et aux silences qui les avaient trop longtemps entourées. On a aussi annoncé – malheureusement sans beaucoup plus de précisions – des améliorations dans la sélection, la formation et l'accompagnement des membres du clergé. Mais tant que cette question de l'équilibre affectif et sexuel des prêtres et religieux n'aura pas fait l'objet d'une réflexion sans *a priori* ni tabou, on risque d'assister encore longtemps à des dérapages de certains de nos confrères. Dérapages le plus souvent non contrôlés par leurs proches, au nom d'une pseudo-fraternité et d'un grave malentendu sur le pardon, qu'ils leur accordent à la place des victimes. Fraternité et pardon qui ne favorisent guère la lucidité des coupables et brisent toute chance d'un réel travail sur eux-mêmes dont ils seraient les premiers bénéficiaires.

Face à la désertion de nombreux fidèles dans une Autriche particulièrement touchée par des scandales pédophiles, le cardinal Schönborn, archevêque de Vienne, a rappelé l'Évangile : « La vérité vous rendra libres. » « Si douloureux que ce soit », a-t-il ajouté.

J'ai déjà dit mon peu de goût pour la semaine de l'unité des chrétiens. Depuis mes années universitaires à Strasbourg, j'ai acquis la conviction qu'entre « frères séparés », protestants, orthodoxes et catholiques, l'essentiel est commun. Et tout autant qu'à des considérations théologiques nous devons sans doute nos divisions à des réalités historiques et culturelles.

Que savent les chrétiens des débats sur la Présence réelle ? Le jour où l'un de mes vicaires a dit son souhait que nous rétablissions à Saint-Eustache les expositions du saint sacrement – qui s'étaient faites rares depuis une trentaine d'années –, je lui ai donné mon plein accord. À la seule condition que nous soyons capables de rédiger un document lisible par tous et expliquant à chacun ce que nous voulons dire quand nous disons simultanément que Dieu est partout, qu'il est dans notre cœur, qu'il est dans le tabernacle de nos églises et – encore plus ? – dans l'hostie présentée aux fidèles. J'attache trop d'importance à la formation des pratiquants chrétiens pour ne pas regretter que ce document n'ait jamais vu le jour.

Si, pour ma part, j'ai davantage été formé à la méditation de la parole de Dieu qu'à l'adoration eucharistique (l'une et l'autre présentant d'ailleurs le risque de faire de soi-même le centre de l'exercice), je ne refuse pas le retour à des modes liturgiques des siècles précédents, à condition qu'il ait d'autres motivations que de ressortir de nos armoires ces pompons et dentelles dont semble se délecter le jeune clergé, donnant à certaines sacristies des atmosphères bien surprenantes.

Reste que l'urgente nécessité de rapprochements qui s'était manifestée après guerre me semble, dans le paysage multiculturel et plurireligieux dans lequel nous évoluons, d'une bien plus pressante actualité que le retour à certaines formes de dévotion qui nous en éloignent. Et j'ai la naïveté de penser que, avec un peu de bonne volonté de part et d'autre, en acceptant une légitime diversité d'expression, et si chacun voulait bien mettre de côté un peu de son ego, on pourrait sans tarder davantage célébrer ensemble notre foi commune en Jésus-Christ.

Comme curé, j'ai donc souvent assuré le service minimum en matière de célébrations officielles œcuméniques. Nos relations avec nos voisins protestants de l'Oratoire du Louvre étaient fréquentes et fraternelles, et je ne voyais pas bien pourquoi il nous fallait, une semaine par an, officiellement gémir sur des différences dont nous ne souffrions pas au quotidien. De plus, ces relations étaient parfois bien plus simples qu'avec certains curés voisins ! C'est peut-être aussi ce que pensait Paul VI, à qui il était plus facile d'embrasser Mgr Athénagoras, patriarche de Constantinople, que Mgr Lefebvre, son frère dans l'épiscopat catholique.

Quelle est, chez Benoît XVI, la part de sympathie personnelle, et quelle est celle de l'urgence, à ses yeux, de rétablir la fraternité en interne, dans son choix de cette semaine particulière pour lever l'excommunication des évêques traditionalistes ?

À Saint-Nicolas-du-Chardonnet, c'est l'enthousiasme, et, chez ceux qui avaient déjà pavoisé lors de la visite à Paris du souverain pontife en août de l'année dernière, les commentaires s'emballent : « Puisque le Très Saint-Père propose de relever les excommunications, c'est évidemment parce qu'elles étaient imméritées et donc que Mgr Lefebvre avait raison, aussi bien sur la célébration de la "très sainte messe" que sur quelques autres points découlant de ce concile soixante-huitard qui ne tarderont pas à être revus... » Et d'ajouter – cerise sur le gâteau perçue comme une attention particulièrement délicate du souverain pontife : « Bien sûr, ce n'est pas par hasard que l'on a su la bonne nouvelle le 21 janvier, jour anniversaire du martyre du dernier des Capétiens. »

Et d'aucuns de rêver à la canonisation de Mgr Lefebvre, qui pourrait ainsi se retrouver bientôt dans le salon de première classe du paradis aux côtés de don José María Escrivá de Balaguer, fondateur de l'Opus Dei. Peut-être saura-t-on plus tard si les déclarations négationnistes de Mgr Willamson sont dues à un mauvais hasard de calendrier ou si cet évêque britannique, que l'on dit conservateur parmi les conservateurs, a lancé ce pavé dans la mare pour faire échouer un rapprochement dont il n'avait nulle envie.

Cette affaire déclenche une « tempête médiatique ». Depuis l'affaire Gaillot, on n'a pas connu un tel concert de protestations chez les fidèles ni pareille agitation dans la presse, et pas seulement catholique. Je n'irai pas jusqu'à dire qu'on en fait trop, mais je trouve certaines réactions indignées bien tardives. Car, même si j'estime Benoît XVI très tolérant pour ces croisés de la tradition pure et dure, il y a tout de même un reproche qu'on ne peut pas lui faire : celui de nous surprendre. Son itinéraire personnel et intellectuel est connu, et c'est en connaissance de cause que Jean-Paul II a choisi le cardinal Ratzinger comme préfet de la congrégation pour la Doctrine de la foi en 1981.

Le cas Willamson n'est que le début d'un pénible chemin de croix pontifical. Jour après jour, entre une faillite de banque et le dépôt de bilan d'une entreprise, les médias se font l'écho, au mieux d'une maladresse, au pire d'un scandale mettant à mal l'institution catholique.

L'affaire de Recife est probablement celle qui porte au sommet l'indignation, au sein comme en dehors de l'Église. L'histoire de cette fillette de neuf ans, enceinte de jumeaux à la suite des viols répétés de son beau-père, fait le tour du monde. Devant cette situation – qui en outre semble menacer la vie de la jeune fille –, une équipe médicale décide, avec l'accord de la mère de la fillette, de procéder à un double avortement. Cela leur vaut l'excommunication, prononcée par l'évêque local. Celui-ci ajoute un commentaire qui en dit long sur sa vision de la démocratie : « Si les lois civiles ne sont pas en accord avec celles de Dieu, elles ne doivent pas s'appliquer. » Quant au beau-père violeur, il pourra toujours aller « à confesse » ; son cas à lui échappe au droit canon.

La première émotion passée, il se trouve des catholiques pour dire que le Saint-Siège n'a rien à voir dans cette affaire. Pas de chance, c'est tout de même Jean-Paul II qui a nommé à Recife – pour succéder à don Helder Camara, militant de l'« option préférentielle pour les pauvres » – un prélat connu pour ses positions ultraconservatrices. Et cet évêque, Mgr Sobrinho, a reçu dans cette affaire le soutien du cardinal Re, préfet de la congrégation des évêques. Or c'est Mgr Re qui a rédigé le texte relevant l'excommunication des évêques intégristes, dont le fameux Mgr Williamson. La boucle est bouclée.

Huit jours plus tard, dans l'avion qui l'emmène au Cameroun, le pape a une parole malheureuse sur le préservatif qui déclenche de nouvelles protestations. Des comités de soutien tels que « Touche pas à mon pape » (qui ne recrutent pas vraiment à gauche de la gauche) se précipitent au secours de Benoît XVI en expliquant que ce délicat sujet l'a « surpris en plein vol ». Mais, là non plus, pas de chance : dans son article du 21 mars paru dans *Le Monde*, Stéphanie Le Bars indique que toutes les précautions avaient été prises par les services du Vatican, et que ni la question posée ni la réponse ne pouvaient relever d'une quelconque improvisation. Comment penser que Benoît XVI ne sait pas qu'il s'agit là d'un sujet ultrasensible ?

Certes, les journalistes se sont peu attardés sur les autres propos du pape – notamment ceux où il témoigne sa sympathie aux malades du sida et rappelle tous les engagements de religieux et laïques chrétiens auprès d'eux. Mais quand notre Église – qui, avec Jean-Paul II, a fait une entrée fracassante dans le monde des médias – comprendra-t-elle enfin quelques règles de base de la communication ? Quand je me préparais à être enseignant, on m'a souvent répété que, pour apprendre l'anglais à Paul, il faut certes connaître l'anglais, mais il faut aussi connaître Paul. Lorsque la hiérarchie catholique s'adresse à un large public, elle ferait bien de s'inspirer de ce principe de bon sens. Elle saurait ainsi que si, un jour de Pâques, Benoît XVI proclamait *urbi et orbi* le Christ ressuscité et, en même temps, annonçait son prochain mariage avec une religieuse, la presse s'intéresserait beaucoup moins à sa profession de foi qu'à l'information concernant sa vie privée. Ainsi vont la ville et le monde. On peut certes le déplorer ; reste qu'il vaut mieux le savoir et en tirer des leçons avant de dénoncer un « lynchage médiatique ». De la période où j'ai dû faire face à un certain nombre de sollicitations de journalistes, j'ai retiré l'expérience qu'il n'y a guère eu d'incompréhensions ou de trahisons où je n'aie eu ma part de responsabilité. Ce sera d'ailleurs beaucoup plus grave quand l'Église n'intéressera plus personne et qu'on ne relèvera plus les paroles malheureuses ou maladroites de ses responsables. Ce jour n'est peut-être pas si loin où l'on sera totalement indifférent aux positionnements de quelques « cathos » égarés dans un monde qu'ils n'aiment pas et qui le leur rend bien.

Décidément, rien ne manque à cette période « horribilis », comme aurait dit la reine d'Angleterre. À Paris, le cardinal André Vingt-Trois est élu « macho de l'année » par l'association des Chiennes de garde pour ses propos sur la place des femmes dans l'Église : « Le plus difficile est d'avoir des femmes qui soient formées. Le tout n'est pas d'avoir une jupe, c'est d'avoir quelque chose dans la tête. » Ce n'est certes pas sa première phrase malheureuse, mais elle n'enlève rien à la sympathie que je lui porte, qui m'a souvent attiré des remarques désagréables de la part de confrères. L'homme est intelligent et courageux, ce qui lui vaut ces derniers temps l'hostilité des milieux intégristes, qui apprécient peu ses positions fermes sur la responsabilité des évêques en matière de liturgie et son peu de goût pour certains excès des manifestations *pro life*. Pour avoir été sous son autorité lorsque j'étais à Saint-Eustache, je sais qu'il n'est pas homme à vous porter un coup de poignard dans le dos !

Il cache souvent ces qualités derrière des attitudes distanciées, des formules pour le moins inattendues, une forme d'humour que j'apprécierais volontiers si je ne savais (pour en avoir fait l'expérience moi-même) qu'il ne convient pas en toutes circonstances. Je vois moins, derrière ces maladresses, le goût pour une certaine provocation que le choix d'un rôle de composition visant à se faire passer pour le benêt qu'il n'est pas. Il y a là sans doute une modestie naturelle, renforcée par ses longues années passées, comme vicaire puis comme évêque auxiliaire, dans l'ombre du cardinal Lustiger.

Je n'ai pas oublié sa « prestation » lors de mon installation comme curé de Saint-Eustache : arrivé avec sa mine de gros chat somnolent, il surprit toute l'assemblée par une brillante homélie de vingt minutes (sans aucune note) sur le passage de l'Évangile de Matthieu où le Christ, interpellé sur le paiement par les Juifs de l'impôt levé par l'occupant romain, lance sa fameuse réplique : « Rendez à César ce qui est à César, et à Dieu ce qui est à Dieu. » Son commentaire devant les élus de la Ville et des deux premiers arrondissements – quelques jours après que Charles Pasqua eut, à propos de prises de positions épiscopales sur l'accueil de l'immigré, invité les curés « à rester dans leurs sacristies » – fut un vrai régal.

Dans cette série noire, on a un peu moins parlé de la polémique créée par le refus d'un prêtre du diocèse de Nantes de baptiser le troisième enfant d'une famille qui n'envoyait pas ses deux aînés au catéchisme. Certes, toute demande de baptême d'enfant est reconnaissance par les parents d'un Dieu qui devrait avoir une place dans leur vie et les appeler à certaines cohérences. Mais, comme nous l'a dit son fils, ce Dieu nous a aimés le premier et sans conditions. Ce qui ne veut pas dire sans interpellation et, dans ce domaine, j'ai certainement été autrefois plus exigeant que je ne le suis aujourd'hui. Mais la réponse de l'Église à la demande de baptême d'une famille est le signe fort d'un accueil. Ou, au contraire, le signe fort d'un rejet.

Lorsque, il y a deux ans, j'ai repris des cours à l'institut de liturgie, j'ai assisté à la dernière intervention du père Chauvet. Devant un public de jeunes prêtres en col romain qui semblaient moyennement apprécier son propos, il avait précisément choisi de terminer son enseignement sur cette question de l'accueil des familles demandant le baptême : « Toute raison est bonne à prendre », a-t-il déclaré. Et d'énumérer l'adhésion à certaines valeurs, les traditions familiales, l'envie de faire une fête, le cancer d'une grand-mère, la crainte de rater un mariage à l'église, voire le désir d'ajouter à quelques vaccinations prudentielles une protection supplémentaire, au cas où il y aurait « quelque chose après » ! Il y a là matière à engager un dialogue, à condition que les parents se sentent accueillis avant d'être jugés. À un moment où l'on réintègre quatre évêques excommuniés sans poser beaucoup de conditions, refuser le baptême d'un enfant totalement irresponsable de l'absence de ses aînés au caté ne peut qu'ajouter aux incompréhensions de ceux qui viennent encore vers nous.

Pas un prêtre ne l'accompagnait.

Goethe,
derniers mots des *Souffrances du jeune Werther*.

La cour d'assises de Versailles n'a pas encore jugé la pénible affaire qui a pesé sur mon quotidien pendant des mois lorsqu'on vient me solliciter pour reprendre du service à l'ARS, l'Association pour la recherche sur la sclérose latérale amyotrophique, qui connaît alors une de ces crises dont le monde associatif a le secret. Non qu'il y ait là particulièrement plus d'ego qu'ailleurs, mais ceux qui s'y engagent font souvent de ce temps donné le centre de leur vie. (Un risque dont je pense avoir été un peu préservé par des activités « multi-cartes ».) De plus, la démarche d'un bénévolat à l'ARS survient, le plus souvent, pendant ou après une épreuve douloureuse : les plaies sont encore à vif, les susceptibilités souvent à fleur de peau et les tensions toujours possibles. Précisément tout ce que je souhaite éviter. Je résiste une année. Mais, malgré mes quinze ans d'absence, j'ai conservé un fort attachement aux projets de l'association. Une fidélité qui n'est pas qu'une fidé-lité à des morts : Vincent Meininger y mène toujours son combat, Yves, que j'ai embauché il y a vingt ans, y travaille toujours, et au cours du combat contre le sida j'ai noué des liens de sympathie avec Emmanuel Hirsch, directeur de l'Espace éthique de l'APHP, qui accepte d'en prendre la présidence. Malgré mes réticences à remonter au front, je dois bien cela à ceux que les handicaps liés à la maladie empêchent de tenir un crayon ou de taper sur un clavier. Certains même sont privés de parole : ne leur reste, s'ils en ont les moyens financiers ou si nous les y aidons, que la commande d'un ordinateur par clignements des paupières.

Si je ne reviens à l'ARS qu'à reculons, c'est aussi parce que ce retour me replonge dans l'univers des personnes malades et menacées, appréhendant de nouveaux attachements dont on sait, au départ, qu'ils seront plus rapidement fragilisés que d'autres. Une angoisse de la séparation que font peser toutes les maladies. Et si la SLA peut développer des handicaps très lourds (il est parfois difficile de supporter l'image de soi qu'elle vous renvoie et les dépendances qu'elle vous impose), c'est surtout une terrible impasse où elle vous engage dès le premier symptôme.

En conseil d'administration de l'association, nous nous interrogeons sur la manière de communiquer à propos de la maladie : comment, en peu de mots et sur une maladie méconnue et à formes multiples, porter un message qui soit suffisamment dramatique pour gagner les soutiens dont nous avons besoin sans pour autant heurter brutalement ceux qui la vivent ou leurs proches ? Nous regardons ensemble la vidéo produite par une association canadienne. Comme c'est le cas dans d'autres pays anglo-saxons, celle-ci a fait le choix d'une présentation sans nuances. On y voit donc les nombreux dégâts que peut provoquer la maladie. Mais l'insoutenable est la chanson enfantine qui sert de fond sonore aux images : une mélodie qui s'atténue progressivement, jusqu'au silence final.

Car la maladie la plus terrible n'a pas de nom, ou plutôt elle en a beaucoup : c'est celle qui menace notre vie, qui menace nos liens avec les autres.

Mon retour à l'ARS coïncide avec l'un des grands débats du moment : l'euthanasie. C'est un sujet sensible car, avec l'évolution des pratiques médicales, la frontière est toujours plus fragile entre l'accompagnement de la mort et la décision de mettre un terme à la vie. Ce débat ne saurait donc être éclairé par des prises de position extrêmes.

Au moment où l'on se préoccupe de l'encadrer d'un certain nombre de dispositions législatives, la réflexion n'est pas facilitée par ceux qui en réclament la pratique totalement libre, au nom d'une dignité qu'aucun groupement ne peut pourtant prétendre définir et encore moins représenter. Leur manque de nuances, comme la conception très individualiste qu'ils en ont, font peu de cas des sentiments divers et contradictoires par lesquels passent tous ceux qui en viennent à envisager ce qui demeure, même si elle est mûrement réfléchie et préparée, une décision dramatique. Mais ce qui n'est pas possible en France l'est maintenant en Suisse ou en Belgique et nous nous retrouvons vingt-cinq ans en arrière, lors du débat sur l'avortement : les riches ont des choix que les pauvres n'ont pas.

Un groupe de la Conférence des évêques de France s'attèle à ce débat avec lucidité et dans un esprit d'ouverture. Malheureusement, les prises de position de l'Église, tellement moins nuancées sur nombre d'autres sujets éthiques, lui ont fait perdre dans ces domaines beaucoup d'audience et de crédibilité. Son combat pour la vie semble être à géométrie variable. C'est d'ailleurs ce qui m'amène un jour à déverser mon irritation sur une jeune fille qui distribue des tracts devant les magasins du Printemps : « Ce qui est terrible avec vous, c'est que j'ai l'impression que la vie, cela ne vous intéresse que neuf mois avant la naissance et trois mois avant la mort ; les drames intermédiaires, vous vous en foutez complètement ! » La pauvre ne peut pas connaître les motifs de ma colère : j'ai vu ceux qui défendent haut et fort l'enfant à naître se taire quand celui-ci, encore fragile et vulnérable, subissait une violence qui pouvait définitivement blesser sa personnalité.

Mais, plus grave encore, il y a régulièrement des déclarations et des décisions étrangères à toute compassion, comme le refus d'obsèques religieuses pour l'italien Piergiorgio Welby. Celui-ci, atteint d'une grave dystrophie musculaire, ne survivait depuis neuf ans que grâce à un respirateur et à une alimentation par sonde. Une situation que peuvent connaître des patients SLA. À toutes les justifications de l'interdit ecclésiastique s'est superposée une terrible image : la veille même de Noël, ses proches ont une dernière fois entouré son corps devant les portes fermées de son église où, quelques heures plus tard, on lisait l'Évangile de la nativité rappelant que, pour Joseph et Marie, il n'y avait pas de place à l'hôtellerie !

Il est clair que ma propre histoire familiale, comme plusieurs événements de ma vie, me rendent extrêmement sensible à la question d'une mort choisie. Mes longues années d'engagement auprès des personnes handicapées ou désocialisées m'ont conduit à la défense concrète d'êtres fragiles et à l'accompagnement de leur combat, et je ne comprends pas que l'on condamne ceux qui, un jour, décident de leur mort ou la demandent à d'autres lorsqu'ils ne sont plus en mesure de réaliser eux-mêmes ce choix. Quelles que soient les raisons invoquées, je ne vois pas comment l'Église peut juger ce qui est l'ultime mystère de leur vie. Revendiquer ce petit coin de liberté (dont des circonstances imprévisibles peuvent d'ailleurs nous priver), est-ce vraiment provoquer le droit absolu et unique du Créateur ? Ceux qui en arrivent là n'ont-ils pas autre chose à penser ? Il y a une expression simple qui, me semble-t-il, aide à remettre les choses à leur place. Quand quelqu'un en arrive à dire : « Ce n'est plus une vie », on ne saurait le rendre coupable de supprimer ce qui, pour lui, n'est déjà plus.

Parmi tous ceux que j'ai croisés ou accompagnés pendant leurs longues années de dépression, rares sont ceux que j'ai entendus rendre Dieu responsable de leur mal de vivre, et encore moins avoir l'idée de le braver s'ils en venaient à un geste sans retour. Peut-être même ont-ils pensé parfois qu'ils parviendraient ainsi plus vite auprès de lui…

Avec au cœur ces interrogations et ces sentiments mêlés, j'ai toujours sous la main l'éditorial intitulé « Le dernier appel »

qu'en 1979 Bruno Frappat a signé dans *Le Monde* après le
« suicide » de Robert Boulin. Il y invite à ne pas désigner trop
vite la cause d'un geste désespéré : si le chômage peut conduire
à la dépression, tous les chômeurs ne se suicident pas ; s'il est
usant pour un enseignant d'être chahuté par ses élèves, tous les
professeurs en difficulté ne se suicident pas ; si les chagrins
d'amour peuvent être destructeurs, tous ne conduisent pas
pour autant à l'acte irréparable :

« Quand un être décide de mettre fin à ses jours, il faut lui
supposer des raisons bien profondes qu'aucune analyse super-
ficielle ne peut éclairer... Il faut imaginer – personne n'assiste
aux suicides – le solitaire déterminé, arrangeant les dernières
heures de sa vie, rédigeant ses messages, gagnant le lieu isolé
d'où il ne reviendra pas : cet être-là n'est plus enseignant,
ouvrier ou ministre, il n'est plus coupable et pas encore victime, il est désespéré et seul. Il y a ce qui est écrit, il reste
l'indicible. »

Ce ne sont pas les sujets dont nous nous entretenons lors de
ma rencontre avec Jean-Jacques L. Je l'ai connu il y a une
dizaine d'années comme administrateur de collèges oratoriens
et la SLA qui le frappe nous a remis en contact. J'appréhendais
nos retrouvailles. Il m'attend à la gare, puisqu'il peut encore
conduire sa voiture, pour m'emmener déjeuner dans le cadre
bucolique d'une petite auberge où il est connu et apprécié. En
plus, il me demande comme une faveur que nous recommen-
cions...

Jean-Paul F., auteur-musicien engagé qui n'a pas envie de se
« résigner sereinement » m'envoie, lui, régulièrement son journal :

9 novembre 2009 :
Puisque mon corps devient ma prison,
mon esprit est mon évasion.

Je rends régulièrement visite à Jean-Claude F. rue de Turenne.
Certes, il est le plus souvent alité, et bien des gestes lui sont
difficiles, voire impossibles. Ces dernières semaines, des tuyaux

l'aident à retrouver un souffle qui lui échappe. Mais il y a le soleil des fins d'après-midi qui emplit sa chambre et lui donne de chaudes couleurs assorties à la vivacité et à la malice de son regard. Pas un mot sur la maladie, qui ne l'intimide pas : tant qu'ils seront ensemble, il en sera le maître. Auprès de lui, on est dans la ruelle d'un amateur éclairé de littérature et d'art contemporain. Certains parleraient de courage. Certes il en a. Mais il a surtout une nature dont il aurait sûrement accepté que je dise qu'elle tient – comme pour d'autres, le désespoir – à des gènes qui nous échappent, tout autant que ceux qui sont peut-être porteurs de son mal. Il y a aussi son environnement familial qui l'appelle au meilleur : si les proches ne peuvent se mettre à la place des malades, ceux-ci demeurent des « proches de proches » dont ils se sentent responsables. Jean-Claude est l'un de ceux que mon retour à l'ARS me donne, en fait, la chance de rencontrer. Car, si certains sont terrassés par l'épreuve, beaucoup, et plus que je ne m'y attendais, révèlent des trésors d'énergie et d'humour. Ils continuent, dans ce qui ressemble à un emmurement progressif, à rayonner d'une extraordinaire vie intérieure, conservant intactes leurs passions et exprimant avec une grande économie de moyens l'essentiel de l'affection qu'ils nous portent. Prendre le thé avec sa femme et lui, un dimanche, ajoute du soleil à la journée. Une joie qui nous a été retirée avant même qu'arrive le printemps.

27 septembre 2010

Le plus court chemin de soi à soi passe par autrui.

Paul Ricœur.

À la gare RER de Saint-Quentin-en-Yvelines, un homme originaire d'Afrique du Nord me demande s'il peut passer avec moi au portillon d'accès aux voies. Autant j'ai horreur qu'on me bouscule sans me prévenir pour utiliser mon billet, autant je rends volontiers ce service. L'homme est gêné de me faire cette demande. Sans âge, il flotte dans un imperméable beaucoup trop grand pour lui : une précarité de santé, ou la précarité tout court, lui a manifestement valu ce don d'une œuvre caritative. Il est clair aussi qu'il m'a choisi : je l'ai aperçu de loin, guettant celle ou celui qui serait son passeur d'un moment. Et cela me fait plaisir.

Je lui dis ma technique : je passe le premier, n'avançant que très peu le tourniquet pour le lui renvoyer et qu'il puisse passer de la manière la plus confortable. Après m'avoir chaleureusement remercié, il me demande de lui expliquer à nouveau comment j'ai fait. Nouveau merci, avec un sourire amusé cette fois, découvrant une catastrophe dentaire. Et pourtant, dans la lumière dorée de cette fin d'après-midi d'automne, il a quelque

316

chose de rayonnant. Nos trains arrivent : venus d'horizons différents, nous partirons dans des directions opposées. Hasard ? Providence ? Il veut à nouveau me serrer la main ; il n'est plus dans la gratitude, mais dans la complicité.

C'est aujourd'hui le vingt-septième anniversaire de la mort de ma mère. Que voit-elle de cet instant auquel elle n'est pas étrangère ? Car c'est de sa bouche que j'ai entendu pour la première fois l'histoire de ce Samaritain qui s'arrête sur la route de Jérusalem à Jéricho pour porter secours à un étranger en difficulté. Bien plus tard, j'ai appris que le Christ avait raconté cette histoire en réponse à un juriste qui l'interrogeait : « Bon maître, que dois-je faire pour avoir la vie éternelle ? » Cette furtive rencontre, aujourd'hui, donne du sens à ma journée ; elle ranime mon espérance pour demain et après, après, après-demain.

« Nous irons tous au paradis ! »

Remerciements

Merci à ma mère et à mon père,
chacun, à sa manière, a voulu me donner le meilleur.

Merci à Jérôme, Claire, Yves, Gisèle, Philippe, Armelle,
Alexandre, Olivier, Marianne et Stéphane
pour ce qu'ils sont.

Merci à Suzanne, Bertrand, Jacques, Thomas, Norah, Raymond
pour ce qu'ils ont été.

Merci aux Marie (-Thérèse, -Noëlle, -Paule, -Antoinette…),
leur prénom parle déjà de leur fidélité.

Merci particulier à Marie-José ; pour l'aide technique, bien sûr,
mais, plus encore, parce qu'elle a été, après ses parents,
de ceux ont permis et encouragé l'aventure.

Merci à Dominique-Louise Pellegrin
qui, après m'avoir donné la parole, a soutenu mon écriture.

Merci à Jean-Pascal Guiot,
qui a su être l'oreille critique et bienveillante de ceux
auxquels je souhaite m'adresser.

Merci à tellement d'autres…

Photocomposition Nord Compo
Villeneuve-d'Ascq

Achevé d'imprimer en janvier 2012
sur presse rotative numérique
par JOUVE à Mayenne
pour le compte des Éditions Fayard

Imprimé en France
Dépôt légal : février 2011
N° d'impression : 820437A

36-57-2576-1/02